SHARON MORGAN

MORGAN

Actores a Mam

Er cof am Mam

SHARON MORGAN
Actores a Mam

Diolch i bawb wnaeth fy nghyflogi i ac i bawb
wnaeth hi'n bosib i fi weithio trwy ofalu am y plant.

Diolch i Alun Jones am ei amynedd, ei sylwadau gwerthfawr
a'i anogaeth trwy'r broses gychwynnol hir.

Diolch i bawb yn y Lolfa, i Lefi am ei ffydd ac i Meleri Wyn James
am ei gwaith trylwyr a diffwdan a'i hawgrymiadau difyr.

Diolch i Andy Dark am baratoi lluniau, i Lyfrgell Glowyr
De Cymru Prifysgol Abertawe, yn arbennig i Rhian Phillips
am ei chymorth parod wrth ddod o hyd i luniau,
a hefyd i Mabon Llŷr yn S4C, a'r Llyfrgell Genedlaethol.

A diolch i 'mhlant, Steffan a Saran, am eu cefnogaeth trwy bob dim.

Argraffiad cyntaf: 2022

Dymuna'r cyhoeddwyr gydnabod cymorth ariannol
Cyngor Llyfrau Cymru

Cynllun y clawr: Sion Ilar
Llun y clawr blaen: Brian Tarr
Llun y clawr cefn (chwith): S4C
Llun y clawr cefn (dde): John Waldron

Rhif Llyfr Rhyngwladol: 978 1 80099 108 8

Cyhoeddwyd, rhwymwyd ac argraffwyd yng Nghymru gan
Y Lolfa Cyf., Talybont, Ceredigion SY24 5HE
gwefan www.ylolfa.com
e-bost ylolfa@ylolfa.com
ffôn 01970 832 304
ffacs 832 782

Newid Byd

NEWIDIWYD FY MYD mewn ffyrdd na allwn i fyth fod wedi eu dychmygu ar ôl geni fy mab, Steffan. Ta faint o lyfrau y bydd rhywun yn eu darllen am hanes a phrofiadau mamau eraill, na faint o ffilmiau a rhaglenni teledu y bydd rhywun yn eu gwylio, does dim byd yn eich paratoi ar gyfer yr effaith pellgyrhaeddol. Trwy wylio eraill yn magu plant, yn berthnasau ac yn deulu, a thrwy fod yn ferch i fy mam fy hun, roedd 'da fi brofiad ail-law, ond darganfyddais fod cymaint yn guddiedig. Mae cymdeithas yn diffinio bod yn fam fel stad 'naturiol' sy'n cydweddu â gallu cynhenid menywod i feithrin, ac yn ei gymryd yn ganiataol, ei roi ar bedestal neu ei ddemoneiddio yn ôl y pren mesur hwnnw. Mae tawelwch byddarol am y mislif, y menopos, beichiogi a geni ac mae gorchudd y mudandod mawr yn parhau i fod yn drwm ar hyd bywyd menywod.

Pan wnes i ddarganfod 'mod i'n disgwyl ro'n i'n gyffrous ac yn ofnus ar yr un pryd, ac roedd hi'n union yr un peth gyda Saran, fy merch, bymtheg mlynedd yn ddiweddarach. Ar ôl y sioc a'r anghrediniaeth i gychwyn, dechreuais deimlo fel creadur llawn hud a lledrith, cyn cael cyfnod o fod mewn panig llwyr a drodd yn rhyfeddod wrth i fi wylio fy siâp yn newid, a choes neu fraich yn gwneud i fy stumog ffrwtian, fel uwd mewn sosban. Does bosib bod person yn tyfu y tu mewn i fi! Mae'r diwrnodau olaf cyn rhoi genedigaeth, pan fydd un person yn troi'n ddau, yn gyfnod trawsnewidiol rhwng un byd a'r nesaf, ac mae yna ddyhead yn gymysg ag ofn; all neb ddweud wrthoch chi sut beth fydd geni plentyn, pryd yn union y bydd yn digwydd, na beth fydd yr amgylchiadau. Ar ôl yr enedigaeth ro'n i'n anghrediniol fod y peth wedi digwydd, bod babi tu fewn i fi wedi'r cwbl, a'i fod e wedi ymddangos yn berson cyfan byw, newydd. Roedd e fel gwyrth, fel majic. Arhosais ar ddi-hun trwy'r nos y noson gyntaf ryfeddol honno wedi geni Steffan, yn siarad a siarad am offer atal cenhedlu ac am y troeon eraill pan fues i ar ddi-hun trwy'r nos yn yfed ac yn dawnsio.

Ro'n i'n caru fy mab yn angerddol o'r eiliad y cyrhaeddodd, ond bu'r enedigaeth yn brofiad ysgytwol o boenus ac anodd. Ro'n i wedi paratoi fy hun cymaint â phosib, trwy ymuno â'r NCT, a fu'n gefn mawr i fi, a darllenais lwyth o lyfrau am anadlu a bronfwydo. Ni chafodd fy mam unrhyw boen ar enedigaeth fy mrawd na minnau ac ro'n i'n mawr obeithio y byddai'r un peth yn wir i fi. Yn anffodus, nid felly y buodd hi. Dechreuodd y cyfan gyda'r enema a'r eillio a diweddu gyda fforseps a phwythau. Roedd fel cael fy herwgipio ac yna fy arteithio. Dwedodd Mam, a oedd gyda fi yr holl amser, bod ei phen hi'n dal yn yr ysbyty am bythefnos ar ôl yr enedigaeth, a'i bod hi'n gwybod, erbyn hynny, 'beth o'dd menywod erill yn siarad amdano'.

Roedd y profiad wedi fy syfrdanu ac ar ôl cyrraedd gartre i'r tŷ yng Nghaerdydd, dwi'n cofio y bues i'n edrych trwy'r ffenest yn gwylio pobl yn cerdded heibio ac yn methu credu mai dyma sut y cyrhaeddodd pob un ohonyn nhw'r byd. Roedd y peth yn anhygoel, yn wybodaeth ryfeddol. Pam nad oedd hyn yn amlwg i bawb? Pam nad oedd pawb yn ei drafod yn feunyddiol? Roedd derbyn cardiau bach pert ac arnyn nhw luniau lliwiau pastel, ddim yn dod yn agos at gyfleu fy mhrofiad i o fynd nôl at Y Graig, at darddiad bywyd, at wreiddyn y byd.

Nid dim ond fy nghenedlaetholdeb pybyr a liwiodd fy mhenderfyniad i eni fy mab yng Nghaerdydd. Roedd Julian, fy mhartner, wedi bod yn rhedeg Theatr y Duke of York yn Llundain, wrth iddi gael ei hadnewyddu, ac roedd wrthi'n paratoi i lansio *Rose*, drama gomedi Andrew Davies gyda Glenda Jackson yn y brif ran. Roedd 'da fi fy nhŷ yng Nghaerdydd a byddai'n haws i fy mam fy nghefnogi yno, yn hytrach nag yn Llundain, am ei bod hi hefyd yn gofalu am Mam-gu a Dad-cu yng Nglanaman. Ganwyd Steffan ar Chwefror y degfed, noson Gala agoriadol *Rose* yn y Duke of York, ac fe gyrhaeddodd Julian ychydig oriau ar ôl yr enedigaeth. Aeth wythnos gyfan heibio yn yr ysbyty cyn i fi gael mynd gatre, a gwawriodd arna i taw nid eithriad oedd y noson ddi-gwsg gyntaf honno, a minnau'n ceisio bronfwydo heb lawer o help gan y nyrsys oedd ddim hyd yn oed wedi darllen *Breast is Best*.

Roedd fy asiant, Jan Dutton, wedi parhau i chwilio am waith ar fy rhan tra 'mod i'n disgwyl, ond er 'mod i'n benderfynol o beidio â stopio gweithio doed a ddelo, bu'n rhaid gwrthod taith trwy Brydain yn *The Rocky Horror Picture Show*, ond daeth dwy ran ddifyr ar y teledu a'r ddau gymeriad yn digwydd bod yn feichiog.

Yn bum mis yn feichiog, chwaraeais Catherine Edwards, un o feistresi Lloyd George a fynnai mai'r 'Welsh Wizard' oedd tad ei phlentyn, yn *The Life and Times of David Lloyd George*. Dyma'r tro cyntaf i fi weithio gyda'r actor Philip Madoc y byddwn i'n treulio cryn amser yn ei gwmni erbyn diwedd y ddegawd yng nghyfres *Yr Heliwr/A Mind To*

7

Kill. Doedd dim arwydd o feichiogrwydd yn y golygfeydd cychwynnol, ac mae fy nyled yn fawr i'r adran wisgoedd am ei gofal dros fy stumog wrth dynhau fy staes. Yna, ym mis Rhagfyr, a minnau saith mis yn feichiog, es i Fanceinion i chwarae gwraig ifanc feichiog o'r enw Mrs Ellis yn *Coronation Street*, ar ofyn Malcolm Taylor, cyfarwyddydd y cynhyrchiad *Under Milk Wood* y bûm i'n rhan ohono yn Theatr y Mayfair yn Llundain. Robin Griffith oedd yn chwarae Mr Ellis wrth i'r cwpl gael gwybod na fyddai Elsie Tanner yn gwerthu ei thŷ yn Rhif 11, ac y bydden nhw'n ddigartref, fel Mair a Joseff ar drothwy'r Nadolig. Gafon ni groeso mawr, yn enwedig gan yr actores Pat Phoenix a fynnodd fod Malcolm yn troi'r camera arna i a Robin bob gafael. Un o'r delweddau o'r cyfnod sydd wedi aros yn fy meddwl yw gweld yr actores Violet Carson, oedd yn chwarae rhan Ena Sharples, yn ymlwybro ar hyd coridorau'r gwesty ble ro'n i'n aros, mewn ffrog ddu smart a mwclis hardd, yn edrych fel brenhines. I goroni'r cyfan fe gafon ni ginio Nadolig arbennig yno hefyd.

Ar fy ffordd i Fanceinion recordiais ddrama radio yn Neuadd y Penrhyn ym Mangor gyda Dafydd Huw Williams, fyddai'n gomisiynydd drama cyntaf S4C ymhen ychydig o flynyddoedd, ac arhosais dros nos gyda fy hen ffrind Valmai Jones ym Methesda, a chael cyfle i weld sioe ddiweddaraf Bara Caws, *Hwyliau'n Codi*. Ymhyfrydais yn y ffaith fod y cwmni yn ffynnu, a daeth atgofion hapus am berfformio yn y sioe gyntaf honno, *Croeso i'r Roial*, yn dychanu Jiwbilî Arian Elisabeth yr ail, yn Eisteddfod Wrecsam yn 1977. Yn ystod cyfnod fy meichiogrwydd fe wnes i hefyd lwyddo i wneud tipyn o waith radio i ysgolion i'r BBC, ond yn y pen draw, roedd rhaid i'r gwaith ddod i ben a chanolbwyntiais ar wersi *antenatal*, llyncu Pregaday a mynychu boreau coffi NCT.

Ar ôl camu i'r arallfyd ble roedd person bach newydd wrth fy ochr, roedd yn rhaid dod i delerau gyda theimladau hollol wrthgyferbyniol: teimlo fy mod wedi diflannu, wedi cael fy llyncu'n llythrennol gan bresenoldeb y babi, wedi colli fy hunaniaeth yn llwyr ac ar yr un pryd ei garu fe â chariad cwbl wallgof o ffyrnig. Roedd rhaid aros am gynigion gwaith er mwyn cael cadarnhad nad o'n i'n cael fy niffinio gan y pwythau a'r nosweithiau di-gwsg, a'r teimlad bod ymweliad â Marks & Spencer fel cael fy atgyfodi, er gwaetha'r cariad angerddol a deimlwn tuag at fy mab. Dyma gychwyn ar flynyddoedd, na ddaethant i ben tan yn ddiweddar iawn, o geisio dod i ben â'r dasg amhosib o ymroi'n gyfan gwbl i ddau fyd ar yr un pryd.

Ymhen llai na deufis ar ôl geni Steffan, derbyniais y newyddion 'mod i wedi cael cynnig dwy ran: ffilm i'r Bwrdd Ffilmiau, *Newid Gêr*, a rhaglen deledu gan Wil Aaron am y bardd Talhaearn.

Ffilm am yrwyr rali, wedi ei lleoli yn Llanilar ac ardal Aberystwyth, oedd *Newid Gêr* gan Euryn Ogwen Williams. Roedd Euryn am i bobl fynd i weld y ffilm, 'nid am ei bod hi yn Gymraeg, ond am eu bod nhw wir eisie gweld y ffilm.' Nid Ffilm Fawr gyda neges gudd oedd hon, ond ffilm y byddai pawb yn gallu ei mwynhau. Hon oedd fy rhan gyntaf yn y byd newydd, dieithr deublyg hwn. 'Gofynnai'r sgript am yrru medrus na ellid disgwyl i'r actorion ei gyflawni,' meddai Lyn Ebenezer yn *Y Cymro*. Cyfeirio at y gyrwyr rali oedd e, wrth gwrs, ond do'n i ddim yn gallu gyrru car o gwbl a bu'n rhaid i hanner y criw wthio car fy nghymeriad i, Eleri, wrth i fi afael yn y llyw, edrych yn hyderus ac esgus newid gêr. Roedd y pedwar diwrnod yn Aberystwyth a Llanilar yn donic pur, ac yn fy atgoffa bod 'da fi ddimensiwn i fodoli ynddo ar fy mhen fy hun fel person. Fyddwn i byth wedi gallu derbyn y gwaith pe

na byddai'n bosib mynd â'r babi gyda fi, i'w fronfwydo.
Bwydais fy mab am ddwy flynedd, a Saran yn nes ymlaen
am dair. O'n i'n dwli ar yr agosatrwydd a'r cyfleustra, ac ar
ben hynny, mae'n rhad ac am ddim. Daeth fy mam gyda
fi i warchod Steffan wrth i fi ffilmio, a dyma gychwyn ar
flynyddoedd o gefnogaeth; heb Mam byddai wedi bod yn
gwbl amhosib i fi gynnal fy ngyrfa fel actores.

Cyn diwedd Ebrill ro'n i wedi derbyn mwy o waith.
Erbyn i fi chwarae rhan Awen, mewn wig a chrinolin, yn
y rhaglen *Talhaearn*, ro'n i wedi recordio peilot i raglen
adloniant ysgafn o'r enw *Cwlwm '80*, a daeth cyfres yn ei
sgil oedd yn golygu gwaith trwy gydol mis Mehefin. Aeth
Dad-cu'n dost a doedd Mam ddim ar gael ac felly bu'n rhaid
cael nani achlysurol, o'r enw Sue Gibbs, i helpu. Doedd hyn
ddim yn hawdd. Roedd Steffan yn torri dannedd a ddim
yn cysgu'r nos. Ro'n i'n poeni am *cradle cap*, ac roedd fy
mronnau i'n *engorged* ac mewn peryg o ollwng llaeth trwy
fy ngwisg. Des i wybod sut oedd y da yn Llandyfaelog yn
teimlo wrth iddyn nhw freifad am gael eu godro. Daeth
cyfle am wythnos o wyliau yng Ngheredigion cyn ailafael
yn y gwaith, ac aethon ni yn MG bach glas golau Julian
i fwynhau Cwm Tydu a Llangrannog, trên bach Cwm
Rheidol ac i ymweld â 'mrawd, Paul, oedd erbyn hyn yn
gweithio i'r Cyngor Sir yn Aberystwyth.

Cyfres ddirgelwch gan Gerallt Jones i HTV oedd *Mae'r
Gelyn Oddi Mewn* ac roedd yr holl ffilmio'n digwydd ar
leoliad yn Nhŷ Dyffryn yn San Niclas y tu allan i Gaerdydd.
Gan fod Dad-cu wedi gwella erbyn hyn, roedd Mam yn
rhydd i helpu eto ac fe wnaeth hi a Steffan fwynhau yn y
gerddi hardd tra 'mod i'n ffilmio. Roedd Steffan yn fabi
hapus a bodlon tu hwnt yn y dydd, ond roedd cysgu'r nos
yn dal yn ddirgelwch iddo. Wrth wylio darllediad o *Mae'r
Gelyn Oddi Mewn* ro'n i'n falch i weld 'mod i'n ymddangos

yn hollol *compos mentis*, gan fod sefyll ar fy nhraed a siarad yn teimlo fel tipyn o gamp ar y pryd, heb sôn am berfformio. Byddai'n rhai blynyddoedd cyn i fi allu mwynhau noson gyfan o gwsg.

Tua'r adeg yma ymunais ag asiantaeth Felix De Wolfe. Roedd busnes fy nghyn-asiant Jan Dutton wedi mynd i'r wal ddiwedd Ionawr 1980, ac ro'n i'n falch i gael ymuno ag asiantaeth oedd â chleientiaid Cymreig fel Rachel Thomas a David Lyn. Ro'n i am barhau i geisio cael gwaith dros y ffin, ac es i'n ôl i Lundain ar ôl cwblhau'r gyfres radio, *SOS Galw Gari Tryfan*, ro'n i wedi bod yn ei recordio ar yr un adeg â chyfres HTV. Er 'mod i heb glywed y gyfres wreiddiol ro'n i'n sylweddoli ei bod hi'n dipyn o fraint cael chwarae Elen mewn rhaglenni ditectif mor eiconaidd. Des i'n ôl i Gaerdydd eto i ffilmio rhaglen beilot arall – comedi sefyllfa o'r enw *Tomos a Titw* gan John Ogwen a Norman Williams.

Roedd digon o ddeunydd comedi sefyllfa yn fy mywyd i yn ystod y blynyddoedd hyn, wrth i fi rannu fy amser rhwng Caerdydd a Llundain. Wrth edrych 'nôl roedd hi'n ymdrech anferthol i ymgodymu â'r newid byd seismig, yn magu plentyn a cheisio cynnal gyrfa fel actores, heb sôn am fod yn hunangynhaliol yn ariannol. Dyma pryd wnes i ddod yn ffeminydd go iawn. Er i fi ddarllen *The Second Sex* gan Simone De Beauvoir yn y saithdegau, ac arddel fy naliadau dros gydraddoldeb yn glir ac yn gryf, dim ond wrth fyw bywyd mam o ddydd i ddydd y gwnes i sylweddoli gwir faint yr anghyfartaledd dybryd rhwng y rhywiau sydd yn ein cymdeithas. Gan fod 'da fi blentyn, roedd hi'n ymddangos bod disgwyl i fi hefyd wneud yr holl waith tŷ diflas, a hynny heb beiriant golchi, gan gofio 'mod i'n defnyddio cewynnau 'go iawn' yn hytrach na rhai parod.

Erbyn Ionawr 1981 ro'n i wedi darllen *The Feminine*

11

Mystique gan Betty Friedan, ac fe es ymlaen i chwilio am gynhaliaeth mewn rhyddiaith a ffuglen ffeministaidd a wnaeth fy nghynnal trwy'r cyfnod rhyfedd o anodd a swreal hwnnw. Nofel *The Millstone* agorodd y drws i weddill llyfrau Margaret Drabble, *The Women's Room* Marilyn French a gwaith Margaret Atwood a Doris Lessing. Alla i ddim dychmygu sut y byddwn i wedi goroesi hebddyn nhw. Roedd gwaith Julian fel rheolwr theatr, yn Theatr y Mayfair erbyn hyn, yn golygu ei fod yn gweithio gyda'r nos yn ogystal ag yn ystod y dydd, a bues i'n lwcus bod criw o Gymry yn byw yn ein hymyl yn Llundain, gan gynnwys fy hen ffrindiau, Marged Esli, Robin Griffith a Sue Jones-Davies. Yn y Cylch Ti a Fi yn Hampstead Garden Suburb cwrddais ag Elinor Talfan Davies, Calan McGreevy ac Ann Bielecka, ac fe gafodd Steffan y cyfle i chwarae gyda phlant bach Cymraeg eu hiaith. Er bod rhaglenni Cymraeg ar y BBC amser cinio, doedd dim rhaglenni ar gyfer plant ac felly ro'n ni'n gwylio'r cartwnau i blant yn Saesneg a'r sain wedi ei ddiffodd. Roedd trosglwyddo'r iaith iddo yn flaenoriaeth lwyr i fi, ac roedd Julian yn deall hynny ac wedi cychwyn ar wersi Cymraeg.

Nawr 'mod i'n byw ym myd Margaret Drabble, mewn diwylliant estron, roedd fy mhellter o gatre yn effeithio ar fy ngallu i gael gwaith yng Nghymru. Cynigiwyd gwaith radio i fi ym Mangor, ond roedd yn anodd ei dderbyn heb neb i warchod, ac roedd rhaid gwrthod gwaith gan Bara Caws, Cwmni Theatr Cymru a Theatr yr Ymylon hefyd am y byddai'r teithio'n amhosib. Gwnes dri chyfweliad am brif ran yn y gyfres *World's End* gan Ted Whitehead, a dod lawr i'r ddwy olaf, ond ces fy ngwrthod. Mae'r teimlad o fod mor agos bron yn waeth na methu ar ôl y cyfweliad cyntaf. Uchafbwynt y misoedd hir gaeafol hyn oedd tynnu peintiau fel '*busty blonde barmaid*' ar gyfer hysbyseb deledu yn nhafarn y Spotted Dog yn Neasden, a'r actores Pam Ferris yn gyd-farmed. Er mai hysbyseb ar gyfer cwrw Whitbread oedd hwn, twyllwyd y gynulleidfa'n llwyr, achos defnyddiwyd cwrw hollol wahanol o flaen y camera ac ychwanegwyd cynhwysyn cudd i roi gwell pen ar y peint.

Does dim dwywaith bod y ffaith fod 'da fi blentyn yn ei gwneud hi lot yn anoddach i sicrhau gwaith. O safbwynt y cyflogwyr mae yna ddealltwriaeth, bron yn ffasgaidd, bod dyletswydd ar ran actores i ymroi yn llwyr i'r gwaith ac nad oes lle i ystyried unrhyw beth arall yn ei bywyd. Gall Dr Footlights eich galluogi i berfformio hyd yn oed pan ry'ch chi'n wirioneddol sâl; *The show must go on'* yw'r mantra. Mae'n well esgus eich bod yn ddi-blant, neu bod 'da chi fawr ddim diddordeb yn eich plant, a bod pobl eraill ar gael i'w gwarchod bedair awr ar hugain y dydd, saith niwrnod yr wythnos. Erbyn hyn mae symudiad o fewn y busnes sy'n cydnabod yr annhegwch mae rhieni a gofalwyr yn ei wynebu, sy'n effeithio yn bennaf ar fenywod. Felly, ffurfiwyd **PIPA** – *Parents & Carers In Performing Arts*. Mae angen meithrinfeydd mewn gweithleoedd ac oriau gwaith tecach ac iachach i bawb mewn gwirionedd. Does dim modd i neb berfformio ar eu gorau heb gael digon o amser i orffwys a byw.

Does dim cymhariaeth, wrth gwrs, rhwng amodau gwaith actor ac amodau gwaith fy nhad-cu, Frederick Nicholson, a fu yn löwr trwy ei oes, yn gweithio heb weld yr haul o gwbl yn y gaeaf, ac mewn perygl beunyddiol. Anafwyd ei goes mewn cwymp, collodd ddau fys a chafodd *pneumoconiosis* o ganlyniad i flynyddoedd yng nghanol llwch y glo. Roedd Mam wastad yn betrusgar wrth ddod gatre o'r ysgol rhag ofn bod rhywbeth ofnadwy wedi digwydd i'w thad a ddaethai i'r cwm o Firmingham gyda'i deulu, yn fachgen un ar bymtheg oed, a gweithio yng nglofa'r Betws yn Rhydaman am bum deg a dwy o flynyddoedd. Roedd iechyd fy nhad-cu, y dyn anwylaf fyw, wedi gwaethygu'n ddirfawr dros y flwyddyn, a bu farw yng nghanol mis Mai 1981 mewn gwth o oedran. Roedd ei hiwmor a'i dynerwch yn fodd i felysu natur Mam-gu, a dueddai i reoli pawb a phopeth. Byddai ei ganeuon fel, '*Has anyone here seen Kelly?*' ac '*Annie Annie stick, stick stannie*' yn ei gorfodi i ymlacio. Bu ei golli yn ergyd drom iddi hi ac i fy mam a oedd yn dwli'n lân arno.

Comisiynwyd cyfres o'r gomedi sefyllfa *Tomos a Titw*, gan fod y peilot wedi plesio a dyma fi'n ôl yng Nghaerdydd trwy fisoedd Mehefin a Gorffennaf 1981 gyda fy nani, Jayne Nankervis, yn gofalu am Steffan am fod angen i Mam aros yng Nglanaman i ofalu am Mam-gu. Es i'r gwaith ar fy mhen fy hun y tro hwn, gan fy mod wedi stopio bwydo ar y fron, o leiaf yn ystod y dydd.

Ym mis Medi chwaraeais ran Blodwen, chwaer Aneurin Bevan yn y ddrama *Nye* i'r BBC, teyrnged i bensaer y Gwasanaeth Iechyd Gwladol, a Richard Lewis yn cyfarwyddo. John Hartley oedd yn chwarae Nye a Rachel Thomas yn chwarae ei fam. Dwi'n dal i ddifaru nad es i â recordydd tap i'w thŷ hi er mwyn sicrhau cofnod o hanes bywyd yr actores a gafodd ei bedyddio'n archdeip y 'Fam Gymreig'. Roedd Rachel yn storïwraig ddifyr a ches fy swyno gan ei straeon am ei phlentyndod yn Allt-wen, a hithau'n cael ei hystyried yn *tomboy*, ac am y ffaith iddi gael ei hesgymuno gan gynhyrchwyr y BBC yng Nghaerdydd am fod ganddi asiant yn Llundain, sef Felix De Wolfe. Clywais am gynddaredd ei merch, yn cicio'r cesys a gawsai eu pacio cyn i'w mam fynd i ffwrdd, am nad oedd ganddi'r dewis i weithio yng Nghymru bellach. Byddai wedi bod yn ddifyr clywed am hanes ffilmio *How Green Was My Valley* yn stiwdios Twentieth Century Fox a dyffryn San Fernando yng Nghaliffornia, a *The Proud Valley* gyda Paul Robeson.

Aeth Rachel yn ei blaen i weithio tan ddiwedd ei hoes, ac yn 89 mlwydd oed bu'n actio cymeriad mewn drama oedd yn rhan o gyfres *The Wales Playhouse*, yn amddiffyn ei thir gyda dryll, ac yn adrodd monolog hir.

Dyma pryd y cwrddais i â'r actores dalentog Donna Edwards am y tro cyntaf, a hithau newydd golli ei mam yn ddeunaw oed ac ar fin mynd i Aberystwyth i ddilyn cwrs gradd. Mae'r adeg difyr a dreuliodd y tair ohonon ni'n sgwrsio, ar ryw fryncyn yn ymyl Tredegar yn ystod y ffilmio, yn fyw yn y cof a dwi'n cyfri adegau fel yna yn drysorau bach cofiadwy. Heb fod yn hir wedi hynny treuliais gyfnod gydag actor arall eiconaidd, sef Ray Smith, yn darllen barddoniaeth Harri Webb mewn rhaglen i ysgolion. Roedd 'da fi gryn dipyn o brofiad ym myd radio erbyn hynny a dwi'n cofio synnu wrth glywed Ray yn defnyddio ei lais mawr cryf cyfoethog. Pan welodd e 'mod i'n cwestiynu lefel ei lais dwedodd, '*Oh don't worry, mun, they've got knobs in there, if it's too loud they can turn it down.*' Wedi hynny dysgais i osgoi ceisio mygu'r teimlad a'r ystyr a ddeuai yn naturiol.

Pan ffoniodd Gwenlyn Parry yn fuan wedi hyn i gynnig rhan i fi yn y gyfres *Pobol y Cwm*, gwrthodais, er gwaethaf fy ysfa i weithio, gan nad oedd Steffan wedi cyrraedd ei ddyflwydd a byddai wedi golygu cyfnodau hir iawn o orfod ei drosglwyddo i ofal eraill, a do'n i ddim yn barod i wneud hynny eto. Daeth cyfnod llawer mwy cyfleus i ymuno â'r gyfres yn 1984 a Steffan erbyn hynny wedi dechrau yn yr ysgol gynradd. Mae pwyso a mesur budd gwaith i fi a'r teulu wedi bod yn hollbwysig trwy fy ngyrfa ac mae ystyr ac ansawdd y gwaith, a hefyd fy sefyllfa ariannol ar y pryd, wedi lliwio fy ymateb. Ro'n i'n parhau i arwyddo fy enw yn y swyddfa fudd-dal gwaith, fel y gwnes trwy gydol y ddegawd flaenorol, ond roedd ymweld â'r swyddfa oddi ar

Holloway Road yn Llundain yn brofiad gwahanol iawn i'r profiad o wneud hynny yng Nghaerdydd. Dim ond unwaith es i â Steffan, ac roedd unwaith yn ddigon. Roedd cannoedd yno! Ciw reit mas i'r hewl, ac roedd y tu mewn fel bod yn y Stock Exchange adeg y Wall Street Crash! Byddai'n well 'da fi deithio'n ôl i Gaerdydd bob wythnos, meddyliais, ac o dipyn i beth daeth hi'n glir i fi taw gatre o'n i am fod.

1982

Ceisio Cadw'r Ddysgl yn Wastad

FE'M CADWYD YNG Nghaerdydd gan eira mawr Ionawr '82, a ddaeth ag enwogrwydd i Sulwyn Thomas, a chwyddo nifer gwrandawyr Radio Cymru, a chadwodd adran addysg y BBC y blaidd wrth y drws. Roedd rhaid i fi wrthod cynnig Wil Aaron i ymddangos mewn drama ddogfen am *Cwm y Glo* a gâi ei ffilmio yn Abergwaun, oherwydd heriau gwarchod a theithio, ond roedd rhoi llwyfan i ddrama ysgytwol Kitchener Davies fel rhan o gyfres Almanac yn arwydd cyffrous o'r modd y byddai sefydlu S4C yn ehangu ein hymwybyddiaeth o'n hunaniaeth a'n treftadaeth. Byddai llawer mwy o gyfleoedd ar y ffordd i ni fel actorion hefyd, gyda dyfodiad sianel deledu yn yr iaith Gymraeg. Erbyn hyn, ry'n ni'n cymeryd yr hawl i gael rhaglenni o bob math yn ein hiaith ein hunain yn ganiataol, ond canlyniad brwydr hir a gychwynnodd yn 1969 oedd sefydlu S4C, pan gyflwynwyd deiseb ar risiau'r BBC yn Llandaf; dwi'n falch i ddweud 'mod i yn y dorf wnaeth gerdded yno i'w chyflwyno a minnau'n fyfyrwraig ym Mhrifysgol Caerdydd ar y pryd. Daeth yr ymgyrch o dorcyfraith, o feddiannu stiwdios a dringo mastiau, i benllanw gyda bygythiad Gwynfor Evans i ymprydio i farwolaeth a orfododd lywodraeth Margaret

17

Thatcher i anrhydeddu addewid ei maniffesto etholiadol. Ym mis Tachwedd 1982 daeth y sianel i fodolaeth wrth i Robin Jones, pennaeth y tîm cyflwyno, estyn croeso i'r gwylwyr, ac yntau'n smygu pib, os cofia i'n iawn. Gwelwyd prysurdeb mawr yn ystod y flwyddyn er mwyn sicrhau digon o raglenni o bob math, a sefydlwyd nifer helaeth o gwmnïau annibynnol newydd, ond fe fyddai'n fis Medi cyn i fi gael cyfle i fod yn rhan o un o'r cerrig milltir pwysicaf yn ein hanes.

Ar ddechrau Chwefror cynigiodd y cyfarwyddydd, Karl Francis ran i fi fel gweithwraig gymdeithasol yn ei ffilm ddiweddaraf, *Giro City*, am griw ffilm ddogfen oedd yn brwydro yn erbyn sensoriaeth. Y seren fyd-enwog, Glenda Jackson, seren y Duke of York ar noson geni Steffan, ac enillydd gwobrwyon lu yn cynnwys dau Oscar, oedd yn chwarae'r brif ran, a gyda hi roedd fy unig olygfa. Es i'n blygeiniol ar fws, trên a thacsi i ffarm anghysbell ar ben y mynydd ger Merthyr Tudful, gwneud fy ngholur fy hun ac aros tan bump y prynhawn i weithio. Roedd gan Glenda Jackson *stand-in*, menyw glên oedd wedi bod yn gwneud y swydd ers y ffilm *Women In Love*, ar gyfer y goleuo a'r ymarfer, a wnaeth Glenda ei hun ddim ymddangos tan y *take*. Ar ôl cymeryd eiliad neu ddwy i argyhoeddi fy hun 'mod i'n weithwraig gymdeithasol yn siarad â newyddiadurwraig o'r enw Sophie, ac nid yr actores chwaraeodd Alex yn *Sunday Bloody Sunday*, Gudrun yn *Women in Love* a Charlotte Corday yng nghynhyrchiad Peter Brook o *Marat/Sade*, aeth popeth yn iawn. Ar ddiwedd y dydd mynnodd Karl 'mod i'n mynd am swper gyda fe a'i Anti Gwyneth a'i Wncwl Bob yn y gwesty uwchben Merthyr lle roedd pawb yn aros. Ces sawl diod o Guinness a chyrraedd gatre am un ar ddeg o'r gloch y nos.

Ymhen deg mlynedd byddai Glenda Jackson yn

Aelod Seneddol Llafur i Hampstead a Highgate a hynny oherwydd ei gwrthwynebiad i bolisïau creulon ac annynol llywodraeth Thatcher, ac er i Karl, a ddaeth i amlygrwydd am ei ddrama ddogfen *Above Us The Earth*, fynd ati i greu sawl ffilm gofiadwy i S4C, fel *Milwr Bychan* ac *Yr Alcoholig Llon*, ni wireddwyd gobeithion yr wythdegau cynnar o ran y diwydiant ffilm a theledu yng Nghymru. Cynhyrchiad Silvarealm/Rediffusion Films a Channel 4 oedd *Giro City*, o dan arweiniad Jeremy Isaacs, a gefnogodd nifer helaeth o wneuthurwyr ffilm annibynnol fel Peter Greenaway, Sally Potter a Karl. Dyma artistiaid na fynnai wyrdroi eu gweledigaeth unigryw a gwreiddiol na glastwreiddio uchelgais greadigol er mwyn bod yn llwyddiant masnachol. Dadleuodd rhai fod polisïau Margaret Thatcher o ddadreoli a chreu marchnad rydd yn gyfleoedd newydd i greu cyfoeth. Roedd hynny yn sicr yn wir i amryw a sefydlodd gwmnïau annibynnol ar y pryd, ond canlyniad anochel ac annymunol y polisïau hefyd oedd dyrchafu elw yn uwch na phobl a safon y gwaith. All hynny fyth weithio o fewn cyd-destun creadigol, ac yn sicr does dim modd i sianel mewn iaith leiafrifol gystadlu o fewn marchnad rydd, a chafwyd effaith andwyol ar ein diwydiant ffilm a theledu. Mae cyllideb S4C wedi cael ei thorri'n rheolaidd ar hyd y blynyddoedd, ac erbyn hyn disgwylir i'r sianel gyflawni gwasanaeth cyflawn yn flynyddol am yr un gost â dwy gyfres o *The Crown*. Roedd gwylio dwy bennod o'r gyfres honno yn portreadu digwyddiadau arwyddocaol yn ein hanes, sef trychineb Aberfan yn 1966 ac Arwisgiad Carlo Windsor yn 1969, yn tanlinellu anghyfartaledd y sefyllfa. Roedd y gwaith yn gelfydd ac yn rhoi lle i'r iaith, ond peth poenus iawn oedd gweld ein hanes wedi ei ddistyllu trwy lens brenhiniaeth Lloegr.

Wythnos ar ôl fy antur yn Merthyr ro'n i'n chwarae

Carrie Harrison yn *The Gentle Touch* i London Weekend. Cariad yr arolygydd Bob Croft oedd Carrie Harrison yn y gyfres boblogaidd, gyda Jill Gascoine yn serennu fel yr Arolygydd Maggie Forbes. Doedd dim rhaid i fi gael cyfweliad ar gyfer y gwaith hwn, fel y rhan yn *Giro City*, am fod y cyfarwyddydd, John Davies, yn gyfarwydd â fy ngwaith ar ôl iddo fy nghyfarwyddo yn y gyfres *Thomas and Sarah* rai blynyddoedd ynghynt. Cafodd Mam le i Mam-gu mewn cartref gofal yn ystod y cyfnod ffilmio, fel y gallwn wneud y gwaith yn Llundain, ac roedd hi'n croesawu'r cyfle i gael ysbaid yn Highgate. Ymddangosodd y gwaith yn *Giro City* a *The Gentle Touch* yn sydyn ac yn hollol annisgwyl, fel sy'n arferol yn y byd actio, ond ro'n i wedi bod yn brysur yn ceisio creu gwaith i fi fy hun ers peth amser, a thua'r adeg yma daeth cwmni theatr Sgwâr Un i fodolaeth.

Roedd Gareth Miles wedi gofyn i fi ddarllen *Diwedd y Saithdegau*, drama gyffrous a chyfoes oedd yn cynnwys prif ran addas i fenyw fy oedran i, ac ro'n i wedi bod yn ceisio dod o hyd i ffordd i'w llwyfannu. Bu criw bach ohonon ni'n cyfarfod yn rheolaidd am rai misoedd a chrëwyd Sgwâr Un er mwyn gwneud cais am grant prosiect gan Gyngor y Celfyddydau. Erbyn diwedd mis Chwefror daeth y newyddion i ni fod yn llwyddiannus a thrwy gydol Mawrth ac Ebrill fe drefnon ni'r cynhyrchiad, gan greu cyllideb a threfnu taith fer, gyda help Jane Thomas, a fu'n allweddol wrth sicrhau'r grant, a Rhianydd Newbury yn gweinyddu. Gruffydd Jones oedd y cyfarwyddydd, Gwyn Parry a Clive Roberts oedd fy nghyd-actorion, Penni Bestic oedd y cynllunydd ac Elinor Roberts oedd y Rheolydd Llwyfan.

Nid yw'n syndod bod *Diwedd y Saithdegau* yn ddrama wleidyddol. Roedd Gareth yn drefnydd Undeb Cenedlaethol Athrawon Cymru ar y pryd, yn aelod gwreiddiol o Gymdeithas yr Iaith, ac yn fwy diweddar yn aelod o'r blaid fyrhoedlog Mudiad Sosialaidd Gweriniaethol Cymru a dyfodd o rwystredigaeth yr aelodau gyda methiant Plaid Cymru i wrthwynebu refferendwm 1979 ac i ddadlau dros annibyniaeth. Ymateb i sefyllfa Cymru yn dilyn y refferendwm hwnnw oedd y ddrama. Daeth teitl y cwmni o'r ymwybyddiaeth ei fod yn ddechreuad newydd i ni, a hefyd i Gymru, wrth geisio wynebu gwirionedd y bleidlais 'Na'. Mae'n anodd dirnad dyfnder y teimlad o sioc a siom ymysg cenedlaetholwyr ar y pryd, ond gan fy mod yn Llundain, doedd y clwy hwnnw ddim yn rhan o fy hanes i'r un graddau.

Teithiais gatre i bleidleisio 'Ie', ond roedd cael unrhyw amgyffred o ddigwyddiadau yng Nghymru yn dibynnu ar ddarllen *Y Cymro* a'r *Faner* o glawr i glawr, ceisio dod o hyd i ffyrdd dyfeisgar i glywed Radio Cymru, a chael sgyrsiau gyda ffrindiau. Roedd Cymru hyd yn oed yn is ar radar y DG nag y mae ar hyn o bryd. Cofleidiais fwriad y ddrama i roi llais i'r hyn na châi ei wyntyllu yn unman arall, a chael bod yn rhan o lwyfannu cynhyrchiad perthnasol i sefyllfa gyfredol y gynulleidfa gyda'r gobaith o newid ychydig ar ei meddylfryd, a chyfrannu at y drafodaeth.

Ar wahân i unrhyw ystyriaethau gwleidyddol, roedd y rhan yn *Diwedd y Saithdegau* yn rhodd. Cynigiodd gyfle i chwarae rhan menyw gref a huawdl oedd yn teimlo yr un mor rhwystredig â fi o gael ei chyfyngu mewn rôl ddomestig, ac oedd hefyd wrth ei bodd yn trafod cyflwr gwleidyddol Cymru. Serch 'ny, roedd meddwl am gamu ar y llwyfan a rhoi perfformiad yn fy mrawychu i'n llwyr. Theatr oedd fy nghariad cyntaf, ac ro'n i yn ei cholli'n fawr, ond roedd hi'n ddwy flynedd ers i fi ymddangos ar lwyfan, yn *Under Milk Wood*, ac roedd natur y cynhyrchiad hwnnw yn golygu ein bod ni i gyd ar ein heistedd trwy gydol y ddrama. Roedd croesi o un ochr i'r llwyfan i'r llall yn teimlo fel her, ac yswn am gael bod 'nôl ar set ffilm neu deledu ble byddai modd stopio a dechrau eto tasen i'n anhapus gyda fy mherfformiad, gan esbonio wrth y gynulleidfa y gallwn wneud yn llawer gwell petaen nhw'n rhoi cyfle arall i fi. Festri Capel Salem oedd lleoliad yr ymarferion a rhyfel y Falklands ac ymweliad y Pab â Chaerdydd yn gefnlen. Ar y noson gyntaf yn Theatr y Sherman, er mawr syndod i fi, wnes i ddim anghofio fy ngeiriau na dod i stop, a chawson ni ymateb gwych. Ar ôl tair noson yn y Sherman, a Wilbert Lloyd Roberts yn y gynulleidfa ar y noson olaf er mawr fraw i fi, teithiais i Ddinbych, gyda Julian yn gofalu am Steffan, ac yna daeth Mam gyda fi ar gyfer sioeau Caernarfon. Roedd treulio amser ym Mangor yn cwrdd â hen ffrindiau a gweld fy hen gartref, 5 Cae Chwarel yn Rachub, yn codi hiraeth am y cyfnod hapus gyda Chwmni Theatr Cymru a Bara Caws yn ystod y saithdegau, a gwnaeth fy atgoffa fwyfwy mai yng Nghymru ro'n i eisiau bod.

Daeth cwmni Hwyl a Fflag i fodolaeth gyda'i gynhyrchiad cyntaf, *Gweu Babis* gan Dwynwen Berry, yn fuan ar ôl ffurfio Sgwâr Un. Roedd y ddau griw am gynnig llais i ddramodwyr unigol prif ffrwd ar lwyfannau Cymru mewn ymateb i'r sefyllfa gyfredol yn dilyn diwedd Theatr yr Ymylon yn 1978, ac arfer Bara Caws o ddyfeisio ar y cyd. Hefyd, yn dilyn ymddiswyddiad Wilbert Lloyd Roberts fel cyfarwyddydd artistig Cwmni Theatr Cymru penderfynodd ei olynydd, Emily Davies, greu cwmni parhaol o saith actor ifainc, dibrofiad. Roedden nhw i gyd, mae'n rhaid dweud, yn dalentog tu hwnt, ond roedd ein cyfleoedd ni fel actorion profiadol, wedi lleihau yn sylweddol. Diflannodd Cwmni Theatr Cymru ac ymhen dwy flynedd, am resymau ariannol, cyfunwyd Sgwâr Un a Hwyl a Fflag ac aeth y cwmni hwnnw o nerth i nerth tan 1997.

Erbyn i fi gychwyn yr ymarferion ddechrau Mai roedd

y teithio'n ôl ac ymlaen ar y trên o Lundain gyda'r un bach yn mynd yn drech na fi, er gwaetha'r ffaith ei fod e wrth ei fodd yn sgwrsio a gwenu ar bawb a welai, a gyda sefydlu S4C a'r cwmni newydd, daeth hi'n fwyfwy amlwg mai yng Nghymru y byddai rhan helaeth o fy ngwaith. Do'n i ddim yn gallu gyrru a phenderfynais werthu fy nhŷ yn Heol Caerffili a phrynu tŷ ym Mhontcanna. Ro'n i'n gyfarwydd â Phontcanna am fy mod wedi byw yno mewn sawl *bedsit* yn y saithdegau cynnar, un ohonyn nhw yn yr adeilad ble mae caffi Kemi's nawr, a bob tro dwi'n mynd yno am goffi dwi'n gweld fy hun yn eistedd wrth y ffenest yn gwneud croesair. Mae modd cerdded yn hawdd i ganol y dre a mwynhau'r bywyd gwyllt ar hyd y ffordd, ac o fewn tafliad carreg ar y pryd roedd stiwdios HTV, ystafelloedd ymarfer Canolfan yr Urdd ar Heol Conwy, ac roedd hi'n bosib cerdded i'r BBC yn Llandaf trwy'r parc. Dois i o hyd i dŷ drws nesa i'r tŷ ble bûm i'n byw mewn *bedsit* yn Rhodfa Plasturton a dwi'n dal i fyw ynddo heddiw. Byddai'n amhosib i fi fforddio prynu tŷ yma erbyn hyn gan fod prisiau'r tai wedi codi'n aruthrol wrth i'r ardal foneddigeiddio, ac mae crybwyll eich bod yn byw yma nawr yn rhoi darlun o'ch statws a fyddai wedi bod yn hollol wahanol ddeugain mlynedd yn ôl, pan oedd yn lle bohemaidd, yn gymysgedd o bobl gyffredin Caerdydd a myfyrwyr, actorion a phobl y cyfryngau. Roedd fy nghefnder, Dafydd Hywel, yn gymydog i fi, yn ogystal â Meic Povey a John Pierce Jones ac enwi dim ond rhai.

Wedi gorffen y daith ymunais â'r ymarferion ar gyfer cyfres deledu *The Citadel* gyda Ben Cross oedd newydd serennu yn y ffilm arobryn *Chariots Of Fire*. Roedd y gyfres wedi ei seilio ar nofel A J Cronin a oedd wedi gweithio fel doctor gyda Chymdeithas Cymorth Meddygol Tredegar, patrwm a ddefnyddiwyd gan Aneurin Bevan ar gyfer sefydlu'r Gwasanaeth Iechyd Gwladol. Cyhoeddwyd y nofel yn 1937 ac mae'n trafod hanes doctor ifanc yn gweithio mewn cwm glofaol yn y De. Fy ngwaith i oedd marw o difftheria gyda Rice Krispies wedi eu glynu wrth fy wyneb. Y cyfarwyddydd oedd Peter Jefferies, ac ro'n i'n chwarae gwraig fy hen gyfaill o *Grand Slam* ac *Under Milk Wood*, Sion Probert, wnaeth fy nenu i yfed yn llawer rhy aml dros ginio yn y dafarn drws nesa i'r 'Acton Hilton', adeilad aml-lawr y BBC lle oedd 18 o ystafelloedd ymarfer a chantîn ar y llawr uchaf. Wrth i'r arfer o ymarfer leihau erbyn y nawdegau, trodd yr adeilad eiconaidd yma'n swyddfeydd ac erbyn hyn mae wedi ei droi'n fflatiau o'r enw Rehearsal Rooms.

Daeth Mam aton ni i ofalu am Steffan, ac felly ro'n ni gyda'n gilydd, yn hwyr un noson yn ystod yr ymarferion, pan ddaeth galwad ffôn i ddweud bod fy nhad wedi marw yn sydyn. Aeth Mam gatre yn y bore, a gofalodd Julian am Steffan tra 'mod i'n ffilmio marwolaeth Mrs Williams yn *The Citadel* y diwrnod wedyn. Wythnos yn ddiweddarach ro'n i yn eglwys St Margaret's yng Nglanaman, ble byddai Nhad yn pregethu, yn canu 'Rho im yr hedd', a Steffan yn cysgu ar fy ysgwydd. Bron yn syth ar ôl yr angladd, a Mam-gu yng nghartref gofal Awel Tywi, aethon ni'n ôl i Gaerdydd i ganol y bocsys yn y tŷ newydd er mwyn ail-ymarfer *Diwedd y Saithdegau* gan fod Sgwâr Un wedi cael gwahoddiad i berfformio'r ddrama yn Eisteddfod Genedlaethol Abertawe, cyn mynd i aros mewn gwesty yn y Mwmbwls am wythnos. Treulion ni fel teulu y rhan fwyaf o fis Awst yn clirio pethau fy nhad, prifathro a phregethwr lleyg; tad y pumdegau oedd wastad mewn pwyllgorau, a ddewisodd fy ail enw, Haf, ac a drosglwyddodd y Gymraeg i fi.

Erbyn dechrau Medi ro'n i wrthi'n cael gwersi marchogaeth ar gyfer fy ymddangosiad cyntaf ar S4C.

Owain Glyndŵr oedd y cynhyrchiad nesaf a minnau'n chwarae Lowri Lawgoch, cymeriad cwbl ffuglennol, merch i Owain Lawgoch, a chariad Owain Glyndŵr, a chwaraewyd gan J O Roberts. Roedd Lowri'n bwerus a chyfrwys ac roedd ganddi wig hir goch, hardd, diolch i'r cynllunydd colur, Meinir Jones-Lewis. *Owain Glendower, Prince of Wales* oedd teitl Saesneg y ffilm a fyddai'n ymddangos ar Channel 4 yn ogystal, a chwmni Ffilmiau Opix oedd cynhyrchwyr y ffilm naw deg chwech munud a ffilmiwyd yn y ddwy iaith ar gost o hanner miliwn. Roedd S4C yn gobeithio gwerthu'r fersiwn Saesneg i America ac ar draws y byd, a'r gobaith oedd buddsoddi unrhyw elw'n ôl yn y Sianel er mwyn creu cyfres. Dafydd Huw Williams, comisiynydd drama cyntaf S4C, Ifor Wyn Williams a Jane Edwards oedd yn gyfrifol am y sgript, a daethpwyd â thalent o'r tu allan i wireddu eu gweledigaeth; James Hill, cyfarwyddydd arobryn *Born Free, Black Beauty* a *Worzel Gummidge,* a Wolfgang Suschitzky, cyfarwyddydd ffotograffiaeth *Get Carte*r gyda Michael Caine a ffotograffydd o fri rhyngwladol.

Gyrrodd fy mrawd, Paul, Mam, Steffan a fi i ardal hardd Llanrwst ar gyfer y ffilmio, a threuliais ddiwrnodau hydrefol arbennig o braf yn ffilmio uwchben Capel Curig yn edrych draw at Foel Siabod, gan deithio'n ôl i'r gwesty heibio Llyn Geirionydd. Buom yn ffilmio hefyd yng ngheinder Castell Gwydir ac yn rhyfeddu at y peunod yn y gerddi. Ar y diwrnod cyntaf treuliodd y cast dipyn o amser yn marchogaeth ein ceffylau, a Hugh Thomas, oedd yn chwarae'r Arglwydd Grey, yn carlamu o gwmpas y cae yn eofn a hyderus. Er gwaethaf fy ngwersi yn stablau Pontcanna, llwyddais i gywilyddio fy hun trwy syrthio oddi ar fy ngheffyl, ac roedd yn ollyngdod cael clywed bod gen i berson stynt, Nick Gillard, a wnaeth farchogaeth yn fy lle, ac ymladd hefyd, er dim ond pan fyddai Lowri wedi ei chuddio'n llwyr gan ei harfwisg. Mewn un olygfa bu'n rhaid i fi ymladd fy hun, a hynny yn erbyn cymeriad Bob Blythe, pan ddaeth e a'r Arglwydd Grey, fy arch elyn, i fwthyn Lowri, sef Eglwys Rhychwyn, yr eglwys hynaf yng Nghymru yn ôl rhai, a gâi ei defnyddio fel sgubor ar y pryd. Cafodd Bob a minnau wers yn ystod yr awr ginio ar sut i ddefnyddio'r cleddyfau hir a thrwm cyn ffilmio yn y prynhawn. Mae'n amlwg ei bod hi'n rhy beryglus i ganiatáu i ni ymladd yn erbyn ein gilydd ac felly, yn ein tro, ymladdon ni yn erbyn pennaeth y dyn styntiau, gyda'r gwaith camera a'r golygu yn cuddio'r twyll. Roedd gen i bothelli mawr ar fy nwylo erbyn diwedd y prynhawn! Wilbert Lloyd Roberts oedd cyfarwyddydd y fersiwn Gymraeg, ac yn wahanol i ambell gynhyrchiad tebyg, cafodd y Gymraeg sylw haeddiannol. Goleuwyd, ymarferwyd a saethwyd yn Saesneg yn gyntaf, ac roedd amser wedyn i drafod a chydnabod bod perfformio mewn iaith arall yn golygu rhywbeth mwy nag ailadrodd, diolch i Dafydd Huw Williams. Yn anffodus, fel sy'n wir mewn cynyrchiadau heddiw, nid oedd pob aelod o'r cast yn rhugl. Bu'n rhaid i'r actor amryddawn Dillwyn Owen ail-leisio cymeriad Crach, a chwaraewyd gan Dafydd Havard, seren y gyfres *Emergency Ward 10* yn ei dydd. Clywyd cellwair *'Here comes overtime'* a *'I hear Kodak sends him a present every Christmas'* wrth iddo nesáu at y set. Cafodd geiriau Bob Blythe, oedd yn ddi-Gymraeg, mo'u hail-leisio er iddo orfod ynganu un frawddeg heriol. Gallai Bob adrodd ei araith yn berffaith tan ddiwedd ei oes ac mae'r geiriau wedi eu serio ar gof ei ddwy ferch, Angharad a Rhian Blythe oedd yn bedair a dwy oed ar y pryd, gan iddynt helpu eu tad i'w dysgu. 'Mae swyddogion ar y gororau, f'arglwydd Farwn, yn cadarnhau adroddiadau o Loegr, fod criwiau bychain o alltudion Cymreig yn ymuno ag Owain Glyndŵr bob dydd.' Tipyn o lond pen i actor cwbl rugl. Un prynhawn, rhoddodd James Hill y gorau iddi a diflannu i'r swyddfa yn Llanrwst a gwrthod dod 'nôl. Roedd y cyfnod ffilmio ymhell o fod yn ddidrafferth! Darlledwyd *Owain Glyndŵr* ar Ddydd Gŵyl Dewi y flwyddyn olynol. Dyma gyfle euraid; chwarae rhan wych mewn ffilm am arwr cenedlaethol ar noson ein nawddsant. Yn anffodus doedd y ffilm ddim yn llwyddiant ysgubol ac ni fu datblygiad pellach. Bu'r awdur Tariq Ali a'r cyfarwyddydd Paul Turner yn datblygu syniad am Glyndŵr rai blynyddoedd yn ddiweddarach, ond ddaeth dim byd o'r fenter honno chwaith. Mae cyfoeth o straeon cyffrous yn rhan o'n hanes; does bosib nad yw hi'n amser i rywun yn rhywle greu'r *Braveheart* Cymreig a ninnau erbyn hyn â chymaint o dalent artistig a thechnegol i gyflawni'r gwaith hwnnw.

Dim ond pum niwrnod o waith radio a dybio ddaeth i'r fei yn ystod y tri mis nesaf a bu gweddill y flwyddyn yn gyfnod o ddod i delerau â newidiadau mawr y misoedd diwethaf. Colli 'nhad, dod o hyd i'r cartref gorau i Mam-gu, setlo i mewn yn 'y nghartref newydd a dod i arfer â chael tŷ tawel am ychydig o oriau wrth i Steffan gychwyn yn yr ysgol feithrin yng Nghanolfan yr Urdd yn Heol Conwy am y tro cyntaf.

1983

Ymwahanu

ADDASIAD O'R NOFEL o'r un enw gan John Selwyn Lloyd oedd *Gwaed ar y Dagrau*, cyfres ddrama gan adran blant y BBC fyddai'n golygu mis o ffilmio yn ardal Caerdydd ac yna wythnos yn Iwerddon. Menyw ddrwg arall mewn wig goch oedd y Llydawes, Denise, ac roedd yn gyfle i fi ddefnyddio fy Ffrangeg eto, am y tro cyntaf ers *Grand Slam*, a minnau a Gwyn Parry yn chwarae lladron diemwnt oedd yn defnyddio act fel pypedwyr a thriciau hud fel 'ffrynt'. Mewn un olygfa roedd rhaid i fi saethu Martin Griffiths, yr actor o Lanelli, mewn ciosg teleffon yn Rosslare, wedi fy ngwisgo fel lleian. Defnyddio fy mysedd ar siâp dryll a fy nghefn at y camera wnes i, oherwydd bod dim modd dod â dryll i'r wlad, hyd yn oed fel prop, achos sefyllfa ddyrys Gogledd Iwerddon. Roedd fy ngwisg drawiadol yn ennyn parch mawr, ac ar strydoedd Wexford gwnaeth sawl un fy nghyfarch gyda '*Morning, Sister*' wrth i fi gerdded heibio yn fy mhenwisg wen, anferth. Gwenu'n wylaidd wnes i a mynd ymlaen, er bod yna demtasiwn ofnadwy i wneud rhywbeth cwbl anaddas. Ces hefyd y profiad tra brawychus o gael fy ngyrru dros Bont Gludo eiconaidd Casnewydd mewn Citroën Deux Chevaux gan Iestyn Garlick. Daeth Mam a Steffan gyda fi i Iwerddon, a dathlodd Steffan ei ben-blwydd yn dair yn y gwesty yn Wexford, a diolch i garedigrwydd fy nghyd-weithwyr, Emyr Glasnant a Glan

Davies, fe gafodd barti hyfryd gyda thishen ac anrhegion a balŵns.

O fewn wythnos ro'n i yn y stiwdio'n recordio drama radio i'r cyfarwyddydd Eleri Hopcyn, cyn teithio i Lundain i chwarae rhan Regina mewn cynhyrchiad radio o *Ghosts* gan Ibsen, gyda Siân Phillips, William Squire, Roger Rees a Glyn Houston, ac yn syth wedyn cychwynnodd ymarferion *Ble Ma Fa?*, drama un act gan D T Davies yn nhafodiaith y Rhondda. Ro'n i'n chwarae cymydog i gymeriad oedd newydd golli ei gŵr, sef Eirlys Britton (olynydd i Rachel Thomas os buodd un erioed). George Owen oedd y cyfarwyddydd hyfryd a hynaws, un oedd yn hoff iawn o'i bib a'i arfer o dreulio o leiaf chwarter o'r cyfnod ymarfer yn ein diddanu gyda'i straeon chwedlonol. Rhyfeddais pan ddwedodd y gynllunwraig colur, Janet Church, mai '*Unpretty her*' oedd ordors y cyfarwyddydd, a minnau erioed wedi meddwl 'mod i'n bert, ond yn hytrach yn ymfalchïo yn y ffaith fod 'da fi wyneb fel cynfas agored ar gyfer peintio unrhyw gymeriad yn ôl y gofyn. Mae'r ffordd mae eraill yn eich gweld yn gallu bod yn arf neu'n faen tramgwydd i actor, a does dim modd osgoi hyn na dianc rhag 'normau' cymdeithasol cyfredol y dydd.

Pan ddaeth cais gan Radio Cymru am gyfweliad radio gyda'r newyddiadurwr Dylan Iorwerth roedd yn dipyn o sioc, a hefyd yn destun pryder. Roedd bod yn fi fy hun mewn lle cyhoeddus yn anodd iawn, ac er 'mod i wedi gwneud degau os nad cannoedd o gyfweliadau erbyn hyn, dwi'n dal ychydig yn anghyfforddus yn siarad yn gyhoeddus. Fel mae'n digwydd roedd y cyfweliad yn bleserus tu hwnt, oherwydd dawn arbennig Dylan Iorwerth fel holwr. Mae cymaint yn dibynnu ar yr un sy'n gofyn y cwestiynau, a byddwn yn ychwanegu Elinor Jones a Hywel Gwynfryn at fy rhestr o'r rhai a drodd y ddawn honno yn gelfyddyd, nad yw'n cael ei hamlygu gan ei bod yn gwbl gudd i'r gynulleidfa. Mae pob cyhoeddusrwydd yn gyhoeddusrwydd da, mae'r ffaith fod gan rywun ddiddordeb yn eich gyrfa yn beth braf ac mae codi proffil yn rhan annatod o waith actor. Wedi'r cyfan, os nad oes neb yn gwybod am eich bodolaeth, sut mae'n bosib i chi gael gwaith? Mae'r lluniau a'r CV yn Spotlight – cyfeirlyfr actorion oedd yn arfer bod yn gyfres o lyfrau trwm, ond sydd ar-lein nawr – yn rhan bwysig, os nad hanfodol o hyn. Mae tynnu sylw at eich gwaith trwy yrru llythyron, neu e-byst erbyn hyn, at gyfarwyddwyr a phobl sy'n castio pan fyddwch yn ymddangos ar lwyfan, y sgrin neu ar y radio yn bwysig. Tra bod asiant yn chwilio am waith ar eich cyfer, prin bod ganddyn nhw amser i wneud y gwaith ychwanegol yma, ac mae'n rhaid cofio bod ganddyn nhw ddegau o actorion eraill ar eu llyfrau. Mae Spotlight yn rhestru sgiliau, gan gynnwys acenion, ond mae canfyddiad cyfarwyddwyr yn ddiddorol. Ar y pryd, ro'n i yng nghanol chwarae rhan Catrin, merch ifanc anabl yn *The Light of Heart* gan Emlyn Williams ar gyfer y radio, gyda John Hartley ac Enyd Williams yn cyfarwyddo. Dwi'n dal i bendilio rhwng gwên a gwg wrth gofio'r cyfarwyddyd, '*Use your normal accent, you won't need a Welsh accent.*'

O'n i wrth fy modd pan gynigiodd y cynhyrchydd, Julia Smith, ran i fi yng nghyfres newydd BBC Cymru *District Nurse* ym mis Mawrth, ond yn siomedig iawn pan sylweddolais ei fod yn cyd-ddigwydd gyda chynnig ro'n i wedi ei dderbyn yn barod, ac er gwaethaf holl ymdrechion fy asiant doedd dim modd jyglo'r dyddiadau er mwyn gwneud y ddau. Daeth pwysau mawr o sawl cyfeiriad i wrthod y cynnig cyntaf, ond ro'n i'n gwbl glir y byddai hynny'n amhroffesiynol, ac fe anrhydeddais fy addewid i ymddangos yn ffilm Meical Povey, *Meistres y Chwarae*. Byddai'r rhan yn *District Nurse* wedi parhau dros dair blynedd, a'r ffilm ddim ond yn fis o waith, ond roedd y ffaith fod y mis hwnnw yn yr Eidal, ym mhentref bach glan y môr Castiglione della Pescaia, yn dipyn o gysur. Hedfanodd fy mam, Steffan a fi mewn awyren i Rufain – nhw ill dau am y tro cyntaf, a minnau 'mond am yr eildro, a chael ein gyrru mewn bws mini gyda'r actorion eraill: Elliw Haf, Mei Jones, Wyn Bowen Harries a Bryn Fôn i ardal Groseto yn Tuscany i'r pentref a fu'n gartref i Roger Moore a Sophia Loren.

Hanes dau gwpl ar eu gwyliau oedd y ffilm, a minnau'n chwarae un o'r gwragedd, actores sy'n cael ei herwgipio a'r stori'n adlewyrchu diddordeb Meic Povey yn y cyfrinachau sydd o dan yr wyneb mewn perthynas. Y cyfarwyddydd oedd Alan Clayton, brodor o Rosllannerchrugog a ddaeth gatre i Gymru ar ôl cyfnod o weithio i gwmni teledu Granada, ac fe wnaeth gyfraniad sylweddol i'r diwydiant ffilm a theledu yng Nghymru yn y ddwy iaith. Un o'r golygfeydd mwyaf cofiadwy oedd boddi car cymeriad Wyn Bowen Harries yn y dŵr yn y porthladd ac yntau'n gaeth tu mewn iddo. Roedd llawer iawn o'r ffilmio'n digwydd ar y traeth, a rhan o'n gwaith gorfodol ni fel actorion oedd torheulo er mwyn cynnal y lliw haul. Aethon ni am drip i ddinas hardd Siena ar ddiwrnod rhydd prin ac roedd troi'r cornel a gweld y sgwâr, y Piazza del Campo, lle cynhelir ras ceffylau y Palio, a hynny trwy fwa hynafol, yn syfrdanol. Gyda phawb yn byw yn y gwesty, crëwyd cymuned glos, fel sy'n digwydd gyda chriw ffilmio, ac ar ôl swper fe fyddai pawb yn cyfarfod i wylio'r *rushes*, y golygfeydd a ffilmiwyd yn ystod y dydd. Dim ond unwaith yr ymunais i â'r achlysur hwn, y tro cyntaf a'r tro olaf, mae'n well 'da fi gadw'r hyn dwi'n ei greu yn sownd yn fy nychymyg tan i fi wylio'r gwaith gorffenedig.

Byddai wedi bod yn amhosib i fi dderbyn y gwaith heb

gydsyniad Mam, a gafodd amser hyfryd ar ei hymweliad cyntaf dramor, er gwaethaf ei phryder am adael Mam-gu yn y cartref gofal, a chafodd Steffan hwyl a sbri gyda'r criw. Dyna pryd y des i'r casgliad mai dyma sut y dylid magu plant, mewn un gymuned glos sy'n caniatáu i'r plentyn a'r gofalydd fod yn rhan o gymdeithas ehangach, yn hytrach na chael eu hynysu yn y cartref. Fy mreuddwyd oedd cael tŷ mawr ar ben bob stryd fyddai'n adnodd i'r gymuned ac yn fan cyfarfod fyddai'n cynnig cefnogaeth a chysur i bawb fyddai eu hangen.

Roedd y ffilm yn esiampl o'r modd roedd hyder ac uchelgais darlledu yng Nghymru wedi newid gyda dyfodiad S4C. Roedd e'n fwy na darlledu wrth gwrs. Deallodd Gwynfor Evans hynny. Roedd y ffaith fod 'da ni sianel gyfan oedd yn gweithredu trwy gyfrwng yr iaith Gymraeg yn rhoi urddas a pharch i'n hiaith a'n diwylliant a'n hanes fel pobl, ac fe greodd egni newydd ar gymaint o lefelau gwahanol. Wrth i fi orymdeithio gyda'r criw yn 1969, yn fyfyrwraig ifanc yn gofyn am sianel Gymraeg, doedd 'da fi ddim syniad y byddwn i ryw ddiwrnod yn elwa o hynny, ac yn cael cymaint o brofiadau amrywiol mewn cymaint o leoliadau annisgwyl. Tyfodd yr angen am raglenni o bob math, ond yn arbennig am raglenni plant, ac ar ôl dod 'nôl o'r Eidal roedd cael gwaith dybio cartwnau, a chyflwyno rhaglen *Stori Sbri* yn fodd i ennill bywoliaeth yng Nghaerdydd. Ro'n innau erbyn hyn yn dechrau derbyn mai dyma ble byddwn i'n byw, a phan ddaeth cynnig i ymddangos yn y gyfres gomedi *Never The Twain*, gyda Windsor Davies a Donald Sinden, aeth y gwahoddiad â fi'n ôl i Lundain am wythnos, a daeth Mam a Steffan gyda fi i Highgate a hynny am y tro diwethaf.

Daeth hi'n amlwg nad oedd dyfodol i fy mherthynas i a Julian. Roedd y gagendor diwylliannol, yr ymdrech i gynnal perthynas o bell, a'r ddau ohonom yn gweithio oriau hir, gwrthgymdeithasol wedi mynd yn drech na ni. Ro'n i'n gwbl benderfynol, fel un a gafodd ei magu yn y pumdegau, i fod yn annibynnol yn economaidd, ac roedd y ffaith mai fy nghyfrifoldeb i oedd jyglo fy ngwaith, magu plentyn a gofalu am bopeth domestig hefyd wedi creu anghytbwysedd yn y berthynas. Roedd hi'n sefyllfa drist, ond do'n ni ddim yn briod ac roedd hynny'n hwyluso'r sefyllfa. Wedi hynny, byddai Steffan yn treulio canran o bob gwyliau gyda'i dad, a byddai Julian yn ymweld â Chaerdydd yn gyson. Doedd gen i ddim amheuaeth am fy ngallu i oroesi heb bartner, ond derbyniais rai ymatebion digon rhyfedd fel, 'Shwt mae'r arbrawf yn mynd?' a *You're a single parent, but you do it with such style!* Ond i fi, y penderfyniad i wahanu oedd yr unig ymateb rhesymol i'r sefyllfa. O'n i'n ffyddiog y deuai gwaith ac y byddwn yn gallu cynnal fy hun a Steffan ac roedd Mam yn croesawu'r cyfle i fy nghefnogi, pan fyddai angen.

Erbyn Gorffennaf roedd iechyd Mam-gu wedi dirywio'n enbyd, ond roedd hi'n wydn ac yn feddyliol anorchfygol tan y diwedd. Bu farw Annie Nicholson ar Awst y pedwerydd yn 92 mlwydd oed, y seithfed plentyn o'r un deg wyth ym Mryncethin Bach, a fedyddiwyd yn Afon Llwchwr, a ganodd *Happy Days* mewn picnic ar ben y Mynydd Du ac a oedd yn enwog am ei gardd yn llawn dahlias, rhosod, llysiau a ffrwythau, yn ogystal â'i gallu i grosia. Roedd ei natur benderfynol, ei hyder a'i ffydd yn golygu ei bod hi'n gymeriad anferth o fewn y teulu ac fe gafodd ddylanwad pellgyrhaeddol arnon ni i gyd. Mae bedd Mam-gu a Dad-cu ym mynwent Hen Fethel ble hefyd mae bedd rhieni Mamgu ac amryw o'i brodyr a'i chwiorydd, yn ogystal â fy nghyn-deidiau a chyn-neiniau ar ochr fy Nhad – teulu anferth y Llywelyns gan gynnwys Ryan Davies. Aeth Mam gatre i Lanaman i'r tŷ lle bu'n byw ynddo ers pan oedd hi'n ferch ysgol, tŷ a brynwyd gan Mam-gu oddi wrth ei hewythr, William, yn nhridegau'r ganrif. Cae Glas Isha oedd ei enw gwreiddiol ond fe fedyddiwyd e'n Glanllyn gan Mam-gu, er nad oedd llyn yn agos at y lle, dim ond yr afon Berach lled cae o gatre'r ffowls ar waelod yr ardd. Pan ges i ddwy ran yn yr hydref, oedd yn golygu treulio cyfnod yn y gogledd, roedd Mam yn hapus i ddod gyda ni ar ei thrafels unwaith eto.

Stori ddirdynnol am wraig a'i phlentyn yn cael eu herlid o blwyf i blwyf, wedi ei seilio ar hanes y tloty yn llyfr plwyf Llanbed oedd *Sara Abel Morgan*, pennod o'r gyfres ddrama ddogfen hanesyddol *Almanac*. Cynhyrchwyd sawl cyfres o *Almanac* gan Ffilmiau'r Nant, ysgrifennwyd gan Bethan Phillips, gyda Hywel Teifi yn cyflwyno yn ei ffordd ddihafal ei hun. Mewn carpiau a golwg ddifrifol wael arna i, gan fod Sara yn ymylu ar wallgofrwydd, roedd rhaid edrych mor erchyll â phosib ac unig swydd y cynllunydd coluro, Annie Spiers, a fyddai'n ennill dau Emmy nes ymlaen, am *Alice in Wonderland* yn 1999 ac *Arabian Nights* yn 2000, yn hytrach na tsiecio minlliw, powdwr a gwallt, oedd ychwanegu tipyn o fwd i fy ngwyneb bob hyn a hyn. Cydiais yn y cyfle i greu cymeriad gwahanol iawn i'r rhai ro'n i wedi eu chwarae hyd hynny, ond efallai taw'r her fwyaf oedd peidio â gollwng y babi, cwlffyn arbennig o iach, llond ei groen, sydd erbyn hyn yn beilot awyrennau llwyddiannus. Bu'n rhaid i Sara druan geisio dianc drwy'r caeau, cuddio mewn perthi a cherdded trwy afon er mwyn osgoi erledigaeth anhrugarog swyddogion y plwyf, gan gynnwys y ficer, am fod y naill blwyf a'r llall yn gwadu bod ganddyn nhw gyfrifoldeb swyddogol drosti.

Ffarweliais â Sara a theithio i Langollen i chwarae rhan menyw ddigon od oedd yn byw mewn bwthyn diarffordd ar gyfer pennod o *Mae hi'n Wyllt Mr Borrow*, addasiad Dafydd Rowlands o *Wild Wales* gan George Borrow i gwmni o'r enw Scan International gyda J O Roberts yn chwarae'r brif rhan, a chael cyd-actio gyda fy hen gyfaill Sion Probert unwaith eto. Daeth hi'n amlwg yn o gloi bod yr amserlen yn dra ansefydlog a chawsom lawer iawn o amser rhydd i fwynhau atyniadau tref Llangollen. Gwnaeth ambell actor sylwgar gysylltu'r anrhefn â'r nifer o boteli gwag yn ystafell y cwmni yn y gwesty, ac ymosodwyd yn gorfforol ar un actor a'i rybuddio gyda'r geiriau *'You'll never work for S4C again'* pan glywyd ef yn ffonio'i asiant i gwyno am safon y cwmni. Prysuraf i ddweud ei fod wedi ymddangos droeon ar ein sgriniau ers y digwyddiad anffodus hwnnw.

Rhai o arferion anarferol y cyfarwyddydd, ar wahân i'w hanallu i gyrraedd ei gwaith yn y bore, oedd defnyddio megaffon i alw *'action'*, er ei bod yn sefyll yn agos iawn at yr actor, ac un tro anfonodd hi'r oruchwylwraig sgript oddi ar y set, am nad oedd hi'n 'bersonél angenrheidiol'. Roedd hi'n hydref gwlyb iawn, ac ar wahân i anawsterau gorfod gweithio yn y glaw, roedd hi bron yn amhosib clywed y sgwrs uwchlaw rhyferthwy'r lli, wrth ffilmio ar lan afon oedd bron â gorlifo. Cododd lefel y dŵr mor uchel tra ein bod ni wrthi yn ymyl ogofeydd Ystradfellte, a'r cyfarwyddydd yn gwrthod stopio ffilmio, bu'n rhaid i'r trydanwyr achub offer drudfawr Lee Electrics trwy eu winsio i fyny ochr y clogwyn ar raffau ar y funud olaf. Bedyddiwyd y cyfarwyddydd yn 'Ffa Ffa' am nad oedd hi'n gwybod 'Ffyc *All* am Ffyc *All*'.

Yr actor hyfryd Ernest Evans o Cross Hands, yr o'n i'n ei nabod ers dyddiau ysgol yng nghynhyrchiad *Under Milk Wood/Dan y Wenallt* yn Nhalacharn, aeth â ni i'r gogledd ar gyfer ffilmio *Almanac*. Roedd angen mynd â'r holl baraffernalia sydd ei angen ar fachgen tair blwydd oed gyda ni, a bu'n rhaid cael lifft i Fangor o'r Stables yn Llanwnda ble ro'n ni'n aros wrth ffilmio *Almanac*, cyn cael trên a thacsi draw i Langollen, ac yna cael tacsi a thrên lawr i Gaerdydd ar y ffordd 'nôl. Roedd hi wedi dod yn amlwg y byddai tipyn o fy ngwaith yn debygol o fod tu allan i Gaerdydd, a gan fod rhwydwaith trafnidiaeth gyhoeddus Cymru mor drychinebus, penderfynais, wrth sefyll am y trên ar blatfform stesion Y Waun, y byddai'n rhaid i fi ddysgu gyrru. Daeth atgofion i mi o'r gwersi a gefais gan fy nhad a'm brawd am gyfnod byr cyn mynd i'r brifysgol, ac er 'mod i'n nerfus iawn i gychwyn, yn enwedig wrth i'r hyfforddwr fy atgoffa wrth i fi fynd rownd trogylch prysur Gabalfa 'mod i'n gyrru '*six foot metal coffin*' taflais fy hun i'r fenter gydag arddeliad. Ar ôl cael gwers bob dydd bron tan y prawf ar y seithfed ar hugain o Hydref gwnes i basio, diolch i fy athro gwych. Fyddai dim modd i fi brynu car newydd ond roedd Datsun glas fy nhad ar gael i fi, a dyma brofi rhyddhad yr annibyniaeth o gael fy nhrafnidiaeth fy hun. Fyddai dim rhaid i fi ddibynnu ar fy ffrind Iestyn Garlick i fy ngyrru i Abertawe bob wythnos i recordio *Crafu'r Gwaelod* bellach, er 'mod i wedi mwynhau'r cwmni wrth bowlio lawr yr M4 i gyfeiliant Meatloaf yn canu '*Bat Out Of Hell*'.

Rhaglen ddychanol wythnosol lawn sgetsys a chaneuon oedd *Crafu'r Gwaelod*, dan ofalaeth Lyn T Jones, Gwyndaf Roberts a Geraint Davies a gâi ei recordio yn stiwdios y BBC yn Heol Alexandra, Abertawe. Recordiais y rhaglen gyntaf yn stiwdio'r BBC yn Wrecsam, tra 'mod i'n gweithio i Scan, a'r ail pan aeth y siwrnai o orsaf Y Waun â fi mor bell ag Abertawe. Y drefn oedd cyrraedd, gweithio ar y sgript, dysgu a recordio'r caneuon ac yna recordio'r rhaglen yn ei chyfanrwydd gyda'r nos. Parhaodd y gyfres am dair blynedd, a'r hwyl a'r sbri diddiwedd, y cynhesrwydd a'r cyfeillgarwch yn werddon i'w chroesawu yng nghanol beth bynnag arall oedd yn digwydd yn fy mywyd. Erbyn hyn roedd polisïau annynol neo-ryddfrydiaeth y ceidwadwyr yn Llundain dan arweiniad Margaret Thatcher yn eu hanterth, ac roedd yn braf cael defnyddio hiwmor i'w tanseilio, a minnau a Iestyn yn dynwared gydag afiaith y prif weinidog a'i gŵr, y miliwnydd Denis, a myrdd o gymeriadau eraill.

O gwmpas yr adeg yma daeth criw ohonom at ein gilydd i geisio creu cwmni theatr cymunedol wedi ei wreiddio yn Ne Cymru. Bu sawl cyfarfod diddorol o'r cwmni hwn a fedyddiwyd yn O 'With yng nghwmni Gareth Miles, Siwan Jones, Emyr Wyn, Manon Eames a Tim Baker, ond yn anffodus ni wireddwyd y cynlluniau i lwyfannu sioe Nadolig ddychanol o'r enw *Pen-blwydd Hapus, Iesu Grist,* na chwaith sioe am yr iaith Gymraeg. Aeth pethau o 'with i O 'With ac fe ddiflannodd.

1984

Rhwng Dau Fyd

LLWYFANNWYD AIL DDRAMA Gareth Miles, *Unwaith Eto 'Nghymru Annwyl*, o dan faner Hwyl a Fflag yng ngwanwyn 1984, gyda Gruff Jones yn cyfarwyddo unwaith eto. Roedd y llwyddiant blaenorol wedi sicrhau grant uwch gan Gyngor y Celfyddydau, a threfnwyd taith hirach, chwech ar hugain perfformiad mewn deunaw o ganolfannau a theatrau ar hyd a lled Cymru. Mae'r ddrama'n gwrthgyferbynnu hanes Owain, arwr gyda'r ANC yn Ne Affrica a chwaraewyd gan Mei Jones, a hanes ei wraig, Morfudd, a fu'n cynnal y teulu yn ei absenoldeb mewn modd yr un mor arwrol, ond yn anweledig, wrth i'w priodas chwalu. Roedd Dafydd Dafis yn chwarae cenedlaetholwr Adferaidd a Gwyn Parry yn chwarae newyddiadurwr teledu. Fel *Diwedd y Saithdegau*, roedd y ddrama hon am ysgogi trafodaeth am ffeministiaeth o fewn cyd-destun Cymreig ac yn cwestiynu rôl y fenyw o fewn mudiad gwleidyddol. Cafwyd ymateb brwd, yn enwedig gan rai oedd yn uniaethu'n llwyr â sefyllfa Morfudd. Cyfathrebu'n uniongyrchol gyda'ch cynulleidfa, yn emosiynol ac yn ddeallusol, yw'r wobr bwysicaf i unrhyw actor. Meddai un adolygydd, 'Mae Gareth Miles yn ymgymryd â phynciau gwaelodol, sylfaenol ac yn ein gorfodi i feddwl, yn pigo cydwybod ac yn amlygu ein culni fel cenedl.' Doedd teithio Cymru ddim yn bosib i blentyn pedair oed gan fod arno angen sefydlogrwydd ei ysgol feithrin a'i ffrindiau, heb sôn am ei fam-gu, felly wynebais y daith ar 'y mhen fy hun yn hen Datsun glas fy nhad, gan deithio'n ôl ac ymlaen gymaint â phosib. Aeth hi'n anoddach gwneud gwaith llwyfan wedi i Steffan ddechrau yn yr ysgol, yn enwedig yn y Gymraeg, am fod rhaid teithio oddi cartref gan amlaf, ond dwi wedi ceisio fy ngorau i wneud un cynhyrchiad llwyfan y flwyddyn trwy gydol fy ngyrfa. Roedd arna i ofn y byddai'r cyhyrau emosiynol a chorfforol angenrheidiol yn rhydu, ac i'r ysfa i fentro'n ôl gael ei goresgyn gan atgofion am nerfusrwydd brawychus y noson gyntaf. Mae cymaint o bleser i'w gael yn yr ymarferion, wrth dyrchu i ystyr a goblygiadau sgript, drwy arbrofi gyda sut i'w mynegi, yn gorfforol ac yn emosiynol, a chael y rhyddid i fethu. Mae'r holl broses yn datblygu crefft a hyder ac ar ôl cwblhau'r gwaith paratoi does dim byd tebyg i gyflwyno'r perfformiad i gynulleidfa fyw a honno'n hollol wahanol bob nos. Mae'n brofiad trydanol, ac mae'r adrenalin fel cyffur. Daeth llawer o gyfleoedd ar hyd y blynyddoedd, ond roedd y rhan fwyaf gyda chwmnïau Saesneg wedi eu lleoli yng Nghaerdydd, a dwi'n priodoli tipyn o'r ysgogiad i greu gwaith fy hun i fy ysfa i weithio ar lwyfan yn y Gymraeg.

Yn ystod y daith yn y gogledd gydag *Unwaith Eto 'Nghymru Annwyl* bues i hefyd yn ffilmio *Y Chwarelwr*, pennod arall yn y gyfres *Almanac*, yn chwarae gwraig anffyddlon i chwarelwr o Hwlffordd 'ac achosodd y cariad creulon iddo golli popeth'. Dafydd Hywel, fy nghefnder oedd yn chwarae rhan y chwarelwr anffodus a greodd ffrwydrad yn ei dŷ er mwyn lladd ei wraig a'i chariad, a chwaraewyd gan Ifan Huw Dafydd, a laddwyd gan lechen ddaeth yn rhydd o'r to yn ystod y gyflafan. Mirain Llwyd Owen oedd yn chwarae fy merch a Wil Aaron yn cyfarwyddo. Ro'n i ar ben fy nigon yn cael bod yn rhan o ddau gynhyrchiad difyr, perthnasol a chwbl Gymreig, a hithau'n wanwyn cynnar ym Mrynrefail, Pen-y-groes a Rachub, lle buon ni'n ffilmio *Y Chwarelwr*. Wedi setlo yng Nghaerdydd, a Steffan yn cysgu'n well a Mam yn fy nghefnogi, roedd fy mywyd yn teimlo'n fwy sefydlog nag erioed. Ro'n i'n edrych ymlaen at barhau gyda *Crafu'r Gwaelod* ac i chwarae Gwyddeles mewn ffilm i Ffilmiau Tŷ Gwyn. Harri Pritchard-Jones oedd awdur y ffilm *Ysglyfaeth* oedd yn olrhain hanes Cymro yn yr SAS yn syrthio mewn cariad â phartner ei darged yn yr IRA. Byddai'n golygu ffilmio yng Ngogledd Iwerddon, a'r her o greu acen Gymreig dysgwraig Wyddelig. Yna, fel sy'n digwydd yn y byd rhyfedd yma, cyrhaeddodd cynnig cwbl annisgwyl.

Tua wythnos cyn dechrau *Y Chwarelwr* gyda Ffilmiau'r Nant ro'n i yn Llundain yn ffitio wig felen hir ar gyfer y rhan, ac wedi taro draw i Broadcasting House yn White City ar gyfer cyfweliad am ran mewn cyfres gomedi yr oedd y comedïwr Ronnie Barker yn serennu ynddi. Cyrhaeddais mewn *jodhpurs* cordyrói, siwmper polo biws a bŵts trwm coch a lasys. *'Do much leg work, do you?'* meddai Ronnie oedd yn bresennol yn y cyfweliad gyda Syd Lotterby, y cyfarwyddydd. Cafwyd tipyn o hwyl a chwerthin ac yna es i gatre ac anghofio popeth amdano. Ymhen yr wythnos daeth y newyddion fy mod i wedi cael y rhan, ac ro'n i'n anghrediniol. Roedd y ffaith 'mod i yn ei chanol hi gyda *Y Chwarelwr* ac *Unwaith Eto 'Nghymru Annwyl* yn golygu 'mod i'n llawn hyder, ac mae profiad y blynyddoedd yn dangos mai dyna pryd ry'ch chi'n fwyaf tebygol o gael rhannau. Yn aml pan fyddwch chi'n awchu am ran gall weithio i'r gwrthwyneb. Mae cymaint o bethau yn yr hen fusnes od yma yn dibynnu ar lwc, a hap a damwain. Roedd fy asiant wedi methu dod o hyd i fi ers diwrnod i rannu'r newyddion da, gan 'mod i'n ffilmio ar leoliad trwy'r dydd cyn gyrru i'r theatr i berfformio yn y nos, a doedd dim ffonau symudol pryd hynny. Yn y diwedd, es i i'w ffonio hi o dŷ Ifan Huw Dafydd ym Mhenisa'r-waun, a chael clywed pam oedd Bruna mor daer wrth geisio cysylltu.

Roy Clarke, awdur *The Last Of The Summer Wine* ac *Open All Hours*, oedd wedi ysgrifennu *The Magnificent Evans*, cyfres gomedi am ffotograffydd di-dact o ganolbarth Cymru. Cariad yr Evans yn y teitl, Rachel, oedd y rhan a gynigiwyd i fi, menyw yn ysu i briodi ac un a fyddai'n sicrhau pawb bod ganddi ei *apartment* ei hun, oherwydd agwedd Biwritanaidd hen-ffasiwn dybiedig y Cymry. Nid dyna'r unig stereoteip a wyntyllwyd. Ymddangosodd yr actor Dyfed Thomas fel 'Home Rule' O'Toole, rhan y gwnaeth Dewi Pws ei gwrthod ar egwyddor. Gallwn innau hefyd fod wedi gwrthod y gyfres ar egwyddor Ffeministiaeth. Yn wir, bûm yn pendroni yn hir cyn derbyn cymeriad oedd ar ben arall y sbectrwm i Morfudd yn nrama Gareth. Ar wahân i'r ffaith mai dyhead pennaf Rachel oedd priodi a 'mod i'n credu bod priodas yn cynnal patriarchaeth, doedd bod yn wrthrych rhywiol ddim yn apelio chwaith. Ymateb Ifan Huw Dafydd oedd bod sawl actor wedi chwarae rhan Hitler, a dwedodd Karl Francis, '*You don't choose the car, you just drive it*,' gan fy atgoffa o sefyllfa oddefol yr actor. Ar y llaw arall roedd yn bedwar mis o waith, y tâl yn fwy nag y byddwn i wedi gallu dychmygu ei ennill, a Ronnie Barker yn un o berfformwyr enwocaf a mwyaf talentog Prydain. Roedd Lyn T Jones a Gareth Wyn Jones yn gefnogol tu hwnt ac yn falch 'mod i wedi cael y cynnig a'r ddau yn hapus i fy rhyddhau o *Crafu'r Gwaelod*, a'r ffilm *Ysglyfaeth* am Ogledd Iwerddon, ac yn bwysicach na dim roedd Mam yn hapus i ofalu am Steffan. Roedd yn gynnig anodd i'w wrthod a phenderfynais gamu i'r tywyllwch a'i dderbyn. Roedd pythefnos a mwy o daith *Unwaith Eto 'Nghymru Annwyl* yn dal ar ôl i'w mwynhau, ac wedi gorffen yn Theatr Gwynedd ar y nos Sadwrn teithiais i Lundain i gychwyn ymarfer *The Magnificent Evans* y dydd Llun canlynol.

Cymerodd ychydig o amser i ymgyfarwyddo â gweithio gyda Ronnie Barker, a'i dderbyn fel unrhyw actor arall, ond roedd cyfnod da o ymarfer y tro hwn, yn wahanol i fy mhrofiad cynt gyda Glenda Jackson, a chyn pen dim dechreuais ymlacio. Ro'n i wedi tynghedu i beidio â thrafod ffeministiaeth, sosialaeth na chenedlaetholdeb am 'mod i'n ymwybodol y byddai fy naliadau i'n wahanol i'r ddau y byddwn i'n eu cwmni bron bob dydd am fisoedd. Ond, cyn bo hir, cyfarchiad Ronnie ar ddiwedd diwrnod o ffilmio oedd 'Nos da, *co-star*,' ac fe fyddwn i'n treulio oriau'n trafod gydag e, rhwng *takes* yn yr hen gar, ar ben mynyddoedd, ac wrth yfed wisgi yn y gwesty yn hwyr y nos, ac fe ddysgodd tipyn am safle'r fenyw, a hanes a diwylliant Cymru a chreu cymdeithas decach. Roedd yn gwmni difyr a deallus, yn ŵr bonheddig ac yn fawr ei ofal ohonof. Roedd rhan helaeth o'r gyfres yn cael ei ffilmio ar leoliad yn y canolbarth, a Gwesty'r Metropole yn Llandrindod oedd ein cartref i gychwyn, ond gwnaeth enwogrwydd Ronnie hynny yn anodd. Pan aethon ni, fel criw, i weld Hinge and Bracket yn yr Albert Hall yn Llandrindod, roedd rhaid i ni glystyru o'i gwmpas er mwyn ei guddio a'i warchod rhag llygad y cyhoedd. Gwnaethon ni fwynhau'r sioe, ond bu'n agoriad llygad i weld y cyfyngiadau a osodwyd arno gan ei enwogrwydd a symudon ni i dawelwch y wlad i westy'r Lake yn Llangamarch yn fuan ar ôl hynny.

Sefydlwyd siop a chartref y ffotograffydd di-dact yn Llanwrtyd, a theithion ni ar hyd a lled tirwedd godidog yr ardal gyfagos yn yr hen gar, wrth i'r gwanwyn droi'n haf. Ar wahân i Ronnie a Dickie Arnold oedd yn chwarae Willy, y *chauffeur* mud, castiwyd Cymry, y rhan fwyaf yn Gymraeg eu hiaith, yn cynnwys Marged Esli, Gillian Elisa a David Lyn, ac roedd Myfanwy Talog a William Thomas yn chwarae fy chwaer a fy mrawd yng nghyfraith. Byddai'r ddau yn pipo trwy'r llenni yn eu tŷ yr ochr arall i'r stryd i feirniadu a mwynhau beiddgarwch anfoesol y ffotograffydd a'i *baramour*. Cwrddais â'r actores Ri Richards am y tro cyntaf pan ddaeth hi gatre o'r ysgol a finnau'n twymo 'nhraed rhynllyd wrth Rayburn ei thŷ yn Llanfair-ym-Muallt wrth i ni ffilmio yno. Heb yn wybod i'r ddwy ohonom ar y pryd, fe fydden ni'n gweithio gyda'n gilydd droeon yn y dyfodol ac yn dod yn ffrindiau da.

Ar ôl y misoedd o ffilmio ar leoliad recordiwyd y golygfeydd mewnol ar set yn y stiwdio yn Broadcasting House. Er gwaetha'r ffaith 'mod i wedi cael y profiad o berfformio comedi o flaen cynulleidfa mewn stiwdio ar y gyfres *Tomos a Titw*, roedd yn dal i fod yn gwbl frawychus. Rhyw fath o *hybrid* yw'r dull hwn o berfformio, a'r gamp yw rhannu'r sylw rhwng y cyd-actorion, y camerâu a'r gynulleidfa. Mae amseru'n hollbwysig er mwyn cynnal yr egni, wrth ofalu dechrau llinellau reit ar ddiwedd ton o chwerthin, ond cyn iddo ddiflannu'n llwyr, gan obeithio y bydd 'na fwy o chwerthin, wrth gwrs, hyd yn oed wrth i ni orfod ail-wneud ambell i olygfa am ba reswm bynnag. Dangoswyd y darnau a ffilmiwyd eisoes i'r gynulleidfa hefyd, a ninnau'n croesi'n bysedd y byddai'r ymateb yn dda. Mae nerfusrwydd yn oesol i actor, beth bynnag yw maint y profiad. Ar ein diwrnod cyntaf yn y stiwdio roedd Ronnie'n llawer mwy nerfus na fi. *'I've got more to lose,'* oedd ei esboniad.

Ymateb cymysg gafodd y gyfres yn y wasg Brydeinig, rhai yn canmol ac eraill yn feirniadol o'r sioe, ond fe ges i ymateb da.

'... *as the black stockinged Rachel, the girl who "shamed*

her family by running away to be happy" she's a delight', a daeth sawl papur newydd mwy annymunol na'i gilydd i ofyn am gyfweliad. Mae'n rhaid cyfaddef nad oedd acen Ronnie'n taro deuddeg, a bod y sgriptiau'n wan a braidd yn hen-ffasiwn, er i Ronnie ailysgrifennu sawl un, gan greu tipyn o banig pan ddaeth yr awdur, Roy Clarke, i wylio yn y stiwdio. Cafodd y gyfres yr anfantais o gael ei darlledu ar yr un noson ag *'Allo 'Allo!* oedd yn llwyddiant ysgubol gan gael ei hailgomisiynu naw gwaith, ac ni wireddwyd proffwydoliaeth y cynhyrchydd, Geraint Morris, ym mar y BBC, a ddwedodd, 'Fyddi di'n iawn nawr am dair neu bedair blynedd.' Doedd Ronnie ddim wedi colli'r ysfa i gyflawni ei waith i'r safon uchaf posib, ond yn weddol gynnar yn ystod y cyfnod ffilmio cyfaddefodd ei fod wedi diflasu, ei fod e'n ei chael hi'n anodd cynnal diddordeb ac egni a'i fod yn bwriadu rhoi'r gorau iddi. Gwrthododd gynnig y National yn Llundain i chwarae rhan Falstaff, penderfynodd ymddeol ac ymhen ychydig flynyddoedd agorodd siop hen bethau. Colled anferth i'r byd adloniant.

Does dim dwywaith i'r ffaith fy mod i wedi gweithio gyda Ronnie Barker gael effaith gadarnhaol ar fy mhroffil, ac ar farn ambell i un yng Nghymru am fy ngallu fel actores. Roedd hefyd yn fodd i fy ymestyn fel actores; roedd Ronnie yn berffeithydd, ac roedd gwrando ar ei drafodaethau gyda Syd ynglŷn â'r ffordd orau i saethu golygfa fel cael gwers meistr. Fel ddwedodd rhywun rywbryd, mae comedi yn fater difrifol. Ond yr atgof arhosol i fi, fel gyda phob cynhyrchiad yn y bôn, yw'r hwyl a'r sbri a'r cyfeillgarwch sy'n tyfu wrth weithio fel rhan o dîm i greu rhywbeth ar y cyd. Gwnaeth fy mam lwyddo'n ardderchog gyda Steffan, es i gatre bob cyfle posib a daethon nhw i aros i Langamarch, ac i'r tŷ yn Ealing, lle ro'n i'n aros dros gyfnod y recordio yn y stiwdio. Gyrrais 'nôl o Lundain ar ôl ffarwelio gyda Ronnie a Syd, a gweddill y criw, yn llawn emosiwn a boddhad, ac anghrediniaeth 'mod i wedi llwyddo i gyflawni'r fath dasg. Doedd dim cyfle i orffwys yn hir iawn, achos ymhen wythnos ro'n i'n paratoi ar gyfer fy rhan nesaf.

Sylvia Bevan yn *Pobol y Cwm* oedd y rhan hon; ffarmwraig geidwadol oedd yn berchen ar Aga a cheffyl ac yn gwisgo Burberry a Barbour. Roeddwn wedi ymddangos yn y gyfres yn 1976, am gyfnod byr, fel yr athrawes, Siân Jones, ac ro'n i wedi gwrthod dau gynnig arall yn y cyfamser, ond nawr, a Steffan ar fin dechrau yn yr ysgol, roedd yr amser yn iawn. Byddai'n cynnig sefydlogrwydd ac arian cyson, yn gyfle i fod gatre ac yn sicrwydd o waith dros dymor hir, er wrth gwrs yn golygu cyfyngu ar fy nghyfle i wneud gwaith arall, mwy heriol.

Fel y digwyddodd pethau, wnaeth Steffan ddim cychwyn yn yr ysgol gynradd tan ddechrau mis Hydref. Pedair ysgol gynradd cyfrwng Gymraeg oedd yng Nghaerdydd yr adeg honno, Melin Gruffydd, Y Wern, Bro Eirwg ac Ysgol Coed y Gof yn y Tyllgoed. Ysgol Coed y Gof oedd yr ysgol agosaf aton ni a Bro Eirwg oedd y bella, a bu'n rhaid i ni, a phum teulu arall frwydro'n galed wrth i Gyngor Caerdydd benderfynu ei fod am anfon ein plant i ysgol Bro Eirwg yn Llanrhymni. Dadl y cyngor oedd fod Ysgol Coed y Gof yn llawn ac y byddai dosbarth derbyn o 34 yn annerbyniol o safbwynt addysgiadol, ond dadleuon ni fod teithio ymhell o'n cartrefi i ddwyrain y ddinas yn effeithio'n fwy ar ddatblygiad ein plant yn addysgiadol a chymdeithasol na'r nifer mawr yn y dosbarth. Flwyddyn ynghynt roedd Dafydd Hywel wedi cynnal ymgyrch hir i gael caniatâd i'w ferch, Catrin, ymuno â'i brawd, Llŷr, yn Ysgol Coed y Gof, lle bu ers dwy flynedd, gan gynnal protestiadau y tu allan i'r ysgol. Cafodd lawer iawn o sylw gan y wasg, ac yn y pen draw bu'n rhaid iddo fynd â Chyngor Caerdydd i'r Uchel Lys yn Llundain, ble enillodd ei achos gyda help y bargyfreithiwr Vernon Pugh. Gwnaeth hynny fraenaru'r tir i ni, er y bu'n rhaid i ninnau hefyd ymgyrchu'n galed, a mynd trwy ddwy apêl cyn i ni lwyddo. Bu cymorth y cyfreithiwr, Michael Jones, yn amhrisiadwy a bu Dave Berry, yr arbenigwr ffilmiau a oedd yn ohebydd gyda'r *South Wales Echo* ar y pryd, yn gefn mawr i ni hefyd. Ond, yn anad dim, roedd cefnogaeth ddewr y prifathro gwych, Tom Evans, yn rhyfeddol. Doedd neb yn dadlau nad oedd maint y dosbarth derbyn yn peri pryder; roedd tri deg pedwar o blant yn sicr yn ormod, ond roedd hyn yn tanlinellu'r ffaith fod angen ehangu ar y nifer o leoedd a oedd ar gael ar gyfer addysg trwy gyfrwng y Gymraeg yng Nghaerdydd. Roedd y cyngor wedi bod ar ei hôl hi, yn nhyb llawer ohonom, ers blynyddoedd. Ffrwyth blynyddoedd o frwydro yn erbyn pob math o ragfarn a chulni yw pob ysgol cyfrwng Gymraeg yng Nghaerdydd, ac Ysgol Hamadryad ym Mae Caerdydd, ble mae fy wyres fach yn ddisgybl erbyn hyn, yw'r enghraifft ddiweddaraf. Heddiw, mae pedair ysgol ar bymtheg cyfrwng Cymraeg yng Nghaerdydd, gan gynnwys tair ysgol uwchradd ac un arall ar y gweill. Byddai'n braf petai'r cynnydd hwn yn parhau, a'r freuddwyd o droi pob ysgol trwy Gymru gyfan yn ysgol cyfrwng Cymraeg yn cael ei gwireddu ryw ddydd.

Erbyn i ni ennill ein brwydr ro'n i a Phylip Hughes, actor yn ei swydd broffesiynol gyntaf, oedd yn chwarae rhan Stan, gŵr Sylvia Bevan, wedi bod yn gweithio'n galed ar ein sgriptiau ar y grisiau yn ystafell ymarfer *Pobol y Cwm* o dan gapel Ebeneser yn Charles Street. Ro'n i'n ymarfer am bedwar diwrnod, o ddydd Sul tan ddydd Mercher, cyn recordio'r ddwy bennod ar ddydd Iau a dydd Gwener yng Nghanolfan y BBC yn Llandaf. Ar brynhawn dydd Mercher roedd y *tech run* yn digwydd pan fyddai'r bobl dechnegol – camera, goleuo, sain, gwisgoedd, colur a dylunio – yn dod i'n gwylio ni'n perfformio'r ddwy bennod yn eu tro ar y setiau, a oedd wedi eu marcio â thap ar y llawr, a'r celfi a'r props ymarfer yn eu lle er mwyn amseru popeth yn gywir. Yn Broadcasting House yn Llandaf wedyn, yn stiwdio anferth bwrpasol C1, a'r setiau yn eu lle, y byddai'r recordio yn digwydd ar dri neu bedwar camera. Roedd y cymysgydd fideo a'r cyfarwyddydd yn rheoli o'r 'bocs' lan lofft, a bydden ninnau ar y llawr yn dibynnu ar y rheolwyr llawr medrus i dywys pawb trwy'r gwaith. Wrth i'r golau coch ymddangos ar y camera, caem ein recordio. Dyma oedd y drefn yr adeg honno, yn union yr un fath ag yn y stiwdio ar gyfer *The Magnificent Evans*, a byddai darnau'n cael eu ffilmio ar OB (*Outside Broadcast*) ar gyfer *Pobol y Cwm* hefyd. Ffarm yn Nelson oedd lleoliad ffilmio'r Bevans, ble'r oedd gan Sylvia geffyl mawr hardd, a ddiflannodd o'r stori yn go gloi yn anffodus, ac er mai dim ond unwaith gwnes i ei farchogaeth, rhoddodd gyfle i fi edrych yn neis mewn *jodhpurs* a het galed. Gwnaeth y gynllunwraig gwisgoedd, Coleen O'Brien, brodores o Dde Affrica a gynlluniodd ddillad Odette yn *Grand Slam*, brynu dillad drud iawn ar gyfer Sylvia, gan dynnu'r labeli i gyd rhag creu cenfigen ymysg gweddill y cast! Wrth weithio ar *Pobol y Cwm*, roedd hi'n bwysig i fi barhau i gael bywyd amgen hefyd, i borthi fy nghelloedd llwyd, ac roedd y tripiau wythnosol i ganu a dychanu ar *Crafu'r Gwaelod* yn falm i'r enaid. Gwnes i waith radio, gan gynnwys dramâu ac ymchwilio a chyflwyno *Sgyrsiau Diwedd Haf*, rhaglen ddaeth ag ymarferwyr gwahanol gelfyddydau ynghyd i drafod eu proses a'u crefft o safbwyntiau amrywiol.

Ar fy noson olaf yn ffilmio *Pobol y Cwm* cyn y Nadolig gyrrais yn syth i neuadd y Parc a'r Dâr yn Nhreorci i gyngerdd er budd y glowyr gyda The Flying Pickets, a'r neuadd dan ei sang a'r awyrgylch yn drydanol. Roedd y glowyr wedi bod ar streic ers naw mis, ac agwedd Margaret Thatcher yn destun dirmyg a rhwystredigaeth lwyr, ond wna i byth anghofio angerdd a gwefr y noson honno. Mae'n saff dweud bod y rhan fwyaf o'r Cymry o blaid y streicwyr, a ffermwyr llaeth y Gorllewin a chymunedau chwarelyddol y gogledd fel ei gilydd yn cefnogi ac yn codi arian. Gadawodd y streic ei chreithiau, ond cafodd effaith gadarnhaol ar Gymru mewn sawl ffordd. Mae rhai o'r farn ei bod yn rhannol gyfrifol am y bleidlais 'Ie' yn 1997 am nad oedd unrhyw un eisiau gweld Cymru'n dioddef dan ddwylo llywodraeth Loegr yn yr un modd eto, a chwyldrowyd bywydau llawer o fenywod fel Siân James, a ddaeth yn Aelod Seneddol Gorllewin Abertawe. Mae'n destun balchder mawr i fi bod Steffan, Dr Steffan Morgan erbyn hynny, ar ôl ennill ei ddoethuriaeth, wedi cynhyrchu rhaglen ddogfen am hanes Siân James, a hefyd am y streic, o dan y teitl *Adam Price a Streic y Glowyr 84–85*, gan ennill gwobr BAFTA am y gyfres ffeithiol orau yn ogystal â gwobr Gwyn Alf Williams.

Roedd fy niddordeb mewn gwleidyddiaeth yn deillio o'r cyfnod yn yr ysgol pan enillwyd sedd Caerfyrddin i Blaid Cymru gan Gwynfor Evans ac mae wedi bod yn llinyn pwysig yn fy mywyd ers hynny, a minnau'n dal i ddyheu am weld Cymru'n ennill ei hannibyniaeth, yn dod yn wlad sosialaidd, yn hybu cydraddoldeb, a lle byddai ein hiaith a'n diwylliant yn ffynnu. Roedd fy nghyfleoedd i ymwneud â gwleidyddiaeth wedi eu cwtogi'n ddybryd, oherwydd diffyg amser ac egni o ganlyniad i alwadau gwaith a magu plentyn, ond croesawn y cyfle i ymddangos ar y cyfryngau i drafod gwleidyddiaeth, yn aml oherwydd y prinder enbyd o fenywod efallai, oedd naill ai ddim yn ddigon hy neu ddim yn ddigon hyderus i leisio eu barn yn gyhoeddus. Mae'r sefyllfa wedi newid, diolch i'r drefn, yn arbennig gyda dyfodiad datganoli. Gwnes fy ymddangosiad cyntaf ar raglen drafod *Y Byd yn ei Le* i HTV yn yr hydref a Vaughan Hughes yn cyflwyno'r criw yn y stiwdio i drafod pynciau'r dydd a Dyfed Tomos yn cyflwyno cân ddychanol berthnasol. O, am gael rhaglenni debyg i honno a *Crafu'r Gwaelod* heddiw.

Yn wahanol i'r drefn erbyn hyn, chwe mis yn unig oedd cyfnod ffilmio cyfres flynyddol *Pobol y Cwm* ar y pryd. Byddwn i'n ailgychwyn y mis Medi canlynol, felly roedd cyfle i wneud gwaith arall yn y cyfamser, ac ar ddiwrnod ola'r flwyddyn cychwynnais ymarferion ar gyfer cyfres gomedi newydd.

1985

Ceisio Sefydlogi

PEDWAR AR BEDWAR oedd enw'r gyfres gomedi. Rhaglen o sgetsys oedd hon yn argoeli i fod yn wahanol i *Cwlwm 80*, y bûm i'n rhan ohoni bedair blynedd ynghynt; llai o adloniant ysgafn a mwy o ddychan gwleidyddol, ac yn debycach i *Crafu'r Gwaelod*. Mwynheais y rhyddid o gael cyfle i chwarae amrywiaeth eang o gymeriadau gan drawsffurfio fy hun drosodd a throsodd gyda chymorth yr adrannau gwisgoedd a cholur. Mae chwarae comedi wastad yn creu awyrgylch llawn hwyl a difyrrwch, a fy nghyd-deithwyr yn yr hwyl oedd Meical Povey, William Thomas a Gwyn Elfyn, sef Denzil, gwas Sylvia Bevan yn *Pobol y Cwm* ar y pryd. Mae'n wir dweud efallai nad oedd y sgetsys bob amser yn ddoniol, na hyd yn oed mewn rhai achosion yn dda iawn. Mewn un sgets gofiadwy, a Meic Povey yn chwarae doctor blêr oedd yn ymdebygu i Les Patterson, gweinidog diwylliant yr enwog Barrie Humphries, pwrpas dychanol oedd y rheswm dros fy ngwisgo i fel derbynydd/ nyrs mewn wig Marilyn Monroe, ffrog wen gwta, teits *fishnet* a sodlau uchel, ond mae'n wir y gallai'r gynulleidfa fod wedi camddehongli'r bwriad hwnnw. Ar wahân i'r enghraifft eithafol yma o geisio herio rhywiaeth, daeth hi'n amlwg nad oedd gen i, yr unig fenyw, prin ddim i'w wneud, a theimlwn nad o'n i'n cael fy ymestyn o gwbl. Un rheswm am hynny oedd mai dynion oedd yn ysgrifennu y rhan fwyaf o'r sgetsys, ac fe ddes i'r casgliad mai'r ateb oedd mynd ati fy hun. Roedd y cynhyrchydd, Brynmor Williams, yn hapus iawn i fi wneud ac fe ysgrifennais i ambell sgets, un yn dychanu'r gyfres ei hun, yn esbonio mai safle'r fenyw yn y gymdeithas oedd yn gyfrifol am natur a statws anghytbwys y rhannau. Doedd *Pedwar ar Bedwar* ddim yn llwyddiant ysgubol, ac mae 'da fi gof clir o Beti George yn gofyn i fi yng nghoridor y BBC, ar fy ffordd i recordio'r rhaglen yn stiwdio fawr C1, 'Shwd beth yw e i fod mewn rhaglen ofnadwy fel 'na?' Beth bynnag yw barn actor am y cynnyrch, mae'n ddyletswydd arnom ni i ymdrechu i greu gwaith o'r safon uchaf posib dan yr amgylchiadau, hyd yn oed wrth wynebu pob math o anawsterau. Ond doedd 'da fi ddim amser i hunanfflangellu; wythnos ar ôl gorffen y recordio cychwynnais ymarferion ar gyfer drama lwyfan.

Pan Rwyga'r Llen oedd enw'r ddrama a T James Jones oedd yr awdur, oedd hefyd yn olygydd sgriptiau i *Pobol y Cwm*. Mae'r teitl yn cyfeirio at len y deml a rwygwyd pan fu farw Iesu Grist ar y groes ac roedd y ddrama'n digwydd dros Ddydd Iau Cablyd a Dydd Gwener y Groglith, yn uniaethu'r Groglith cyntaf â'n cymdeithas ni, ac yn trafod brad oesol dyn, a'r rhagrith sy'n cuddio'r gwirionedd. Ro'n i'n chwarae gwraig i Huw Ceredig, sef Caplan mewn ysbyty meddwl, a chariad i Ifan Huw Dafydd, y saer coed oedd yn dioddef o salwch meddwl. Roedd rhaid i fi ffugio lladd fy hun tu ôl i soffa, ac fe ganodd Ifan Huw Dafydd *'Are You Lonesome Tonight?'* yn hyfryd o'r esgyll, ac roedd hi'n daith i'w chofio am sawl rheswm.

Roedd fel petai'r cast cyfan yn simsanu ar ymylon rhywbeth ar y pryd, ond roedd presenoldeb Huw Ceredig wastad yn sicrhau bywyd cymdeithasol difyr ac amrywiol beth bynnag fyddai'r amgylchiadau. Dyma'r tro cyntaf a'r tro olaf i fi weithio ar lwyfan gyda'r hynod dalentog Ronnie

Williams, oedd yn cellwair y dylid galw Jim yn 'Chi James Jones', am fod y 'T' yn dangos amarch. Roedd Ronnie, oedd yn chwarae claf yn yr ysbyty, yn ôl ei gyfaddefiad ei hun, angen pump peint i gyrraedd lefel o normalrwydd, ac am nad oedd yn ymddangos tan ar ôl yr egwyl, byddai weithiau'n cwmpo i gysgu yn ei wely ar y set wrth aros i'r goleuadau godi ar yr ail act. Eirlys Britton a Mair Rowlands, oedd yn chwarae'r ddwy nyrs oedd yn gofalu amdano, a gafodd y dasg o ddelio gyda'r canlyniad. Daeth cariad Ronnie gyda ni trwy gydol y daith, gan weu yn yr ystafell wisgo. Er gwaetha'r ansefydlogrwydd tu ôl i'r llenni, roedd yn gynhyrchiad llwyddiannus tu hwnt, y canolfannau'n llawn a'r cynulleidfaoedd yn frwdfrydig. Roedd gweld ciw o ddrws Ysgol y Preseli yn ymestyn i'r heol fawr yn codi calon, ac yng Nghaerfyrddin, bu'r gynulleidfa'n morio chwerthin, gan ddarganfod hiwmor na sylweddolem ni, fel cast, ei fod yn bodoli yn y ddrama. Fe deithion ni trwy Gymru am dros fis, yn perfformio sawl noson yn Llanelli, Clwyd, Aberystwyth a'r Sherman yng Nghaerdydd, ac roedd modd i fi deithio gatre o bob canolfan heblaw am Theatr Clwyd, ble agoron ni ar ôl cyfnod o ymarfer ym Mangor. Cafwyd adolygiadau gwych gydag un adolygydd yn dweud bod 'Llwyddiant digamsyniol y cynhyrchiad presennol yn dyst fod posibl cynnal cwmni cenedlaethol o'r safon uchaf.' Cafodd ei disgrifio yn y *Daily Post* fel *'a powerful, significant and deeply moving drama'*.

Yn ystod y daith ges i gynnig rhan yn y gyfres gomedi, *No Place Like Home*, dywediad oedd yn sicr yn adlewyrchu fy nheimladau i ar ôl taith brysur, ac roedd ffilmio hon yn bleser pur yng nghwmni Martin Clunes a William Gaunt. Ro'n i'n chwarae menyw fusnes orgariadus oedd yn ceisio cymeryd mantais o gymeriad Michael Sharvell-Martin. Cyn i fi gwblhau'r ffilmio ro'n i wedi dechrau ymarfer cyfres arall i BBC Wales, sef addasiad Ewart Alexander o nofel Kingsley Amis, *That Uncertain Feeling*. Hanes John Lewis, llyfrgellydd rhwystredig, ei wraig Jean, a'i berthynas gyda gwraig soffistigedig a chynghorydd lleol, Elizabeth Gruffydd-Williams, yw calon y stori sydd wedi ei lleoli yn nhref ffuglennol Aberdarcy. Crëwyd ffilm wedi ei seilio ar y nofel yn 1962 o'r enw *Only Two Can Play* gyda Peter Sellers a Mai Zetterling.

Ro'n i'n chwarae Meistres y Deintydd, ac am y trydydd tro mewn dwy flynedd penderfynwyd mai coch fyddai gwallt fy nghymeriad dienw, a oedd yn or-hoff o'r ddiod gadarn ac yn amlwg yn fenyw rhy ddansierus i fod yn *blonde*. Yn hytrach na wig y tro hwn lliwiwyd fy ngwallt yn goch llachar, a bu'n rhaid ailystyried fy wardrob yn gyfan gwbl. Dennis Lawson, Sheila Gish a Brenda Blethyn oedd yn chwarae'r prif rannau, arfer sy'n parhau wrth i'r prif rannau'n gael eu chwarae gan Saeson neu Albanwyr, sy'n ymarfer eu hacenion Cymreig, o safon amrywiol ac amheus, neu ddim yn ffwdanu gydag acen o gwbl, a'r rhannau llai yn cael eu chwarae gan Gymry. Er mawr gredyd i Dennis Lawson, wrth iddo frwydro gyda'r acen yn Neuadd Brangwyn yn Abertawe un prynhawn, wedi ei amgylchynu gan y cast cyfan, a thua chant o artistiaid cefndirol, bloeddiodd yn ei rwystredigaeth, '*Why didn't they get a fucking Welsh actor to play this part?*' Un o saith o ffrindiau hedonistaidd Elizabeth Gruffydd-Williams, rhan o'i chwmni drama amatur, oedd Meistres y Deintydd, ac fe welwyd y criw yn yfed ac yn smygu mewn nifer helaeth o olygfeydd, mewn tafarn ym Mhorth-gain, fel actorion amatur yn neuadd Dinas Powys ac ar draeth yn Plymouth yn ystod wythnos *Live Aid* a byddai'r saethu'n para o hanner awr wedi pump y prynhawn tan hanner awr wedi pump y bore wedyn. Bach iawn oedd nifer ein llinellau yn ystod y nosweithiau hirion, ac ar ôl diflasu ar adeiladu cestyll tywod fe yfon ni'r botelaid gyfan o wisgi oedd wedi ei chlustnodi ar gyfer y ddau brif actor i'w cynnal nhw ar ôl iddyn nhw nofio'n noethlymun yn y môr. Aeth Sheila Gish yn dost a bu'n rhaid i aelod o'r tîm cynhyrchu, Penny Shales, sydd erbyn hyn yn cyfarwyddo operâu sebon, gan gynnwys *Pobol y Cwm*, neidio i'r môr yn ei lle, er dwi'n tybio mai nid diffyg wisgi oedd wrth wraidd amharodrwydd Sheila Gish i fentro i'r tonnau.

Cynhaliwyd ymarferion *That Uncertain Feeling* yn Llundain, a minnau'n teithio yno, er y byddwn i'n aros mewn fflat ffrind yn ymyl Tottenham Court Road weithiau, gan gael cyfle i gwrdd â Syd Lotterby a Ronnie Barker, a mynd i weld recordiad o *Open All Hours*, ac i'r Old Vic gyda nhw i weld *The Corn Is Green* gan Emlyn Williams, gyda Deborah Kerr yn chwarae'r brif ran, Miss Moffat. Gobeithiai fy asiant y byddwn yn rhan o'r cynhyrchiad hwnnw wrth fy nghynnig ar gyfer rhan Miss Ronberry, ysgrifenyddes Miss Moffat, ac fe anfonais luniau pwrpasol addas o'r cymeriad i gefnogi fy nghais, ond yr unig fudd ddaeth ohono oedd llun hyfryd a gymerwyd gan y ffotograffydd Fraser Wood, ohono i a Steffan, oedd wedi dod gyda fi i'w stiwdio.

Hanes sefydlu ysgol mewn pentref glofaol sydd yn nrama hunangofiannol EmlynWilliams, am bwysigrwydd cynnig addysg i blant tlawd, ond yn arbennig hanes un bachgen disglair, Morgan Jones, sy'n cynrychioli'r dramodydd ei hun. Mae'n thema glodwiw iawn, ond yn anffodus, mae'n pwysleisio'r iaith a'r diwylliant Saesneg ar draul y Gymraeg, ac yn gosod Prifysgol Rhydychen fel nod i unrhyw ddisgybl galluog. Drama sydd yn costrelu agweddau trefedigaethol yw hon, ac wrth ei gwylio diolchais na chefais y rhan. Llwyfannwyd y ddrama sarhaus hon gan gwmni y National yn Llundain yn 2022, ac mae'n anodd credu, er gwaetha'r canmol ar y cynhyrchiad o safbwynt actio a chysyniad bod unrhyw un wedi dychmygu ei fod yn beth addas i ddifrïo ein hiaith a'n diwylliant yn y fath fodd. Fel dwedodd Alun Ffred wrth gloriannu Cymreictod Emlyn Williams yn y Cylchgrawn *Barn*, 'Pe bai hon wedi ei lleoli yn unrhyw wlad arall a fu'n rhan o'r Ymerodraeth – Kenya neu Iwerddon dyweder – fyddai'r National ddim yn mentro'i llwyfannu. Pe baent yn gwneud byddai protestio croch am goloneiddio a stereoteipio ymhlith deallusion cosmopolitan Llundain.' Yn ystod y cyfnod yma cafodd Steffan ei ran actio gyntaf, yn bump oed, a thra 'mod i'n ymarfer yn Llundain teithiodd i Sir Benfro gyda Mam mewn stori drefedigaethu arall, sef y gerdd *Clymau* wedi ei dramateiddio i S4C a'i lleisio gan Dafydd Rowlands. Enillodd y gerdd hon ei hail goron i Eluned Phillips, yr unig fenyw i gyflawni'r fath gamp hyd yn hyn, yn Eisteddfod Genedlaethol Llangefni yn 1983. Mae'n trafod perthynas agos Cymru a'r Ariannin yng ngoleuni rhyfel y Malfinas, ac yn cyferbynnu golygfeydd o'r rhyfel lle roedd milwyr o'r un tras yn ymladd yn erbyn ei gilydd â hanes y Cymry'n ymgartrefu ym Mhatagonia. A'i wallt mewn steil *pageboy* roedd Steffan yn chwarae un o'r Cymry deithiodd ar long enwog y *Mimosa* yn 1865, yn rhan o angladd ar fwrdd y llong yng nghanol y daith hir, yn cyrraedd y lan, ac yn clirio cerrig o'r tir diffaith a wynebai'r ymfudwyr wrth iddyn nhw ddianc o ormes gwleidyddol ac economaidd. Roedd yn brosiect blaengar ac uchelgeisiol a byddai'n braf gweld mwy o arbrofi gyda phrosiectau o'r fath ar S4C.

Mae'r Wladfa wedi tyfu'n bwnc llosg yn y drafodaeth gyfredol am drefedigaethu, wrth i ni fel Cymry ddod i ddelerau ag agwedd lai ramantus o'r hanes. Eto i gyd mae'r ffaith fod yna gymuned o siaradwyr Cymraeg yr ochr arall i'r byd yn dal yn rhyfeddod, a ninnau'n dal i deimlo dan warchae er gwaethaf ein llwyddiant ysgubol i atal dirywiad yr iaith. Ges i brofiad syfrdanol yn ddiweddar wrth fynd â'r ci am dro yn y parc, pan holodd dyn mewn acen doredig Saesneg am y ffordd i ganol dinas Caerdydd. Dechreuais ateb, ond pan glywodd fy acen Gymreig, gofynnodd a o'n i'n siarad Cymraeg. Isaias Grandis o Trevelin oedd y gŵr, fel y deallais wedyn, ac roedd yn deimlad anhygoel cael profi am y tro cyntaf yn fy mywyd nad oedd y Saesneg o unrhyw gymorth wrth gyfathrebu, ac mai'r Gymraeg oedd y *lingua Franca* y tro hyn.

Er ei bod yn ymddangos fel haf llawn gwaith ar bapur, gan fod cytundeb *That Uncertain Feeling* yn ymestyn o ganol mis Mai i ddechrau mis Awst, roedd 'da fi dipyn o amser rhydd i fod gatre yng Nghaerdydd yn ystod y tri mis, i Mam gael amser yng Nglanaman ac i minnau gael amser adre gyda Steffan. O fewn wythnos i ffarwelio â Meistres y Deintydd, byddai *Pobol y Cwm* yn ailddechrau ac yn parhau tan fis Rhagfyr gan ddilyn y patrwm arferol.

1986

Chwilio am Gyfeiriad Newydd

O GANLYNIAD I sicrwydd ariannol *Pobol y Cwm* roedd modd mynd dramor i fwynhau am y tro cyntaf, yn hytrach na'i gyplysu gyda gwaith. Aethon ni i Lanzarote gan hedfan o Gaerdydd, i fyw ganllath o'r traeth am bythefnos, a rhyfeddu at y tirwedd folcanaidd a chael reid ar gefn camel, cyn dod gatre i weithio ar ddrama i HTV.

Transit oedd enw'r drioleg fentrus a ysgrifennwyd ac a gyfarwyddwyd gan Maredudd Owain i HTV, a seiliwyd ar hanes pedwar teithiwr wedi eu dal mewn lolfa maes awyr rhwng hediadau, a phob un ohonynt o wlad wahanol. Roedd Owen Garmon yn ŵr busnes o Sais, Dyfed Thomas yn gymeriad amwys oedd efallai o rywle yn Nwyrain Ewrop, Gwyn Vaughan Jones yn Almaenwr a minnau'n weithredwraig wleidyddol o America. Byddai'r pedwar ohonom yn trafod pynciau athronyddol a gwleidyddol wrth iddi ddod yn amlwg yn raddol ein bod mewn limbo, ar ein ffordd i bwy a ŵyr ble, nac am ba hyd. Penderfynwyd y byddem yn torri tir newydd, drwy arddel acenion ein gwledydd gan obeithio na fyddai clywed pedair acen ddieithr yn creu penbleth i'r gwylwyr, gan mai Saesneg fyddai'r iaith arferol i'w siarad mewn sefyllfa fel hyn mewn bywyd 'go iawn'. Mae mabwysiadu acen estron yn creu dimensiwn newydd wrth greu cymeriad, ac yn codi'r cwestiwn o pam a sut y dysgwyd Cymraeg, er iddi ddod yn amlwg fod y dieithriaid hyn mewn lleoliad arallfydol, os nad goruwchnaturiol ac felly bod y defnydd o acenion yn fodd i bwysleisio'u datgysylltiad oddi wrth realiti. Efallai fod acenion Seisnig ac Americanaidd yn y Gymraeg yn lled gyfarwydd i ni ar y pryd, ond erbyn hyn ry'n ni'n llawer mwy cyfarwydd â chlywed acenion dysgwyr Cymraeg o bob rhan o'r byd. Lleolwyd yr arbrawf dewr yma mewn set wen finimalaidd wedi'i goleuo'n llachar. Alla i ddim ond dychmygu ymateb y gynulleidfa i'r drioleg, ond roedd yn sicr yn her i ni fel actorion.

Roedd mabwysiadu acen yn greiddiol i'r rhan nesaf a gefais hefyd ond bod hon dipyn yn haws, am ei bod hi'n ffilm gwbl naturiolaidd ac wedi ei gosod yng Nghwm Tawe ym mhumdegau'r ganrif ddiwethaf. Seiliwyd *Y Gadair* ar stori fer gan yr awdur ffraeth o Gwm Tawe, Islwyn Williams, a bu'n rhaid ymarfer caledu'r 'd' a'r 'g' gyda help Dafydd Rowlands, a oedd wedi addasu'r stori. Bu ar y set trwy gydol y cyfnod ffilmio i sicrhau bod ein hacenion yn y ddeialog yn taro deuddeg. Wrth lwc doedd hi ddim yn acen gwbl ddieithr i fi a minnau wedi treulio tipyn o amser yng Nghwmtwrch Isaf ar ôl i fy rhieni symud yno pan oedd fy nhad yn brifathro ysgol Ystradowen yng Nghwmllynfell, ac ro'n i hefyd wedi hen arfer clywed ei sŵn hi wrth sgwrsio gyda Rachel Thomas a Harriet Lewis. Mae wedi lled ddiflannu erbyn hyn, fel cymaint o acenion Cymru, ac yn sicr anaml y clywir nhw ar deledu nac ar y radio. Roedd adlewyrchu hyn yn ysgogiad cryf wrth i fi addasu drama Ed Thomas, *House of America*, i'r Gymraeg, a Mam, gan ei bod ar dân dros ei gwreiddiau a'i hunaniaeth Gymreig, yn ei defnyddio'n naturiol, ond y plant, wrth golli eu gwreiddiau, yn colli eu hacen gynhenid, a hyd yn oed eu hiaith yn achos Gwennie a Syd ac yn troi i'r Saesneg gydag acen Americanaidd. Fel un gafodd ei magu yng Nghwm Gwendraeth i rieni o Ddyffryn Aman, dwi'n ymwybodol o'r gwahaniaethau rhwng y ddau gwm, sydd mor agos at ei gilydd, o ran acen a geirfa, ac mae yna wahaniaethau hefyd yng ngweddill Shir Gâr. Mae ardal Castellnewydd Emlyn yn gollwn yr 'dd' ar ddiwedd geiriau er engraifft, ac mae'n ddiddorol gweld dylanwad Jim Parc Nest ar dafodiaeth Cwmderi yn parhau wrth i ieithwedd gwbl gyfeiliornus gorllewin y sir ddod i'r amlwg o bryd i'w gilydd.

Cwmni cynhyrchu Cineclair, a sefydlwyd gan y gwneuthurydd ffilm o Abertawe, Richard Watkins, oedd yn gyfrifol am *Y Gadair*, a Dafydd Hywel a Dewi Pws oedd fy nghyd-actorion. Roedd Richard, nad oedd yn gallu siarad Cymraeg, yn cyfarwyddo hefyd, a phan fyddai Dewi'n gofyn ar ddiwedd saethu golygfa yn ei ffordd ddihafal ei hun, *'Who was the best, Richard?'* roedd yr olwg ddryslyd bryderus ar ei wyneb wrth straffaglu am ateb yn werth ei gweld.

Ro'n i'n ddigon lwcus i allu ffilmio *Y Gadair* wrth ffilmio *Pedwar ar Bedwar*, a gafodd ail gyfres er gwaetha'r feirniadaeth fu arni, sydd wastad yn beth da – wedi'r cyfan, methiant llwyr oedd cyfres gyntaf *Only Fools and Horses*. Rhoddodd hyn gyfle i fi geisio creu gwell cytbwysedd rhwng y rhywiau gan greu ambell i sgets oedd yn gwrthdroi roliau, cynnig mwy o sgôp i fi fy hun a chael chwarae cymeriadau oedd yn gyrru naratif y sgets. Tanlinellwyd natur chwerthinllyd yr anghydraddoldeb mae cymdeithas yn ei gymeryd yn ganiataol mewn sgets ble roedd Gwyn Elfyn yn glanhau swyddfa arolygydd heddlu benywaidd oedd yn ei drin gyda'r dirmyg cyffredin a ddangosir tuag at y rhai yr ystyrir bod eu gwaith yn ddibwys, ac a gaiff ei gyflawni'n amlach na pheidio gan fenywod. Mewn sgets arall chwaraeais reolwraig fusnes a fyddai'n cymeryd ei hawl i ffafrau rhywiol gan ei hysgrifennydd gwrywaidd yn ganiataol. Byddai wedi bod yn llawer haws creu mwy o sgetsys difyr tasai yna actores arall yn rhan o'r cast. Roedd si ein bod ni am greu fersiwn Saesneg ar gyfer BBC 2, ond ni wireddwyd y freuddwyd honno.

Ymhen mis wedi gorffen *Pedwar Ar Bedwar* ailgychwynnodd *Pobol y Cwm*, ac uchafbwynt stori Sylvia Bevan oedd affêr gyda'i *bit of rough*, sef cymeriad Dewi Pws, Wayne, oedd yn gweithio fel mecanig yn y garej. Arweiniodd hyn at olygfa pan wnaeth gŵr Sylvia, Stan Bevan, gael ei gythruddo cymaint nes iddo ymosod ar Sylvia. Siswrn oedd yr arf oedd gyda fe a hwnnw'n digwydd bod wrth law yn y gegin, a threfnwyd ymarfer arbennig yn y stiwdio i wneud yn siŵr fod y weithred yn argyhoeddi. Awgrymodd y cyfarwyddydd, Myrfyn Owen, y dylai Sylvia gerdded tuag at yr arf wrth i Stan ei estyn tuag ati. 'Beth?' meddai Marged Esli, oedd yn digwydd bod yn dyst i'r broses, 'Fel rhyw fath o Kamikaze?' Heriais resymeg y cyfarwyddydd, yn ogystal â'i grebwyll creadigol, ac ymatebodd Myrfyn trwy ddweud ei bod hi'n bwysig nad oedd Stan yn colli cydymdeimlad y gwylwyr. Gwrthodais, nid yn unig er mwyn amddiffyn Sylvia, menyw gref a deallus, rhag ymddygiad chwerthinllyd o afresymol os nad gwallgof, ond hefyd gan ddweud bod gwneud i fenyw edrych fel petai hi'n gyfrifol am weithred dreisgar ei gŵr yn gwbl ffiaidd ac anghyfrifol. Mae'r ddadl bod menywod 'wedi gofyn amdani' ac felly'n haeddu cael eu lladd a'u treisio yn hen gyfarwydd, ac felly mae cyfrifoldeb mawr ar operâu sebon wrth ddarlledu'r straeon hyn. Mae'n anodd i actor herio cyfarwyddydd, ond mae hyn, nid yn unig yn taflu goleuni ar agwedd rywiaethol y cyfnod, ond hefyd mor barod oedd Myrfyn i wrando arna i yn y pen draw, gan efallai adlewyrchu natur gymunedol ein diwydiant ar y pryd, a'n safle fwy cyfartal fel actorion.

Ac yntau wedi bod yn rhan o'r gyfres ers y dechrau yn 1974, roedd Dewi Pws â'i fryd ar adael *Pobol y Cwm* yn derfynol. Mae'n debyg ei fod e wedi blino ar chwarae *Catch the Rat* a'r gemau cardiau diddiwedd yn yr ystafell werdd yn Charles Street a ymdebygwyd i *underground latrine* gan yr actor dawnus, Dilwyn Owen, a oedd yn feistr ar ystod eang o acenion, gyda llaw. Penderfynwyd mai diwedd Wayne fyddai trawiad ar y galon a hynny ar benwythnos rhamantus gyda Sylvia, nid ym Mharis yn anffodus, ond mewn gwesty ym Mhorthcawl. Wrth i'r ddau orwedd yn y gwely mawr dwbl trodd Wayne at Sylvia gan ddweud, 'Sylvia, ma rhwbeth 'da fi weu' tho ti,' ond yn anffodus, dyna ei eirau olaf a chafodd Sylvia byth wybod beth oedd ar feddwl Wayne druan.

Tair cyfres o *Pobol y Cwm* ro'n i wedi eu cwblhau erbyn hyn, ond roedd gwybod mai dychwelyd i set Cwmderi y byddwn i bob mis Medi wedi dechrau mynd yn drech na fi hefyd, ac roedd trywydd stori Sylvia hefyd yn fy mhoeni. Does dim modd creu graff emosiynol ystyrlon heb reolaeth dros gyfeiriad cymeriad, na syniad hirdymor o ddatblygiad ei stori, ac roedd y pethau hyn yn cael eu cadw rhag yr actorion, heb reswm dilys yn fy nhyb i. Sylwais i ryw fore yn Nelson, a ninnau'n ffilmio'r OBs ar ffarm y Bevans, fod gan y fenyw golur ffeil anferth yn cynnwys manylion straeon pob cymeriad, ac fe ddes i ddeall bod pawb oedd ynghlwm â'r cynhyrchiad, ar wahân i'r actorion, yn cael gwybod yr hanesion am y chwe mis cyfan nesaf ymlaen llaw. Cydiais yn y ffeil a'i darllen gyda blas, gan geisio dod o hyd i ddyfodol dirgel Sylvia, ond cythruddwyd Wil Sir Fôn, y prif olygydd, oedd yn digwydd bod ar y set ar y pryd, a cheisiodd gipio'r ffeil o fy nwylo. Rhedais i ffwrdd a fyntau'n fy nghwrso o gwmpas y cae, gan anelu at fy nhaclo a dwyn y ffeil o fy ngafael. Llwyddais i ddianc ond gwnaeth y digwyddiad ynfyd gryfhau fy nheimlad ei bod hi'n bryd i Sylvia Bevan adael Cwmderi, er bod y rhan wedi fy ngalluogi i brynu cegin newydd a mynd ar fy ngwyliau tramor cyntaf i Lanzarote. Aeth Wil â fi i'r Conway am beint, er gwaethaf fy ymddygiad cywilyddus a brawychus, a cheisio fy mherswadio i aros. 'Beth?' meddwn i, 'er mwyn i fi gael affêr gyda hen ddyn arall? Neu ddyn ifanc? Neu affêr gydag unrhyw un?' Yn y diwedd aeth Sylvia Bevan i Essex, ac ymhen hir a hwyr gwnaeth perthynas o bell iddi, un lawer mwy comon, ymddangos ar strydoedd Cwmderi.

Ar wahân i fy anniddigrwydd gydag amodau perfformio operâu sebon, roedd pethau eraill ar fy meddwl wrth i newidiadau llywodraeth Margaret Thatcher greu mwy o anniddigrwydd gwleidyddol. Bues i'n gorymdeithio gyda'r mudiad gwrth-apartheid, ac yn erbyn bomio Libya gan yr Unol Daleithiau, a Steffan yn cerdded gyda fi pob cam o'r ffordd. Ro'n i'n bersonol yn newid hefyd, a fy amgylchiadau fel rhiant sengl wedi peri i'r ymdeimlad o fy ffeministiaeth dyfu. Yn Eisteddfod Genedlaethol Abergwaun siaradais yn gyhoeddus fel fi fy hun am y tro cyntaf ar y thema 'Dwi'n rhy *feminine* i fod yn ffeminist' mewn digwyddiad a drefnwyd gan Meri Huws. Gan fod Steffan yn yr ysgol, a fy mam yn fwy rhydd i helpu nag erioed, roedd mwy o amser i feddwl ac ystyried, a chychwynnais archwilio fy ngobeithion fel menyw o actor, yng nghyd-destun y rhannau a gynigid i fi.

Rhwydwaith rhyngwladol ar gyfer ymarferwyr theatr benywaidd yw Magdalena a sefydlwyd gan fenywod oedd yn gweithio ym myd theatr arbrofol ar draws y byd. Bwriad prosiect Magdalena yw codi ymwybyddiaeth am gyfraniad menywod i fyd y theatr a pherfformio, a chreu strwythurau artistig ac economaidd a'r rhwydweithiau angenrheidiol i gefnogi menywod i weithio. Cychwynnwyd y syniad mewn caffi yn Trevignano yn yr Eidal yn ystod gŵyl theatr oedd wedi ei dominyddu gan gyfarwyddwyr ac awduron gwrywaidd, gan ysgogi'r ysfa i greu gŵyl debyg fyddai'n blaenoriaethu lleisiau menywod. Dan arweiniad Jill Greenhalgh, crëwyd Magdalena '86, Gŵyl Gyntaf Ryngwladol Menywod yn y Theatr Gyfoes yng Nghaerdydd ym mis Awst 1986, wedi ei lleoli yn Chapter a fu'n fwrlwm o weithdai, perfformiadau a thrafodaethau dros gyfnod o dair wythnos. Ymysg yr uchafbwyntiau roedd cynhyrchiad Pwyleg o *The Maids* gan Genet yn nyfnderoedd seler Chapter, sioeau wedi eu seilio ar nofel Balzac, *Madame Bovary*, ac ar fywyd Sylvia Plath, a sioe ddirdynnol Lis Hughes Jones, *Caneuon Galar a Gobaith*, am y rhai a ddiflannodd yn yr Ariannin yn ystod cyfnod Pinochet. Coronwyd y gweithgareddau gan gywaith o berfformiad gan yr holl berfformwyr yn hen adeilad warws datws Edward England ar gornel Stryd Bute sydd bellach yn fflatiau crand. Ymestynnwyd y bwrlwm i'n tŷ ni wrth i'r tîm oedd am ddogfennu'r cyfan, Sue Basnett, Athro o brifysgol Warwick, a chynorthwy-ydd Aileen Christodoulou, ynghyd â phlant Sue, sef Rosie oedd yn 6 oed, a'i babi bach, ddod i aros gyda ni am y cyfnod. Roedd yn chwa o awyr iach.

Ychydig yn ddiweddarach ces i'r cyfle i gyfweld Lis Hughes Jones ar ran *Radical Wales* am ei gwaith fel perfformwraig unigol, yn ogystal â'i gwaith fel cyd-sefydlydd y cwmni arloesol Brith Gof, pan soniodd hi am bwysigrwydd teithiau'r cwmni dramor a thuedd Cyngor y Celfyddydau ar y pryd i adlewyrchu polisïau'r llywodraeth Dorïaidd, gan ddefnyddio termau fel 'ardderchogrwydd' a 'gwerth am arian', sef termau busnes, yng nghyd-destun theatr, termau sy'n hen gyfarwydd i ni nawr yn anffodus. Dyma hefyd pryd y dechreuwyd sôn am waith artistiaid fel 'y diwydiannau creadigol', ocsimoron os buodd un erioed.

Cylchgrawn chwith Plaid Cymru oedd *Radical Wales*, a minnau erbyn hyn yn aelod o'r bwrdd golygyddol, yng nghwmni fy hen ffrind ysgol, Siân Edwards, Penni Bestic y dylunydd, Jill Evans fu'n aelod o Senedd Ewrop (1999– 2020) ac eraill, gan gynnwys fy nghymydog, yr athrylith ysbrydoledig, yr Athro Gwyn Alf Williams. Roedd ein cyfarfodydd ar nosweithiau Gwener yn falm i'r enaid mewn cyfnod gwleidyddol anodd, wrth i afael Thatcheriaeth gryfhau. Ro'n i'n trafod, dadlau, a chwerthin, a'r cyfan wedi ei hyrwyddo gan dipyn o'r ddiod gadarn. Roedd Chapter yn ferw o weithgarwch artistig ar y pryd ac anghofia i fyth weld The Wooster Group, cwmni arbrofol a sefydlwyd yn Efrog Newydd yn 1975, yn perfformio *L.S.D. (...JUST THE HIGH POINTS...)*. Defnyddiwyd *The Crucible* gan Arthur Miller fel man cychwyn, a theimlais gyffro wrth weld y posibilrwydd o ledu gorwelion. Pan ges i gyfle i gymeryd rhan mewn ffilm gan Mike Stubbs, a oedd yn rhan o weithdy ffilm Chapter, daeth yn fwyfwy clir i fi fy mod i am gael fy modloni'n artistig y tu allan i waith y prif ffrwd, oedd wrth gwrs yn cynnwys theatr.

1987

Amrywiaeth yw
sbeis bywyd actores

DOEDD GEN I ddim syniad sut byddai pethau ar ddechrau'r flwyddyn fel arfer, ac er 'mod i ychydig yn betrus yn dilyn fy mhenderfyniad i adael *Pobol y Cwm*, yn ffodus, bu'r flwyddyn hon yn ddiddorol iawn o ran gwaith, gan gynnwys trip i'r Eidal, perfformio yn Theatr y Grand yn Abertawe, portreadu canrif o Famau Cymreig a llawer mwy. Ond yn gyntaf, roedd rhaid chwarae tair rhan wahanol mewn drama am wrthryfel Merthyr yn 1831.

Drama i gwmni Made in Wales oedd *The Poor Girl* gan Michael Bosworth, ac ar ôl moethusrwydd cyfforddus y BBC a *Pobol y Cwm* roedd y cynhyrchiad yn cyflawni fy ysfa am her. Mae gwaith ysgrifennu newydd bob amser yn gyffrous, ac roedd y ddrama'n cynnig portread o'r haenau amrywiol o fewn cymdeithas fyrlymus Merthyr a fodolai pan oedd yn un o dair prif ganolfan ddiwydiannol y byd gyda Chicago a Shanghai. Roedd y broses yn sicr am fy ymestyn wrth i fi chwarae tair rhan wahanol; lleidr digartref, siopwraig flonegog, a morwyn yng Nghastell Cyfarthfa, cartref y Crawshays, perchnogion y gweithfeydd. Byddai'n golygu chwech wythnos o ymarfer a pherfformio yn Theatr y Sherman yng Nghaerdydd, ac un wythnos yn Theatr Clwyd, gyda Gilly Adams yn cyfarwyddo am y tro cyntaf yn dilyn ei gwaith fel Swyddog Drama Cyngor Celfyddydau Cymru.

Hon hefyd oedd y tro cyntaf i John Macfarlane, yr artist dawnus a'r dylunydd operâu, i gynllunio drama lwyfan, ac fe benderfynodd amlygu'r gwahanol haenau mewn modd gweledol clir, gan ddefnyddio graddfeydd o liwiau monocrom o ddu i wyn i gynrychioli lefelau o fraint, o ran lleoliadau a chymeriadau. Felly, roedd y lleidr yn bodoli mewn düwch, y siopwraig mewn byd llwyd a'r forwyn mewn byd llachar gwyn, oedd yn golygu gwisgoedd a cholur gwahanol liwiau, ond yn achos y forwyn, doedd dim colur o gwbl. Ar gychwyn y ddrama yn unig y gwelwyd y lleidr yn llechu ac yn bwyta swejen, ond fe fyddai'r siopwraig, Shirley ariangar, a'r forwyn yn symud 'nôl ac ymlaen rhwng dwy set, rhwng y llwyd a'r gwyn. Gan fod rhaid newid bob tro, treuliais y rhan helaethaf o'r sioe yn nhywyllwch cefn llwyfan, dan seddau yr Arena, yn newid fy ngwisg ac yn sgrwbio a pheintio am yn ail gyda 'mhadell fach a drych, fel rhyw fath o anifail gwyllt tanddaearol. Crëwyd llawr o ddefnydd tonnog i bobl y dre, a ramp sgleiniog wen acha slant i'r Crawshays, oedd yn golygu bod osgoi baglu a llithro wrth ymddangos o'r tywyllwch yn dipyn o her. Cofiaf i Tim Lyn, oedd yn chwarae etifedd Castell Cyfarthfa, daflu ei hun o gwmpas y ramp gydag afiaith fel pe bai'n sglefrio ar lyn o iâ.

Dwi erioed wedi dioddef 'ofn llwyfan', y cyflwr erchyll hwnnw sy'n gallu goddiweddyd hyd yn oed actorion mor brofiadol a galluog â Laurence Olivier, ond am ryw reswm yn ystod *The Poor Girl* datblygais ofn anghofio fy llinellau. Gall fod y ffaith mai prin deng niwrnod oedd rhwng gorffen yn y stiwdio gyda *Pobol y Cwm* a dechrau ymarferion, a gyfyngodd ar fy nghyfnod paratoi, wedi effeithio arna i, ond ar ben hynny o'n i heb ymddangos ar lwyfan ers bron i ddwy flynedd. Efallai hefyd fod chwarae yr un cymeriad cyhyd, er fy mod wedi llwyddo i wneud gwaith digon amrywiol ar wahân i *Pobol y Cwm*, wedi golygu mod i wedi colli ffydd yn fy ngallu i godi i'r her o chwarae tair rhan dan y fath amgylchiadau. Beth bynnag oedd y rheswm, collais ffydd yn llwyr yn fy ngallu i gofio beth oedd yn dod nesaf, ac am ychydig, ar ddechrau'r cyfnod perfformio, bues i'n adrodd fy llinellau yn fy mhen tra bod yr actor arall yn siarad, er mwyn sicrhau 'mod i'n eu cofio. Ailgydiodd fy hyder yn naturiol mewn dim, ond roedd yn brofiad erchyll a gobeithio na fydda i byth yn gorfod profi'r fath beth eto.

Ar ôl i'r cyfnod hwnnw ddod i ben fe ddois i fwynhau fwyfwy, yn enwedig wrth chwarae'r elfennau doniol oedd ynghlwm â chymeriad Shirley, ac er ei bod yn ddrama hir, yn dair awr a hanner ar y noson gyntaf, llwyddwyd i'w chyflymu'n ddirfawr. Byddwn i'n gorffen ychydig cyn diwedd y ddrama a chyn camu'n ôl ar y llwyfan i dderbyn y gymeradwyaeth, fy mhleser cudd oedd derbyn potel o Pils gan Bill y barman drwy'r twll yn y wal enwog yng nghefn y llwyfan. Fe'i caewyd erbyn hyn ar ôl cyfnod o ynfydrwydd gan actorion gwylltach o lawer na fi. Hon oedd drama gyntaf Michael Bosworth a dwi'n cofio iddo ddweud ei fod mewn gwewyr llwyr, gan deimlo fel petai wedi gwneud ei fusnes ar ganol y llwyfan a gwahodd pobl i ddod i'w weld. Dwi'n cofio teimlo'n syfrdan wrth glywed hyn, ond ar ôl mentro ysgrifennu dramâu fy hun, deallais ei deimladau i'r dim, a deallais hefyd ei fod yn brofiad cyfarwydd i ddramodwyr o bob oed a phrofiad. Mae creu drama lwyfan yn weithred o ddewrder ar ran pawb sydd ynghlwm â hi. Er gwaethaf pob her cafodd gynulleidfaoedd llawn ac ymateb da, ac adolygydd y *Western Mail* yn ei ddisgrifio fel drama '*Moving, entertaining, polemical and witty.*' Ceryddais fy hun yn aml am fod mor ffôl â gadael *Pobol y Cwm*, yn enwedig yn ystod cyfnodau ariannol anodd pan fyddai'n ymddangos na fyddwn i byth yn cael gwaith, a finnau'n ceisio cynnal teulu. Byddwn yn gofyn y cwestiwn pam na allwn fod wedi bodloni ar y drefn, fel y gwnaeth mamau sengl eraill fel Siw Hughes, Sue Roderick a Iola Gregory. Rywsut, doedd meddwl am y sefydlogrwydd ariannol ddim yn gymorth o gwbl; i'r gwrthwyneb, roedd y cysyniad o wneud rhywbeth 'am yr arian yn unig' yn creu teimlad cwbl wag ynddа i, sydd wrth gwrs yn golygu 'mod i mewn sefyllfa freintiedig, gan fod y mwyafrif helaeth o weithwyr yn cyflawni eu gwaith am yr union reswm hwnnw. Ond ro'n i'n gwybod bod yna lwybr amgen, er bod rhan fach ohona i yn dal i gwestiynu fy anallu i fodloni, ac yn cenfigennu wrth y rhai oedd yn gallu. Byddwn wedi disgwyl tawelu wrth fynd yn hŷn, ond hyd yn oed nawr, a minnau wedi mynd heibio oed yr addewid, dwi'n dal yn rhwyfus, ac er gwaethaf yr heriau sy'n dod yn sgil hynny, dwi'n dal i chwilio am y llwybrau amgen.

Pwrpas The Made In Wales Stage Company oedd creu gwaith gwreiddiol yn Saesneg ar gyfer y llwyfan gan ddramodwyr oedd yn byw yng Nghymru. Wrth iddo gael ei gyfuno â Dalier Sylw morffiodd yn Sgript Cymru, ac yna Sherman Cymru, cyn diflannu'n llwyr. Mae'n destun tristwch a gwarth nad oes cwmni tebyg i'w gael erbyn hyn, er bod apwyntio Rheolwr Llenyddol llawn amser a Chydymaith Llenyddol rhan amser yn y Sherman yn ddiweddar wedi dod â llygedyn o obaith. Rhan elfennol o waith cwmni Made In Wales oedd datblygu dramodwyr ac felly, rhwng cyfnod gorffen yn y Sherman a mynd i Theatr Clwyd, buon ni fel cast yn rhan o weithdai ysgrifennu yn trafod a darllen rhai o'r sgriptiau a anfonwyd at y cwmni. Wedyn, ym mis Mai, bues i'n rhan o Ŵyl Write-On Made In

Wales, oedd yn llwyfannu degau o ddramâu sgript mewn llaw, a'r Sherman yn fwrlwm o drafodaethau a chynnwrf. Gwnaeth Hwyl a Fflag yr un peth ar gyfer datblygu gwaith yn yr iaith Gymraeg gyda Hwyliau'n Codi oedd wedi ei leoli yn Theatr Gwynedd ym Mangor. Erbyn hynny, ro'n i'n dal yn rhan o'r cwmni, ond roedd y pellter daearyddol, a'r ffaith fod Steffan yn yr ysgol, yn golygu ei bod hi'n anodd dros ben gwneud mwy na mynychu'r cyfarfodydd a chyfrannu at y trafodaethau.

Do'n i ddim yn segur yn hir ar ôl gorffen *The Poor Girl* ac ar wahân i gyfnod tawel, a ddigwyddodd yn gyfleus yn ystod gwyliau'r haf, daeth amrywiaeth o waith i law a'm cadwodd yn brysur tan ddiwedd y flwyddyn. Ar y cyfan, ar wahân i'r cyfnod ar ôl *Martha, Jac a Sianco* pan ges i fy nghastio fel sawl gwraig ffarm drasig, dwi wedi llwyddo i osgoi cael fy nheipcastio ar hyd fy ngyrfa, efallai oherwydd 'mod i fy hun ddim yn ffitio i syniadau cynhyrchwyr o 'deip', neu oherwydd fy niddordeb mewn diflannu, i ddifodi fy hun wrth greu cymeriad. Mae hyn yn aml wedi arwain at gael fy nghastio fel cymeriadau rhyfedd, tu allan i'r norm, ac yn ystod y cyfnod yma ces y cyfle i chwarae ystod eang a difyr o gymeriadau; menyw ddirgel ac unig, seicopath, mam sengl mewn fflat yn Llundain, eicon Gymreig a Saesnes ddosbarth canol mewn cynhyrchiad llwyfan annisgwyl.

Mae *Deadly Nightcap* gan Francis Durbridge yn *whodunnit* Seisnig draddodiadol, hen-ffasiwn, wedi ei lleoli mewn tŷ gyda ffenestri Ffrengig yn rhywle fel Surrey, ac roedd cael cynnig prif ran mewn drama o'r fath yn gwbl annisgwyl. Roedd Brian Sullivan newydd gael ei apwyntio'n rheolwr artistig Theatr y Grand yn Abertawe, a phenderfynodd greu cwmni parhaol dros fisoedd yr haf. Mae traddodiad hir a chlodwiw i'r ddrama yn Abertawe, a chwmni *rep* y Grand wedi denu actorion fel Rachel Roberts a Richard Burton ymysg eraill ar hyd y blynyddoedd, ac mae'n braf iawn gweld bod cwmni newydd o'r enw Grand Ambition dan ofalaeth criw o actorion o'r ddinas wedi ei sefydlu yn y theatr erbyn hyn.

Roedd fy llun ar boster *Deadly Nightcap* yn datgan 'mod i wedi ymddangos yn *The Magnificent Evans*, a bod fy nghyd-actores Eiry Palfrey wedi ymddangos yn opera sebon HTV, *Dinas*, ac yn dilyn *Deadly Nightcap* byddai'r ddwy actores chwedlonol, Rachel Thomas a Harriet Lewis, oedd yn *Pobol y Cwm* ar y pryd, yn ymddangos mewn cynhyrchiad o *Arsenic and Old Lace*. Roedd gweddill aelodau cast y ddwy ddrama a'r cyfarwyddydd yn dod o Loegr. Doedd y y gwaith, oedd yn ymestyn dros fis Mehefin, yn bythefnos o ymarfer a phythefnos o chwarae, ddim heb ei gysgod. Ro'n i wedi bod yn ddigon ffôl i drefnu gwyliau yn Corfu, pythefnos cyn cael cynnig y gwaith, a phenderfynais ei ganslo, gan ddysgu'r wers mai dim ond yn llythrennol ar y funud olaf y caiff actores drefnu digwyddiadau yn ei bywyd personol gydag unrhyw sicrwydd o'u cyflawni. Ro'n i wedi perfformio yn y Grand unwaith o'r blaen gyda Chwmni Theatr Cymru fel rhan o gast *Y Claf Diglefyd* yn 1971 pan oedd Con, y rheolwr llwyfan chwedlonol, yn gweithio yno a ches fy atgoffa mor bleserus oedd perfformio ar lwyfan yr hen theatr Fictorianaidd, gyda'r *acoustics* perffaith a'i theimlad o agosatrwydd er gwaethaf ei maint.

Aeth yr ymarferion yn ddidramgwydd ar ôl i ni golli un aelod o'r cast oedd mewn lle anodd, ond fe ges i 'nhaflu'n llwyr pan dderbyniais gymeradwyaeth frwd wrth gamu ar y llwyfan ar y noson agoriadol. Yn fuan ar ôl hynny ymddangosodd llythyr annifyr yn yr *Evening Post*, yn beirniadu fy mherfformiad ac yn condemnio'r cynhyrchiad. Aeth enw awdur y llythyr hwnnw yn angof am ryw reswm, ond atebwyd ef gan lythyr P J Hughes o

Dre-boeth yn dweud bod y cynhyrchiad yn *'outstanding'* a finnau'n *'superb'*. Deallais wedyn fod apwyntiad Brian Sullivan yn un amhoblogaidd iawn ymysg carfan o gymdeithas theatr Abertawe, a'i bolisi o ddod â'r 'sêr' dieithr yma i'r Grand wedi eu cythruddo. Mae'n debyg felly bod y gymeradwyaeth honno ar y noson gyntaf gan rai oedd o blaid Mr Sullivan! Dwi'n cofio bod gen i wig olau, ffrog bert las a gwyn a sgidie sodlau uchel, ond dwi'n cofio dim bron am y plot na'r cynhyrchiad, dim ond ei fod e'n gyfle ardderchog i wella fy acen Saesneg, a bod fy asiant, Bruna Zanelli wedi dod yr holl ffordd o Lundain i 'ngweld i yn y cynhyrchiad mwyaf confensiynol a Seisnig dwi erioed wedi bod yn rhan ohono. Mae'n debyg bod y dewis o ddramâu wedi ei ddylanwadu gan y dybiaeth mai arlwy o'r fath fyddai'n fwyaf tebygol o ddenu trigolion Abertawe ac ymwelwyr tymhorol i'r Grand.

Daeth pethau'n ôl i normalrwydd yn o gloi pan ges i chwarae dau gymeriad difyr a gwahanol gan ddau o'n hawduron mwyaf dawnus. Yn *Chwarae Mig* gan Eigra Lewis Roberts i HTV chwaraeais fenyw feudwyol mewn gwesty crand a rhyw ddirgelwch yn perthyn iddi, oedd yn bwyta ei phrydau bwyd i gyd ar ei phen ei hun yn ei hystafell. Fy unig gof am y cynhyrchiad, ar wahân i ganfod bod gan yr actor Dewi Rhys Williams ddawn anhygoel fel dynwaredwr, oedd bod fy wig gyrliog anferth yn arbennig o ddeniadol i'r pryfed wrth ffilmio liw nos yn yr ardd. Seicopath oedd fy rhan yn y gyfres dditectif *Bowen a'i Bartner* gan Siôn Eirian, fy ngwallt wedi ei grafu'n ôl oddi ar fy ngwyneb, yn clymu cymeriad Mair Rowlands wrth gadair a rhoi tâp am ei dwylo a'i cheg, ei bygwth â chyllell, ac ymladd yn ffyrnig gyda'r plismyn wrth gael fy arestio ar stad yn Y Barri. Daeth y trigolion i gyd allan i'n gwylio ni, llawer ohonyn nhw yn eu pyjamas, er mai canol y prynhawn oedd hi! Dim ond un cynhyrchiad a dorrodd ar draws cyfnod gwyliau haf yr ysgol a hwnnw pan ymwelais â Llundain i ffilmio rhan mam sengl yn y gyfres hudolus *East of The Moon* gan Neil Innes wedi ei seilio ar straeon Terry Jones gyda Marc Evans yn cyfarwyddo. Cynhyrchiad gefn wrth gefn oedd hwn, a ffrydiwyd y fersiwn Saesneg ar Channel 4 yn ddiweddar. Glanheuwraig yn gweithio mewn tŷ crand a chanddi fachgen bach a babi, oedd yn byw mewn bloc o fflatiau tyrog yn Llundain, oedd y cymeriad a chwaraewyd fy mab gan Mathonwy Reeves. Gwnes i hefyd leisio'r cartwnau oedd yn rhan o'r stori. Daeth Steffan gyda fi ac aros gyda Julian, tra 'mod i'n aros yn fflat Ann Bielecka, o Borthmadog yn wreiddiol, ffrind o ddyddiau cylch Ti a Fi Hampstead.

Roedd Mam yn treulio tipyn o amser gyda ni yng Nghaerdydd ac ar ôl i bethau newid yng Nglanaman penderfynodd symud, a daeth i aros gyda ni yng Nghaerdydd tra ei bod hi'n chwilio am rywle i fyw. Gwerthwyd Bryngwyn, ble ganed fy nhad, yn Heol Tircoed yn fuan ar ôl ei farwolaeth a nawr gwerthwyd Glanllyn, y tŷ yng Nglanaman ble magwyd hithau a ble y bu hi'n byw gyda'i rhieni tan iddi eu colli nhwthe hefyd. Roedd Mam wedi dod o hyd i fflat yn Stryd Westgate oedd yn gyfleus i ganol y dre ac i Bontcanna, ac yn golygu ei bod hi'n cadw ei hannibyniaeth. Roedd hi'n drist ffarwelio â'r hen dŷ, er, â Mam wedi papuro a pheintio'r cwbl yn wyn, a rhoi'r holl hen gelfi i fi a 'mrawd, a gardd Mam-gu, a fu'n llawn o flodau a llysiau a choed ffrwythau o bob math, yn lawnt bron i gyd erbyn hyn, roedd e'n teimlo fel lle hollol wahanol. Doedd Mam ddim yn hoff o hen bethau, ond dwi wrth fy modd yn gweld cwpwrdd tri chornel fy hen, hen fodryb Rachel, sy'n llawn llestri te, a'r sgiw ble cadwai Elinor, fy hen fam-gu, arian y doll yng Nglanaman, a'r cwpwrdd llyfrau a wnaeth tad fy nhad, y saer coed, Benjamin, yn addurno fy nhŷ. Roedd hi'n ddiwedd cyfnod.

Bwriad *Mam*, rhaglen ddogfen cwmni cydweithredol Red Flannel oedd archwilio hanes y 'Fam Gymreig' eiconaidd. Roedd y rhaglen yn cyplysu fy ffeministiaeth a fy niddordeb mewn hanes wrth i fi chwarae roliau gwahanol famau o'r Cymoedd ar hyd y degawdau, gan ddangos sut mae sefyllfa'r fam wedi newid, yn enwedig ar ôl streic 84–85. Ailgrëwyd y diwrnodau golchi llafurus, a'r bath sinc o flaen y tân, y tripiau prin i lan y môr, a sut y daeth y menywod i weithio fwyfwy tu allan i'w cartrefi, wrth i'r pyllau glo gau. Cwmni ffeministaidd asgell chwith wedi ei leoli ym Mhontypridd oedd Red Flannel, a dyfodd o waith ffilm a fideo'r menywod, yn dogfennu bywyd menywod yn ystod streic y glowyr, 1984–85, a Channel 4 gomisiynodd y rhaglen ar gyfer slot cyfres *People to People*.

Dyma'r unig dro yn fy ngyrfa i fi weithio gyda chriw cyfan o ferched ac mae'n warth bod criwiau ffilmio yn dal i fod fwy neu lai yn gwbl wrywaidd dros dri deg o flynyddoedd yn ddiweddarach. Colur a gwisgoedd a'r goruchwylydd sgript yw'r unig swyddi sy'n cael eu hystyried yn rhai 'benywaidd', er bod llawer o ddynion yn gwneud y swyddi yma hefyd. Mae'r sefyllfa yn newid yn raddol, mae'n wir, a dwi wedi sbotio ambell i fenyw gamera, a hyd yn oed *grip* neu drydanydd benywaidd yn ddiweddar, ond maen nhw'n dal i fod yn eithriadau prin. Mae'r oriau hirfaith yn faen tramgwydd wrth gwrs mewn cymdeithas sy'n ystyried mai gwaith menyw yw magu plant a chadw tŷ. Wrth i fwy o ddynion ddechrau rhannu'r gwaith hwnnw, onid yw'n ddyletswydd ar y dynion hefyd i godi llais er mwyn herio amodau gwaith sydd nid yn unig yn annynol ond yn her i iechyd a diogelwch, a hynny o gofio bod sawl damwain ddifrifol wedi digwydd yn ddiweddar. Ond nid mater i rieni yn unig yw hyn, mae pawb yn haeddu rhywfaint o fywyd personol, hyd yn oed pobl sengl yn eu hugeiniau.

Roedd *Mam* yn cynnwys cyfweliadau, archif a chlipiau o hen ffilmiau yn ogystal â'r darnau dramatig, ac yn cychwyn gydag ymweliad y comisiynwyr Saesneg yn 1858 a ymosododd ar safonau moesol menywod Cymraeg yn yr adroddiad ar addysg Cymru yn y Llyfrau Gleision. Does dim rhyfedd bod yr actores, Rachel Thomas, a hithau'n 82 ar y pryd ac wedi personoli'r eicon Cymreig yn *How Green Was My Valley*, *Blue Scar* a *The Proud Valley*, yn ymddangos yn y rhaglen, yn sôn sut y gwnaeth hi seilio llawer o'i chymeriadau ar ei phrofiadau ei hun. Un o'r ffeithiau syfrdanol a ddysgais yn ystod y ffilmio oedd bod llawer mwy o fenywod wedi marw yn sgil beichiogrwydd a genedigaethau nag o ddynion yn y diwydiant glo. Marwolaethau preifat, cudd oedd y rhain, yn rhan drist ond naturiol o fywyd merched yng ngolwg y gymdeithas a nhw eu hunain. Yn sicr, doedd y menywod ddim yn cael eu cyfri'n arwrol mewn unrhyw ffordd. Dywed un o'r menywod a gyfwelwyd yn y ffilm, *'The Welsh woman in the valleys has been taught that men have got to be looked after and I think men have taken advantage of us women.'* Roedd hon yn rhaglen oedd yn cyfuno neges wleidyddol a diwylliannol ystyrlon, a chyfrais hi'n fraint cael bod yn rhan ohoni.

Y diwrnod ar ôl gorffen ffilmio *Mam* ro'n i mewn darlleniad ar gyfer ffilm o'r enw *Calon Fach yn Ddwy/Child of Love,* ond nid y fi, ond Steffan oedd seren y cynhyrchiad hwn, yn chwarae rhan Paul Rossi, y plentyn bach yn y teitl, a minnau'n cael chwarae ei fam-gu. Ysgrifennwyd hi gan David Reid, ac addaswyd y ffilm i'r Gymraeg gan Dafydd Rowlands i gwmni Picturebase International, a Peter Jefferies, di-Gymraeg, oedd yn cyfarwyddo. Dyma enghraifft arall o gwmni o Loegr yn ennill comisiwn gan S4C, ond yn wahanol i *Owain Glyndŵr*, nid ffilm cefn wrth gefn oedd hon ond yn hytrach un amlieithog, yn Gymraeg, Saesneg ac Eidaleg, ac fe fyddai'n golygu treulio pythefnos yn ffilmio yn ardal Pontardawe a mis yn yr Eidal. Hanes tad o'r Eidal, a chwaraewyd gan Jon Soresi, yn cipio ei fab ar ôl torbriodas, a'r siwrnai i'w gario gatre i Gymru oedd sail y ffilm, a phortread o ddwy gymdeithas wahanol iawn.

Cymdeithas ddiflas sydd yng nghymoedd glawog Cymru y ffilm, a mam Paul, a chwaraewyd gan Delyth Wyn yn cael ei chyfri'n anghyfrifol, a'i fam-gu yn fenyw gul drist. Mewn gwrthgyferbyniad, ar lan y môr yn yr haul yn yr Eidal, ym mhentref tlws Camogli, mae teulu mawr hapus a rhadlon yn byw. Penderfynwyd lliwio gwallt Steffan yn ddu, a defnyddio colur i dywyllu ei groen, er mwyn cysondeb, medd y gynllunwraig colur, gan y byddai'n siŵr o gael lliw haul yn yr Eidal. Tywydd llwyd a chymylog gafwyd yn Genoa a Camogli yr hydref hwnnw yn anffodus, a pharhaodd defod y colur dyddiol a'r lliwio gwallt trwy gydol y cyfnod ffilmio. Creais i gymeriad lliwgar a swnllyd, menyw golur o'r enw Madam Pwffi Lwffi, i leddfu rhywfaint ar y diflastod. Arhosodd y fam-gu ym Mhontardawe, a gwarchodwraig yn unig o'n i yn yr Eidal, yn smygu ac yn edrych ar y môr gyda'r annwyl Dafydd Rowlands, ac weithiau'n llwgrwobrwyo Steffan, saith oed, gyda hufen iâ y peth cyntaf yn y bore gan lafarganu drosodd a throsodd frawddegau fel '*Per ce non pesce di giornio?*' er mwyn ei ysbrydoli i'w dysgu. Roedd ei allu i ddefnyddio'r dair iaith yn saith oed yn rhyfeddol, ac roedd e hefyd, yn ôl ei arfer, yn sylwgar dros ben. Pan ofynnais iddo pa swydd oedd o ddiddordeb iddo pan fyddai wedi tyfu, ei ddewis oedd dyn camera neu redwr. Roedd e wedi sylweddoli mai ganddyn nhw oedd y rheolaeth fwyaf ar y set. Heb yn wybod iddo roedd y dyn camera, John Wyatt, yn ennill tâl goramser ac felly'n hapus i ymestyn y diwrnodau ffilmio, yn wahanol i weddill y criw a oedd ar ddêl gynhwysol. Ac roedd pŵer y rhedwr hyd yn oed yn fwy. Roedd hithau'n gallu gorfodi'r traffig i ddod i stop, a gwahardd aelodau o'r cyhoedd rhag tarfu ar y ffilmio.

Yn bum wythnos o waith caled roedd hefyd yn gyfnod difyr dros ben yn enwedig ar ôl cyrraedd Camogli, er i fi sylwi'n drist iawn fod y pentre hyfryd glan môr, fel llawer o bentrefi yng Nghymru yr adeg honno, yn dioddef o bla yr ail gartrefi, ac felly roedd nifer helaeth o'r tai yn wag dros yr hydref a'r gaeaf. Aeth Steffan allan mewn cwch pysgota, daeth y syrcas i'r dre, buon ni am dripiau gyda Jon Soresi i gyfarfod â'i fodryb, ac ar gwch heibio San Frutuoso i Portofino, lle ces i sawl Pina Colada a chafodd Steffan ffigyrau Star Wars. Trafodais fywyd yn gyffredinol a'r theatr gydag Angelo, a fedyddiwyd yn 'Blondie' gan Dafydd Rowlands oherwydd ei wallt hir melyn. Actor oedd Angelo oedd wedi gweithio gyda Peter Brook ym Mharis ar ei gynhyrchiad o'r Mahabharata, a ddarllenodd fy nghardiau Tarot a dweud 'mod i'n byw gormod yn fy mhen, sydd yn wir, a cheisiais ddefnyddio fy Lladin rhydlyd i ddarllen llyfrau yn Eidaleg.

Bywyd digon od yw bywyd actor wrth ffilmio, yn enwedig oddi cartref. Mae bywyd yn digwydd o fewn paramedrau cyfyngder disgyblaeth haearnaidd yr amserlen sy'n hanfodol er mwyn cyflawni'r gwaith manwl a thechnegol. Mae'n gofyn am ganolbwyntio llwyr gan y cast a'r criw a gweithio'n agos iawn fel tîm er mwyn cyrraedd y nod ar y cyd. Wrth fyw mewn gwesty, mae pawb wedi eu rhyddhau rhag diflastod domestig dyddiol, a heb berthynas uniongyrchol o gwbl â'r gymdeithas, na'r wlad wrth weithio tramor, mae modd byw mewn swigen hyfryd, gyffrous a diogel, wedi datgysylltu'n llwyr oddi wrth realiti.

Er gwaethaf yr antur a'r pleserau, roedd hi'n braf cael dod 'nôl i normalrwydd amserlen dyddiau ysgol, a bron yn syth i ddisgo yng nghapel Salem. Ces ddeufis tawel wedyn o ran actio – ar wahân i ddau ddiwrnod o weithdy ar *A Blow To Bute Street*, drama ddiweddaraf Laurence Allan.

Setlodd Mam yn ei chartref newydd yn Stryd Westgate ac ymunodd â chylch sgrifennu. Roedd hi wedi bod yn ysgrifennu barddoniaeth ar hyd y blynyddoedd, a nawr roedd hi'n cael rhannu ei gwaith gyda chriw o ffrindiau newydd. Cyhoeddwyd sawl darn o'i barddoniaeth, a chychwynnodd ysgrifennu ei hunangofiant, yn Saesneg, wrth gwrs. Mae'r hunangofiant yn olrhain cyfnod ei magwraeth lan at ddiwedd yr ail ryfel byd wrth iddi adael Tiree, un o Ynysoedd Heledd yn yr Alban, lle bu hi a fy nhad yn byw tra ei fod e'n hedfan gyda'r Coastal Command yn ystod y rhyfel. Gwnaeth ei disgrifiad hi o'r ynys argraff arna i pan o'n i'n ferch fach, ac mae'n hyfryd ei gael ar gof a chadw nawr. Ysbrydolwyd Mam i ysgrifennu gan y cariad at lenyddiaeth a daniwyd ynddi gan ei phrifathro, Mr Oldfield Davies, yn yr ysgol gynradd yn Rhydaman, tystiolaeth gref dros rym dylanwad athro ar blentyn a all barhau trwy oes gyfan, er gwell yn yr achos yma.

1988

Arbrofi

CYCHWYNNODD 1988 GYDA gwaith ar y radio, tipyn o ddybio ac apêl ar ran Cymorth i Ferched ar y BBC, cyn dechrau gweithio ar *The Snow Spider,* cyfres hudolus i blant wedi ei seilio ar nofel arobryn Jenny Nimmo i ITV. Mae'r stori wedi ei hysbrydoli gan y Mabinogion ac yn adrodd hanes Gwyn Griffiths, bachgen naw mlwydd oed, etifedd honedig i'r dewin Gwydion, a chwaraewyd gan Osian Roberts, a gâi ei feio gan ei dad am ddiflaniad a marwolaeth rhagdybiedig ei chwaer iau, Bethan. Ro'n i'n chwarae Glenys, mam Gwyn, y math o gymeriad do'n i erioed wedi ei chwarae o'r blaen, a phenderfynwyd lliwio 'ngwallt yn frown i adlewyrchu natur ddiymhongar y wraig ffarm dawel ac ymarferol. Bob Blythe oedd yn chwarae'r tad galarus, a Siân Phillips yn chwarae'r nain oedd mewn cysylltiad â hanes cudd achau Gwyn. Pennant Roberts, a'i brofiad helaeth o gyfarwyddo, arweiniodd y cynhyrchiad a chynhaliwyd ymarferion hir a thrylwyr ac roedd Osian a'r plant eraill yn y gyfres yn gredyd i weithdy drama HTV Peter Wooldridge.

Recordiwyd y gwaith yn stiwdio HTV yng Nghroes Cwrlwys, ond ar ffermdy Dillwyn Price, Cwm Byr, yn uchel uwchben Cwm Dernol yn ymyl Rhaeadr, y ffilmiwyd y golygfeydd allanol. Dewiswyd yr amserlen ffilmio'n fwriadol, yng nghanol mis Chwefror, ond am ddeng niwrnod, er ei bod hi'n rhynllyd, roedd hi'n heulog yn

Cwm Byr, a bu'n rhaid creu glaw drwy ddefnyddio peipiau dŵr, creu eira gyda chymysgedd o *formaldehyde* a halen, a storom wyllt drwy ddefnyddio hofrenydd a dau beiriant gwynt Volkswagen anferth. Roedd hefyd 'da ni ddwy gath a chi o asiantaeth anifeiliaid, wedi eu hyfforddi i 'actio' ar y sgrin a hwythau'n destun rhyfeddod. Roedd Pennant yr un mor alluog gyda'r effeithiau technegol yn ystod y broses ôl-gynhyrchu ac ymddangosodd Arianwen, y corryn arian hud, y byd o eira ac arian pan frwydrodd Gwyn yn erbyn Efnisien, a'r 'llyn' gododd o ganol caeau canolbarth Cymru trwy ddefnydd celfydd o graffeg cyfrifiadurol a delweddau electronig, ymhell cyn dyddiau CGI. Ychwanegwyd haen arall o ddirgelwch gan gerddoriaeth arallfydol y cyfansoddwr, Danny Chang. Fy her fwyaf yn ystod y cynhyrchiad hapus hwn oedd dysgu chwarae 'Ar Gyfer Heddiw'r Bore' ar y piano a minnau wedi rhoi'r gorau iddi'n wyth oed. Credais mai meimio fyddwn i ond roedd Pennant yn ffyddiog a llwyddais, diolch i fy athrawes arbennig, Gwenno Hughes, er 'mod i'n gwbl argyhoeddedig mai nid fy nwylo i oedd i'w gweld ar y sgrin wrth wylio'r olygfa. Enillodd *The Snow Spider* wobr Efydd yng ngŵyl ffilm Efrog Newydd, ac roedd yn hyfryd cael ailafael yng nghymeriad annwyl a chall Glenys pan ffilmion ni addasiadau o'r ddau lyfr arall yng nghyfres Jenny Nimmo, *Emlyn's Moon* a *The Chestnut Soldier*.

Ychydig iawn ro'n i'n ei wybod am Eluned Phillips pan ges i gynnig rhan yn y ffilm *Rhith y Lloer*, a ysgrifennwyd gan Ewart Alexander ac a gynhyrchwyd gan Gareth Rowlands, a seiliwyd ar fywyd cynnar y bardd a'r awdur o Genarth. Roedd y ffilm yn cynnwys hanes trawiadol a chyffrous ei hymdrechion i helpu ei chariad Llydewig a rhai o'i gydwladwyr i ddianc i'r Amerig, a Catherine Tregenna oedd yn chwarae Eluned, 'Annie' yn y ffilm, Iola Gregory ei mam, minnau ei modryb, oedd yn byw yn Llundain, a Dorien Thomas yn chwarae rhan ei chariad. Eluned Phillips yw'r unig fenyw i ennill Coron yr Eisteddfod Genedlaethol ddwywaith; yn y Bala yn 1967 ac yn Llangefni yn 1983. Chyhoeddodd Eluned mo'i hunangofiant *The Reluctant Redhead* tan 2007 a bu'n rhaid aros tan 2016 am ddarlun mwy cyflawn o'r fenyw hynod dalentog pan gyhoeddwyd bywgraffiad Menna Elfyn *Optimist Absoliwt*, sydd hefyd wedi ymddangos yn Saesneg. Erbyn hyn mae'r nofel *Cyfrinachau* a *Corlannau Bywyd: La Môme Piaf*, y gerdd ddaeth â'r ail wobr iddi yn ogystal yn Eisteddfod y Bala, wedi eu cyhoeddi hefyd. Cafodd Eluned ei dilorni gan y sefydliad llenyddol gwrywaidd, a rhai hyd yn oed yn honni mai nid hi oedd awdures y gweithiau arobryn. Mae'n debyg i'w magwraeth mewn tŷ llawn o fenywod a'i natur annibynnol olygu nad oedd hi'n ffitio'r canfyddiad cul o'r hyn ddylai menyw fod, heb sôn am ei hawl i fod yn fardd. Cefais y fraint yn 2013 i chwarae Eluned ei hun mewn rhaglen ddogfen am y bardd Dewi Emrys yn sgil ei bywgraffiad, a hefyd i addasu a darllen *Optimist Absoliwt* ar Radio Cymru. Prysured y dydd pan gawn ni raglen ddogfen gyfan yn cynnig golwg gynhwysfawr ar ei hathrylith.

Roedd Mam yn *House of America* gan Ed Thomas yn llinach y cymeriadau ymylol hynny dwi'n mwynhau eu chwarae; yn llais unigol, yn ceisio sefyll yn erbyn y llif oedd yn bygwth ei hunaniaeth ac yn cael ei rhoi mewn ysbyty meddwl wrth i'r ymdrech ei gyrru hi at weithred eithafol. Cwrddais Ed pan ddaeth i chwarae brawd Sylvia Bevan, Dr Gareth Protheroe, yn *Pobol y Cwm*, ac ro'n i wedi gweld darlleniadau o'i ddramâu cynnar, *Last Orders at the Hope* a *When The River Runs Dry*, yn ystod gŵyl Write-On, Made in Wales. Ymunais â Catherine Tregenna, Timothy Lyn, Russell Gomer a Wyndham Price i weithio ar *House of*

Fi a Julian, 1979.

Llun cyhoeddusrwydd gan Barry Webb, 1980.

Fi a Julian gyda Steffan ar ei ben-blwydd yn 1 oed, 1980.
Llun: Fraser Wood.

Awen, *Talhaearn*, HTV, 1980.

Cwlwm '80, BBC gyda Gary Williams,
Sue Roderick a Simon Fisher, 1980.

Mae'r Gelyn Oddi Mewn, HTV
gyda Meic Povey, 1980.

Brenda, *Tomos a Titw*, BBC, 1981.

Mae'r Gelyn Oddi Mewn gyda
Dyfed Thomas a Grey Evans.

Gwenda, *Diwedd y Saithdegau*, Sgwâr Un gyda Gwyn Parry, 1982.

Diwedd y Saithdegau.

Lowri Lawgoch, *Owain Glyndŵr*, Opix Films, S4C, 1982.

Lowri yn ei harfwisg.

Gwaed ar y Dagrau gyda Catrin Powell,
BBC, 1983.
Llun: John Waldron.

Gwaed ar y Dagrau, Denise yn ei
dillad sioe.
Llun: John Waldron.

Gwaed ar y Dagrau, Denise, y lleian, yn mochel dan yr ymbarél yn Wexford gyda
Martin Griffiths.

Pen-blwydd Steffan yn 3 oed yn y gwesty yn Wexford yn ystod ffilmio *Gwaed ar y Dagrau*.

Mam gyda Steffan yn y gwesty yn yr Eidal adeg ffilmio *Meistres y Chwarae*.

Meistres y Chwarae, cwmni Alan Clayton, S4C, 1983.

Ffilmio ar y traeth yn ystod *Meistres y Chwarae* gyda Mei Jones, Elliw Haf a Wyn Bowen Harries.

Stori Sbri, HTV, 1983.

Mae Hi'n Wyllt, Mr Borrow, Scan International S4C, 1983.

Morfudd, *Unwaith Eto 'Nghymru Annwyl*, Sgwâr Un gyda Gwyn Parry, 1984.

Y Chwarelwr, Almanac, Ffilmiau'r Nant, S4C gyda Mirain Llwyd Owen a Dafydd Hywel, 1984.
Llun: Geraint Llywelyn.

Rachel yn *The Magnificent Evans*, BBC gyda Ronnie Barker, 1984.

The Magnificent Evans gyda Myfanwy Talog, William Thomas a Sue Bysh, Rheolwr y Cynhyrchiad.

The Magnificent Evans yn aros i ffilmio.

Sylvia a Stan Bevan, *Pobol y Cwm*, BBC, clawr *Sbec*, 1984.

Steffan a fi yn y sesiwn lluniau ar gyfer Miss Ronberry, 1985.
Llun: Fraser Wood.

Pedwar ar Bedwar,
BBC, 1985.
Llun: John Waldron.

Pedwar ar Bedwar
gyda William
Thomas.
Llun: John Waldron.

Pedwar ar Bedwar gyda Meic Povey,
Gwyn Elfyn a William Thomas.
Llun: John Waldron.

Pan Rwyga'r Llen, Cwmni 85,
cefn llwyfan yn Theatr y Werin,
Aberystwyth, 1985.

That Uncertain Feeling, BBC, Meistres
y Deintydd gyda'r Deintydd, Davyd
Harries, 1985.

Clymau, S4C, Steffan gyda Nia Caron a
Gwyn Beech, y teulu ar fwrdd y *Mimosa*,
1985.

Ar y traeth yn Plymouth gyda Dennis Lawson, Davyd Harries, Miles Anderson, Albert Welling, Gary Meredith ac Arbel Jones.

The Poor Girl, Made in Wales Stage Company, 1986.

Poster cyhoeddusrwydd *Calon Fach yn Ddwy*, Picturebase International, S4C. Steffan, Jon Soresi a Delyth Wyn, 1987.

Mam a Steffan gyda theulu Penrhyn-coch, 1986.

Ystafell Aros, Transit, HTV, gyda Dyfed Thomas, Gwyn Vaughan Jones ac Owen Garmon, 1986.

Y Gadair, Cineclair S4C, 1987.

Glenys yn *The Snow Spider* (*Emlyn's Moon*, *The Chestnut Soldier*), HTV gyda Robert Blythe, Osian Roberts a Rossilyn Killick, 1987–90.

Poster cyhoeddusrwydd *Dangerous Women of The Mabinogi*, 1987.

Glenys.

Mam, Channel 4, Red Flannel gyda Michele Ryan, Carol White, Fran Bowyer a Pearl Berry, 1988.
Llun: Mary Giles.

Mam
Llun: Mary Giles.

Delyth *Slac yn Dynn*, Lluniau Lliw, S4C gydag Ioan Hefin, 1988–89.

Slac yn Dynn gyda fy 'meibion' Gareth Potter ac Ioan Hefin.

Slac yn Dynn gydag Ioan Hefin, Menna Trussler a Gareth Potter.

Delyth yn darllen y *Peace News*.

America fel rhan o dymor Watch this Space, pedwaredd tymor o ysgrifennu radical Moving Being, y cwmni theatr arbrofol cyfrwng cymysg a grëwyd yn 1968 gan Geoff Moore yn Llundain. Brodor o'r Barri yw Geoff Moore, a symudodd i Gymru gyda chefnogaeth Cyngor Celfyddydau Cymru i ymgartrefu yn Chapter i gychwyn, ac yna yn hen eglwys St Stephen's yn y dociau, fel ro'n i'n galw'r ardal honno o Gaerdydd ar y pryd. Doedd dim tâl, deuddeg punt oedd cyllideb y cynhyrchiad cyfan, fel cynyrchiadau'r tymor i gyd. Creon ein gwisgoedd ein hunain, a hen gardigan gwead Arran, sgert fy mam o'r tridegau, oedd ddim cweit yn cau, a phâr o sgidie oedd ddim cweit yn ffitio, oedd gwisg Mam, yn ogystal â'r het Gymreig a'r genhinen Pedr y byddai'n gwisgo nes ymlaen. Roedd y cast cyfan, ar wahân i Wyndham, yn smygu, a'r pump paced porffor a gwyn o Silk Cut yn cael eu rhoi ar y ford fach yng nghanol y set peth cyntaf yn y bore cyn cychwyn ymarfer. Y ford a dwy gadair ac un fflat a llun o'r awyr o Ystradgynlais wedi hongian arno oedd gweddill y set. Roedd hi'n gyfnod o hwyl a chwerthin ac angerdd wrth i ni geisio creu rhywbeth rhydd a gwahanol, am obaith a breuddwydion ffug.

Neges gref y ddrama yw bod rhaid 'cofio pwy y'ch chi a ble ry'ch chi' er mwyn byw bywyd ystyrlon o fewn cyd-destun y Gymru oedd ohoni. Fel Gareth Miles gyda *Diwedd y Saithdegau* trodd Ed y llifoleuadau ar sefyllfa druenus Cymru yn dilyn methiant refferendwm 1979, ond y tro yma yn Saesneg a thrwy lygaid dyn ifanc o'r Cymoedd. Er bod y fam wedi lladd y gŵr oedd mor barod i wrthod ei hunaniaeth, er mwyn galluogi ei phlant i ddianc rhag y trap hwnnw, dyhead Sid a Gwennie oedd bod yn Jack Kerouac a Joyce Johnson, a methodd Boyo weithredu o gwbl, tan iddo ladd Syd ar ôl darganfod ei fod mewn perthynas losgachol gyda Gwennie, a hithau erbyn hynny yn feichiog. Yn fuan wedyn mae Gwennie yn cyflawni hunanladdiad. Er nad yw'n swnio fel petaech chi am gael llond bol o chwerthin, roedd hon yn ddrama ddoniol dros ben hefyd, ac Ed yn sgrifennu'n ffraeth ac yn farddonol gyda'r trasig weithiau'n troi'n gomedi. Defnyddiwyd y caneuon *'Soul Man'*, *'Show Me the Way to Amarillo'*, *'My Way'* a *'Perfect Day'* i greu cyffro emosiynol rhamantus a dirdynnol. Deuddeg oedd yn y gynulleidfa ar y noson gyntaf, a'r dramodydd Siôn Eirian yn un ohonyn nhw. "Run man i ti dwlu dy bensil,' meddai wrth Ed, gan awgrymu na fyddai byth yn rhagori ar *House of America*, ac efallai fod rhywfaint o wir yn y gosodiad. Cafodd Ed lwyddiant ysgubol fel dramodydd, ond ni fu cyffro tebyg i'r hyn a dderbyniodd yr *House of America* gyntaf yma.

Roedd y tymor hefyd yn cynnwys *Wales According to Gags* gan Bernard Latham a Phyl Harries, *On Wordberry Hill* gan Mogg Williams a Phil Smith, *Female Parts* gan Franca Rame a Dario Fo, a *No End of Blame* gan Howard Barker. Ro'n i a gweddill cast *House of America* hefyd yn ymddangos yn *No End of Blame*, sy'n trafod y berthynas rhwng celf a gwleidyddiaeth trwy adrodd hanes cartwnydd o'r enw Bela Varacek. Roedd Geoff Moore yn cyfarwyddo'r ugain ohonon ni, yn chwarae sawl cymeriad, yn ein *boiler suits* glas, a minnau'n diosg fy un i ar gyfer un olygfa ble ro'n i'n ymddangos yn noeth fel Stella, model mewn stiwdio gelf gyda'r geiriau *'Fucked in fur, shagged in chiffon'* yn ddisgrifiad o ddarostyngiad artist wrth i'w wirionedd gael ei wyrdroi er mwyn gwasanaethu ideoleg. Yr actor gwych Dorien Thomas oedd yn chwarae Bela, ac yn ynganu geiriau ola'r ddrama, sy'n faniffesto dros y celfyddydau, *'Give me a pencil'*, sy'n dal mor berthnasol heddiw.

Ar ôl y perfformiadau yn St Stephen's yr arferiad oedd mynd i un o'r tafarnau cyfagos i yfed a smygu tan yn hwyr yn y nos. I'r Bute Dock, y Packet neu'r Big Windsor i gychwyn ac yna i'r Dowlais ble roedd mwg a gwynt y *ganja* yn eich taro wrth gerdded trwy'r drws.

Roedden ni'n cael aros yn y Dowlais tan ddau, cyn i'r bobl leol ofyn i ni adael. Mae gweithio oriau anghymdeithasol yn gallu bod o fantais i fam sengl weithiau.

Cyplysais gyfnod perfformio *No End of Blame* gyda gwaith ar yr opera sebon *Dinas* i HTV, yn chwarae athrawes, ond pan ddaeth hwnnw i ben tua diwedd Mehefin bu misoedd yr haf yn dawelach o ran gwaith, ar wahân i waith radio ysgolion, yn cynnwys cyfres hanes ddifyr iawn gyda Siân Rhiannon yn cynhyrchu, dau ddiwrnod ar ffilm hyfforddi cyfarwyddwyr a dau ddiwrnod ar ffilm Karl Francis, *The Angry Earth*. Ymddangosodd fy mam mewn rhan fach yn honno hefyd, a gwnaeth gymaint o argraff ar Karl nes iddo ofyn iddi chwarae rhan mam Peter O'Toole yn ei ffilm *Rebecca's Daughter* yn nes ymlaen.

Erbyn hyn roedd Caerdydd yn ddinas ddifyrrach o lawer na'r un y landiais ynddi yn fyfyrwraig yn 1967, ac roedd yr amser rhydd yn golygu bod 'da fi amser teuluol i fwynhau gweithgareddau amgen fel Carnifal Stryd Siarl a'r Ŵyl Heddwch yng nghaeau Llandaf, yn ogystal â digwyddiadau masnachol fel cyngerdd Michael Jackson ym Mharc yr Arfau. Daeth hi'n amser trip yr Ysgol Sul i Borthcawl, ymweliadau dyddiol ag Eisteddfod Genedlaethol Casnewydd, gwyliau i Sir Benfro ac Aberystwyth ac yna penwythnos ddifyr yng Ngŵyl Ewropeaidd Plaid Cymru ym Machynlleth, pan drefnais yr arlwy adloniant.

Roedd e hefyd yn golygu bod 'da fi amser i beintio 'Deddf Iaith Nawr' ar wal y Swyddfa Gymreig gyda Diana Bianchi a Peter Bradley. Cafon ni ein harestio a threulio diwrnod yng nghelloedd canolfan yr heddlu ym Marc Cathays. Gan fod Diana yn dioddef o glawstroffobia gadawyd drws y gell ar agor, ac ymddiheurodd ein carcharwraig am orfod ei gau am gyfnod byr tra byddai hi'n cael ei chinio. Un o'r pethau mwyaf syfrdanol oedd bod graffiti dros waliau'r gell i gyd, hyd yn oed ar y to! Mae'n rhaid bod pobl yn sefyll yn ddau neu dri ar ysgwyddau ei gilydd! Pan ollyngwyd ni'n rhydd roedd y byd i gyd fel newydd i ni, hyd yn oed ar ôl ein cyfnod byr o gaethiwed, a diolchais amdano gan werthfawrogi'n fawr y ddwy fil a garcharwyd dros yr iaith ar hyd y blynyddoedd, rhai ohonynt am gyfnodau hir. Cafon ni ein rhyddhau'n ddiamod, gan dalu wyth deg punt o gostau pan ddaeth yr achos o flaen y llys ym mis Rhagfyr. Roedd Deddf Iaith 1967, yn dilyn Adroddiad Hughes-Parry, yn cydnabod yr egwyddor ond nid yr 'hawl ddiwrthod' i ddefnyddio Cymraeg ar lafar, o roddi rhybudd ymlaen llaw mewn achosion cyfreithiol a'r hawl i weinidogion gyhoeddi adroddiadau yn Gymraeg, er doedd dim dyletswydd arnyn nhw i wneud hynny. Cymal pwysicaf deddf 1967, na chafodd lawer o sylw ar y pryd, oedd dileu statws Cymru fel rhan o Loegr (Deddf Cymru a Berwick 1746). Daeth Deddf Iaith Newydd yn 1993 a sicrhaodd statws cyfartal i'r Gymraeg a'r Saesneg, ar bapur o leiaf, ym mywyd cyhoeddus Cymru, a sefydlwyd Bwrdd yr Iaith, ac fe ddaeth deddf bellach yn 2011 pan sefydlwyd Comisiynydd y Gymraeg.

Yn ystod y cyfnod yma hefyd, wedi ein tanio gan y profiadau a gawsom yn St Stephen's, aeth criw ohonom ati i gysylltu â Chyngor y Celfyddydau am gefnogaeth ar gyfer ailymarfer a theithio *House of America*, a chawsom grant prosiect ar gyfer taith trwy Dde Cymru.

Ymunodd Richard Lynch gyda ni i chwarae Boyo, ac ychwanegodd Ed araith newydd i Mam ar y dechrau, a ysbrydolwyd yn rhannol gan brofiad Ed o yrru i'r gogledd am y tro cyntaf ar yr A470 droellog. Agorodd y daith yn Ystradgynlais yn niwedd Tachwedd, ac fe berfformion ni mewn naw canolfan arall, a chynnal gweithdai i ysgolion yn ystod y dydd. Ffurfiwyd y cwmni, dan yr enw diddychymyg Y Cwmni, ac ymhen hir a hwyr fe'i hailfedyddiwyd yn Fiction Factory, sydd yn enw cyfarwydd ym myd ffilm a theledu erbyn hyn.

1989

Ceisio ei Dal
hi ym Mhob Man

ROEDD HON YN flwyddyn o deithio helaeth ar gyfandir Ewrop, i Baris a Llydaw a Delft ac Amsterdam yn ogystal â Llundain, Manceinion a Chaeredin heb sôn am deithio trwy Gymru, ac roedd hyn i gyd yn bosib oherwydd cefnogaeth Mam, oedd yn dal wrth ei bodd yn gofalu am Steffan. Mewn amryw o'r cynyrchiadau ro'n i'n ddigon lwcus i allu plethu fy naliadau gwleidyddol fel sosialydd a chenedlaetholwraig â 'nghred mewn hawliau menywod a 'ngwaith, a dyma'r flwyddyn y cyrhaeddais fy neugain. Roedd deugain yn hen pan o'n i'n ferch fach yn y pumdegau, a bathwyd y slogan 'Life Begins at Forty' i godi calon y rhai anffodus oedd wedi cyrraedd y garreg filltir hon. Hysbysebwyd Phyllosan, tabledi haearn a fitaminau, 'to fortify the over forties', fyddai'n caniatáu i'r rhai dros eu deugain gystadlu yn erbyn eu plant wrth chwarae tennis, ond o gymryd ambell i hoe, roedd 'da fi ddigon o egni i 'nghynnal trwy'r flwyddyn ddifyr hon.

Ar ddechrau Ionawr aethon ni â *House Of America* i Lundain am bythefnos – i BAC, Canolfan Celfyddydau Battersea – a gwneud tri pherfformiad yn Chapter yng Nghaerdydd yn y canol. Ro'n i'n aros yn fflat Ed a

Wyndham yn Brixton a thaflwyd bricsen trwy ffenest fy nghar y noswaith gyntaf yno, a diflannodd y ces oedd yn dal fy ngwisg llwyfan. Dwi'n siŵr bod y lleidr wedi ei siomi a'i ddrysu wrth ddod o hyd i hen gardigan gwead Arran, a sgert a sgidie oedd wedi gweld dyddiau gwell. Llwyddais i greu gwisg debyg ar frys, er bod 'da fi hiraeth ar ôl y dillad a fu'n gymorth i fi greu cymeriad Mam. Bach iawn oedd y cynulleidfaoedd yn Llundain i gychwyn ond erbyn diwedd y cyfnod gwerthwyd pob sedd. Yn Chapter roedd y gynulleidfa'n ciwio tu allan i'r adeilad, a'i hymateb ysgubol i araith gyntaf Mam yn creu teimlad 'mod i'n syrffio ar tswnami, a phob llinell bron yn ysgogi ton afreolus o chwerthin. Rhybuddiais y 'plant' wrth ddod oddi ar y llwyfan fod ceisio ei reoli fel straffaglu i ddofi anifail gwyllt. Roedd yn brofiad cwbl iwfforig gan wybod fod llawer o'r rhai yn yr awditoriwm wedi dod i'n gweld ni am yr eilwaith. Enillodd *House of America* wobr *Time Out/01-For London,* a'r unig gysgod dros y noson wobrwyo yn Theatr y Mermaid oedd jôc wan y comedïwr Julian Clary am Gymru a morfilod wrth gyflwyno'r wobr. Gwnaethom ei roi ar ben ffordd trwy ei amgylchynu'n fygythiol a'i orfodi i addo na fyddai yn bychanu unrhyw un o Gymru byth eto. Holl fwriad Ed, a ninnau i gyd fel rhan o'r cynhyrchiad, oedd mynegi ein diwylliant a'n harbenigrwydd fel Cymry, ac roedd y broses ei hun yn creu ynom yr hyder i dyfu fel artistiaid. Mae llawer o'r diolch am lwyddiant y ddrama i'r adolygydd theatr, David Adams a ddisgrifiodd y ddrama fel *'an explosion of guilt, passion, angst and cultural concern, in which murder, incest, fantasy and matters of identity are interwoven.'* Ar y pryd ymddangosai ei adolygiadau o Gymru yn y *Guardian* yn gyson, ac roedd ei wybodaeth a'i gariad at y Theatr Gymreig yn angerddol. Mae ei lyfr *Nation, Nationalism and Theatre* yn werth ei ddarllen os am gael blas ar holl weithgarwch y cyfnod.

Chwarae telynores fyd-enwog yn gwisgo dillad lliw pastel mewn cynhyrchiad uchelgeisiol i S4C oedd fy her nesaf. Dilyniant i *Cysgodion Gdansk* oedd y gyfres *Barbarossa* gan Ifor Wyn Williams i Gwmni Tŷ Gwyn, gyda J O Roberts yn serennu fel yr ysbïwr Huw Taylor, mewn lleoliadau ar draws Ewrop. Roedd fy nhelynores, o dras Almaenig, yn chwaer i droseddwr rhyfel Natsïaidd a oedd wedi ffoi i Dde America, ble cyfarfu â dyn peryglus o'r enw Ramon, Tarw'r Ariannin, i enwi rhai o gymeriadau byd tywyll, tanddaearol, ysbïo rhyngwladol y gyfres. O gofio 'mhrofiad o orfod dysgu chwarae 'Ar Gyfer Heddiw'r Bore' ar y piano yng nghyfres *The Snow Spider*, fy nghwestiwn cyntaf i'r cyfarwyddydd Gareth Wyn Jones oedd ai'r delyn fyddai'r offeryn nesaf fyddai'n rhaid i fi geisio ei choncro. 'Na' oedd ei ateb clir a phendant, diolch i'r drefn, a dim ond unwaith bu rhaid i fi hyd yn oed ymddangos yn yr un ystafell â thelyn gan fod fy nghymeriad yn llawer rhy brysur mewn anturiaethau ar hyd strydoedd Amsterdam, Delft a Kemper. Yn y dyddiau hynny roedd gan S4C gyllideb oedd yn caniatáu prynu gwisgoedd cyfoes yn ôl yr angen, a threuliais sawl awr gyda Cyrenne, y gynllunwraig gwisgoedd o Sweden, yn dewis wardrob addas i delynores fyd-enwog mewn siopau fel Howells yng Nghaerdydd, Liberty a Harvey Nicholls yn Llundain.

Ro'n i wedi gwneud ychydig o ddiwrnodau o ffilmio yn Aberystwyth cyn y Nadolig, ac ar ôl pythefnos gatre yn gwneud gwaith trosleisio a drama radio yn dilyn gorffen *House of America*, hwyliais gyda'r criw o Portsmouth ar gyfer tair wythnos o ffilmio yn Llydaw ac Amsterdam. Ein pencadlys yn Llydaw oedd tref Kemper, lle arhosais yn ystod fy ngwyliau difyr cyn gadael gatre am y brifysgol yn 1967, a buon ni'n ffilmio hefyd ym mhentref hynod Locronan, ble bûm yn yfed medd ar ddiwedd yr haf hwnnw. Ymwelon ni â dociau porthladd byrlymus Brest a Gŵyl Mardi Gras Douarnanez, a gorffennais y noson honno yn neidio o gwch i gwch i rannu diod gyda chriw o forwyr Llydewig. Ar ôl siwrnai dair awr ar ddeg i Amsterdam ym mws Caelloi fe fuon ni'n archwilio bariau'r ddinas, gan greu'r patrwm am yr wythnos. *'Beware the thespians with no lines,'* meddai'r cyfarwyddydd, Gareth Wyn Jones, wrth sylwi ein bod ni'n tueddu i fwynhau ychydig yn ormod, hyd yn oed yn ôl ei bren mesur e, ac yntau'n adnabyddus am fod yn *bon vivant* o'r radd flaenaf. Ychydig iawn o ddeialog oedd gen i yn yr Iseldiroedd, ond maen nhw wedi'u serio ar fy nghof. Pwy all anghofio'r geiriau anfarwol 'Ffrind gorau merch, tarpowlin', ar ôl i finnau a J O neidio i guddio mewn cwch ar gamlas yn Amsterdam, neu 'Fyddwch chi'n hir iawn, dwi wedi blino braidd,' wrth i fi eistedd yng nghefn car mawr crand yn gwylio cymeriad Eryl Phillips a'i *henchman* yn claddu corff. Ond y gore oll oedd 'Dw i ddim yn siŵr iawn beth sy'n digwydd,' oedd yn crisialu'r profiad o fod yn rhan o stori nad oedd neb cweit yn ei deall, yn cynnwys y cyfarwyddydd mae'n debyg. Pan ofynnais am oleuni i fy arwain, un bore cynnar yn nhref hynafol Delft, dwedodd Gareth y gallai'r arch sbïwr Barbarossa fod yn unrhyw un ohonon ni, yn fy nghynnwys i, oedd yn rhoi slant hollol newydd i fy nghymeriad. Pan ymunodd Robin Griffith â ni yng nghanol y cyfnod ffilmio, bedyddiodd ni yn *'Gladys Bloch and the Pumps'*, am mai dyna pryd, gan amlaf, y bydden ni'n cyrraedd ein gwlâu. Gorffennodd y cyfnod ffilmio yn ardal Caernarfon mewn modd llawer tawelach, a ches hedfan i Nant Gwrtheyrn mewn hofrenydd a glanio yno gyda Huw Taylor ei hun cyn wynebu cael fy arteithio gan fy nghyn-Natsi o frawd, a chwaraewyd gan

Cefin Roberts. Cafon ni barti yng ngwesty'r Seiont Manor i ddathlu diwedd y gyfres, ac ro'n i gatre ar gyfer Sul y Mamau.

Ar y dydd Llun canlynol dechreuodd wythnos o waith datblygu gyda chwmni Dalier Sylw, ar gyfer drama absŵrd Ed Thomas *Adar heb Adenydd*, ac ro'n ni fel actorion yn eistedd o gwmpas bwrdd yn Chapter pan ddaeth galwad ffôn i fi yn y caffi oddi wrth Mam i ddweud bod Robin Griffith newydd ffonio'r tŷ gyda'r newyddion erchyll fod yr actor Clive Roberts wedi lladd ei gariad Elinor Roberts. Deuddydd ynghynt ro'n i wedi bod yn ei chwmni wrth ddathlu diwedd *shoot Barbarossa* yng ngwesty'r Seiont Manor. Roedd yn sioc aruthrol ac ysgwydwyd y gymuned theatr a theledu i'w seiliau. Elinor oedd y Rheolydd Llwyfan yn nrama Gareth Miles, *Diwedd y Saithdegau*, yn 1982 a Clive, oedd wedi bod yn wyneb cyfarwydd ar lwyfan a theledu ers y chwedegau, ac yn arbennig o adnabyddus am ei ran yn y gomedi *Fo a Fe*, chwaraeodd fy ngŵr yn y cynhyrchiad hwnnw. Erbyn hyn roedd y ddiod gadarn wedi cael gafael ynddo ac roedd yn alcoholig truenus. Mae'r ystadegau brawychus yn dangos y gall tri deg pump ymosodiad ddigwydd ar gyfartaledd cyn i bartner sy'n dioddef trais yn y cartref lwyddo i adael perthynas dreisgar, ac mae dwy fenyw yn cael eu lladd gan bartner neu gyn-bartner bob wythnos. Sefydlwyd Cronfa Elinor Wyn Roberts i gynnig cefnogaeth i brosiectau ar gyfer y theatr, er cof am fenyw ddeallus a galluog a gollodd ei bywyd mewn ffordd echrydus yn llawer rhy ifanc.

Geraint Lewis oedd awdur y gyfres *Slac yn Dynn* a gynhyrchwyd gan gwmni Lluniau Lliw a sefydlwyd gan yr arloeswr Peter Edwards, mab yr actor o Rosllanerchrugog, Meredith Edwards, oedd yn enwog am y ffilmiau comedi ddaeth allan o stiwdios Ealing yn Llundain fel *The Lavender Hill Mob*, *A Run for Your Money* a llu o gynyrchiadau eraill.

Gwreiddiwyd y gyfres yng ngwleidyddiaeth y cyfnod wrth i bolisïau llywodraeth Thatcheraidd yr wythdegau ddifrodi ein cymunedau a llwyddodd i gyfuno gwleidyddiaeth gyfoes ac adloniant. Roedd yn dilyn hanes bachgen ifanc di-waith o'r enw Ceri, oedd yn cynnal sgyrsiau am ei fywyd a'i fodolaeth gyda'i bysgodyn aur yn ei stafell wely, ac yn dianc i fyd ffantasi er mwyn lleddfu ei anobaith. Gareth Potter oedd yn chwarae'r brif ran, a minnau'n chwarae ei fam Delyth ac roedd ganddo frawd ariangar llwyddiannus a chwaraewyd gan Ioan Hefin. Achub y blaned oedd prif ddiddordeb Delyth, a threuliais dipyn o amser yn peintio placardiau. Awgrymais yn ddiweddar y dylai Geraint, fy mrawd Sianco yn y ffilm, *Martha, Jac a Sianco*, fynd ati i greu dilyniant gan fod yr anghyfartaledd cyfoeth a'r argyfwng newid hinsawdd yn bynciau hyd yn oed yn fwy perthnasol erbyn heddiw, gan ddefnyddio'r un cast wrth gwrs! Ffilmiwyd *Slac yn Dynn* dros gyfnod o dri mis yn yr haf ac yng nghanol y cyfnod llwyddais hefyd i fod yn rhan o gynhyrchiad llawn drama Ed Thomas, *Adar heb Adenydd*.

Beti'r briodferch, yn ei ffrog briodas a'i mascara'n rhedeg, a'i hatseiniau o Miss Havisham, oedd fy nghymeriad yn *Adar heb Adenydd*, drama am hyder a hunaniaeth. Roedd hi'n dair wythnos o daith ac weithiau byddwn yn ffilmio ar *Slac yn Dynn* trwy'r dydd cyn gyrru'n ôl a mlân cryn bellter i'r perfformiad gyda'r nos, gan fod rhaid i actor afael ym mhob cyfle posib rhag ofn na ddeuai unrhyw beth tebyg eto. Mae'r disgrifiad o *Adar heb Adenydd* ar wefan archif sioeau Dalier Sylw yn awgrymu'n gryf mai nid drama naturiolaidd oedd hon. 'Lleolir y ddrama,' medd yr hysbyseb, 'ger gorsaf rheilffordd yn Ne Cymru, lle mae milwr, priodferch, bachgen a merch ifanc, a dyn tiwnio piano yn bodoli mewn byd o freuddwydion. Byd sy'n hagr ac yn hardd, ble mae dychymyg ffantasïol yn cyd-redeg â realaeth creulon.' Mewn un olygfa roedd cymeriad Catherine Tregenna yn rhoi genedigaeth i bêl draeth. Roedd y ffaith mai Ed oedd yn cyfarwyddo'r ddrama ryfedd hon, gwead o ffars, ffantasi a syrcas, yn sicr o gymorth i ni fel cast, ond serch hynny roedd fel petai hi'n ddrama gwbl wahanol bob tro y bydden ni'n ei pherfformio. Darganfyddais mai'r ffordd orau o ddelio â hyn oedd mwynhau'r drwydded i greu llwybr newydd bob nos, a byddai bwriad Beti yn newid yn ôl fy ngreddf ar y pryd. Creodd ansefydlogrwydd y sgript broblemau weithiau gan nad oedd sicrwydd a fyddai'r cyfan yn dod at ei gilydd. Adlewyrchwyd hyn un noson yng Nghaerfyrddin pan dderbynion ni, fenywod y cast, ganmoliaeth amwys, wrth i Ed gyhuddo'r dynion yn y cast o fod hyd yn oed yn llai doniol na ni. *'Even the girls got more laughs than you,'* meddai wrthyn nhw, gan fynegi ei rwystredigaeth.

Parhaodd cyfnod ffilmio *Slac yn Dynn* ar ôl gorffen taith *Adar heb Adenydd,* gyda Hugh Thomas yn cyfarwyddo a Llinos Wyn Jones yn cynhyrchu, yn ystod diwrnodau hafaidd ym Mhenarth, Sili a Llanilltud Fawr.

Wythnos ar ôl ffarwelio â Delyth ro'n i'n hedfan i Baris i chwarae protestwraig arall. Roedd portreadu Sylvia Pankhurst yn y gyfres ddrama ddogfen *Cracking Up,* a gynhyrchwyd gan gwmni arloesol cydweithredol Teliesyn, yn gyfle amheuthun. Bwriad *Cracking Up* oedd cyflwyno hanes cymeriadau chwyldroadol a ddioddefodd dan straen eu gorchestion. Yn ogystal â Sylvia Pankhurst, adroddwyd hanes yr arlunydd Goya, y cartwnydd James Gillray, yr athronydd Mary Wollstonecraft, Iolo Morganwg a Niclas y Glais. Cyflwynydd troeon bywydau yr unigolion rhyfeddol hyn oedd yr athrylith o hanesydd, Gwyn Alf Williams, ac awdur a chyfarwyddydd pennod Sylvia, *Cracking Up:*

Thursday's Child oedd un arall o fwrdd golygyddol *Radical Wales*, Michele Ryan. Aelod o deulu cefnog y Pankhurstiaid o Fanceinion a'i bryd ar fod yn artist oedd Sylvia. Cafodd ei charcharu a'i bwydo'n orfodol droeon wrth ymgyrchu dros hawl menywod i bleidleisio, ond yn wahanol i'w mam, Emmeline a'i chwaer Christabel, roedd hefyd yn heddychwraig ac yn sosialydd. Cefnogodd y chwyldro yn Rwsia, sefydlodd y Blaid Gomiwnyddol Brydeinig gyntaf, gan deithio i Rwsia i ddadlau gyda Lenin yn y Kremlin, a gweithiodd gyda menywod difreintiedig yn nwyrain Llundain. Fe'i disgrifiwyd hi gan Bernard Shaw fel *'the most wilful rapscallion of all revolutions'*.

Aeth stori Sylvia â ni i leoliadau di-ri gan wireddu geiriau'r rhigwm Saesneg *'Thursday's child has far to go,'* ac ar ôl cychwyn ym Mharis mewn ceffyl a chart yn ymyl y Notre Dame gyda chwaer Sylvia, Christabel, ymwelon ni â'r amgueddfa yng nghyn-gatre'r Pankhurstiaid ym Manceinion, yn ogystal â nifer o leoliadau difyr yn Llundain. Areithiais yng nghwmni'r llewod yn Sgwâr Traffalgar, gorweddais ar stretsier ar balmant tu allan i San Steffan a cherddais drwy farchnad Roman Road yn nwyrain Llundain gyda dau warchodwr cryf.

Ffilmiwyd golygfa boenus y bwydo gorfodol mewn cell yng ngharchar Caerdydd a seiniau Côr y Cochion yn canu yr *'Internationale'* i'm croesawu.

Hyfforddwyd Sylvia fel artist, dyluniodd amryw o fathodynnau a baneri'r ymgyrch dros y bleidlais, ac mae pedwar o'i dyfrlliwiau i'w gweld yn y Tate yn Llundain, ac felly roedd yn rhaid ffilmio golygfeydd mewn stiwdio gelf, a minnau, sy'n gwbl anobeithiol gyda brws paent, yn cael actio bod yn artist. Gorffennwyd y cyfnod ffilmio o bythefnos di-dor yn Amsterdam, ar hyd y camlesi, yn yr archifau, ac ar gwch fflat, ond doedd cyllideb Teliesyn ddim yn caniatáu ymweliad ag Ethiopia. Cefnogodd Sylvia yr ymerawdwr Haile Selassie, pan yrrwyd ef o'i gartref gan ffasgwyr yr Eidal, a dyna ble gorffennodd ei hoes. Claddwyd Sylvia yn Addis Ababa; Sylvia Pankhurst oedd y Rasta Gwyn cyntaf. Roedd fformat *Cracking Up* yn cynnwys sgwrs wyneb yn wyneb rhwng Gwyn Alf a gwrthrych pob rhaglen, a gan fod Sylvia wedi rhedeg caffi yn Woodford Green ar un adeg, mewn caffi ym Mhenarth yng ngwisg Sylvia, ond fel fi fy hun, dadleuais gyda Gwyn gan amddiffyn y dargyfeiriad diddorol yma. Daw fy hoff araith o olygfa a ffilmiwyd yn y llys: *'We will create a society where there are no rich or poor, no people without work or beauty in their lives, where money itself will disappear, where we shall be brothers and sisters, where everyone will have enough.'* Prysured y dydd.

A hithau'n ddau gan mlynedd ers yr ymosodiad ar y Bastille ym Mharis ar Orffennaf y 14eg yn 1789, doedd hi ddim yn gyd-ddigwyddiad fod Teliesyn wedi trefnu ffilmio yno ar y dyddiad hwnnw. Roedd y diwylliannol, yr artistig a'r gwleidyddol yn cydblethu yng ngwaith y cwmni, a phan ddangoswyd *Thursday's Child* yn y sinema yn Chapter ynghyd â'r ffilm *Suffragette* yn ddiweddar, roedd gweld a chlywed Gwyn Alf yn ei afiaith yn codi hiraeth, ac yn tanlinellu gymaint o golled fu ei farw mor ifanc. Byddwn wrth fy modd yn ei glywed yn trafod sefyllfa bresennol Cymru.

Prin bythefnos yn ddiweddarach cychwynnodd cyfnod ailymarfer *Adar heb Adenydd* a *House of America* er mwyn eu llwyfannu ar y ffrinj yng Ngŵyl Caeredin, ond cyn hynny roedd rhaid wrth wyliau, ac aeth Mam, Steffan a fi i Rodos yng ngwlad Groeg. Roedd y cyfnod hir o geisio ei dal hi ym mhob man wedi mynd yn drech na fi; ro'n i'n anemig a fy mhwysau gwaed yn isel iawn, ac roedd cael gwneud dim byd ond darllen, nofio yn y môr ac eistedd mewn caffi ar y traeth yn Lindos yn bwyta Iogwrt Groegaidd a mêl yn baradwysaidd, a byddai'r cyfnod o orffwys yn fy nghynnal am dipyn go lew.

Roedd Mam yn *House of America* a Beti yn *Adar heb Adenydd* ill dwy yn dawnsio ar ymylon gwallgofrwydd, ond yr unig bryd ro'n i'n teimlo'n gall yng Nghaeredin yr Awst hwnnw oedd pan o'n i'n perfformio ar y llwyfan. Mae yna ddechrau a diwedd clir i berfformiad llwyfan, a darn yn y canol ry'ch chi yn ei adnabod yn llwyr, a hyd yn oed os aiff rhywbeth o'i le, bydd gweddill y cast a'r criw yno i'ch cynnal chi, ac mae modd o leiaf i greu'r rhith o fod mewn rheolaeth am awr neu ddwy. Lleolwyd ein perfformiadau yn yr Harry Younger Hall, Canongate, lle bach cyfyng ro'n ni'n ei rannu gyda'r Coleg Cerdd a Drama, a lle i ryw ddeugain i'n gwylio ni. Dim ond rhyw chwarter awr oedd 'da ni ar y dechrau i osod y set yn ei lle a hefyd i'w thynnu i lawr ar y diwedd. Comisiynwyd yr artist Iwan Bala i greu poster lliwgar a beiddgar o dan y teitl '*Raiders of The Western Shore*' ac er bod y cynulleidfaoedd yn fach, roedd yr adolygiadau yn y *Times*, yr *Independent* a'r *Guardian* yn wych, a deallodd y *Scotsman* mai hunaniaeth genedlaethol oedd thema'r dramâu, gan ddweud '*The production and acting are superbly original and full of explosive energy. This young exciting company has much to teach us about how to make political theatre gripping and dynamic.*' *Adar heb Adenydd* oedd y ddrama gyntaf yn yr iaith Gymraeg i'w llwyfannu yn yr ŵyl; perfformiwyd monolog gan Boyd Clack yno hefyd ac roedd cwmni Made In Wales yn Theatr y Traverse, ac roedd yna deimlad bod dadeni'r theatr Gymraeg ar lwyfan rhyngwladol ar droed. Ro'n ni i gyd wedi'n stwffio i dŷ mawr ar gyrion y ddinas a dilynwyd y cyfan gan gwmni teledu Criw Byw ar gyfer rhaglen *The Slate* ar BBC Cymru. Fe'm ffilmiwyd ar fore fy mhen-blwydd yn ddeugain, yng nghegin ein *digs* yng Nghaeredin, tra oedd Cath Tregenna'n creu diod lemwn a mêl a dyn a ŵyr beth arall, er mwyn goresgyn annwyd, ac Ed a'r dramodydd Tim Rhys yn saethu sos coch at ei gilydd yn dilyn rhyw ddadl ffyrnig.

Daeth y chwrligwgan i stop, ac fe ges amser i fod gatre. Aeth Steffan i Glan-llyn, aeth Mam 'nôl i'w fflat ac fe ges i ychydig o waith radio. Yna, collais fy hen gariad, yr actor Terry Jackson, i myeloma. Bues yn ei weld yn yr ysbyty ac yntau'n esgus bod pob dim yn iawn, ond bu farw ymhen yr wythnos. Cafwyd noson emosiynol iawn yn y Sherman i gofio amdano a chodwyd wyth can punt i helpu ei fam gyda'r angladd. Perfformiodd llu o artistiaid yno, gan gynnwys yr Hennessys, Heather Jones, Gillian Elisa ac aelodau o gorws yr Opera Cenedlaethol.

Ym mis Tachwedd gwnaeth Steffan ei drydydd ymddangosiad ar y teledu yn *Making News*, cyfres wedi ei lleoli ym myd newyddiaduraeth i gwmni teledu Thames, a'r pwnc oedd yr ymgyrch llosgi tai haf. A ninnau yng nghanol argyfwng tai haf ac ail gartrefi o hyd, mae'n sobreiddiol ystyried bod cwmni teledu Saesneg wedi creu pennod am y pwnc yma mwy na deng mlynedd ar hugain yn ôl. Roedd Steffan yn chwarae rhan Gareth, bachgen bach y credid ei fod yn dyst i'r weithred, ac roedd gweddillion y tŷ a losgwyd yn gefnlen i'w sgwrs. Mwynhaodd Steffan y profiad, er gwaetha'r ffaith fod y brif actores Nichola McAuliffe wedi tynnu wynebau rhyfedd arno, er mwyn ceisio gwneud iddo chwerthin, trwy gydol yr olygfa. *Yes, We Have No Secrets* oedd enw'r bennod ac yn eironig ddigon, cwmni Steffan, Zwwm Films, a gynhyrchodd ac a gyfarwyddodd y rhaglen ddogfen ddiweddar *Bryn Fôn: Chwilio am Meibion Glyndŵr* yn trafod yr union bwnc.

Sioe oedd yn cynnwys dramodig fer, darlleniadau a

cherddoriaeth, a grëwyd gan yr actor John Prior, i ddathlu cant a hanner o flynyddoedd ers gwrthryfel y Siartwyr yng Nghasnewydd ar y 4edd o Dachwedd, 1839 oedd *Waiting at The Welsh Oak*. Perfformiais hi am y tro cyntaf gyda John a'r Hennessys ym mis Tachwedd mewn pabell yng ngardd tafarn y Royal Oak, ble arhosodd John Frost, Zephania Williams a William Jones ar y noson cyn i dair mil o ddynion orymdeithio i Gasnewydd dan arweiniad John Frost. Lladdwyd dau ar hugain a chlwyfwyd pum deg yn y gyflafan tu fas i Westy'r Westgate gan filwyr y fyddin Brydeinig. Achlysur a drefnwyd gan y Blaid Lafur oedd hon ac roedd Neil a Glenys Kinnock yn westeion anrhydeddus. Dwi'n siŵr nad oedd fy narlleniad o ddetholiad o *When Was Wales?* gan Gwyn Alf yn disgrifio bwriad y Siartwyr i greu *Silurian Republic beyond the Usk* wedi plesio'r Kinnockiaid, yn dilyn eu hymgyrchu brwd dros y bleidlais 'Na' yn refferendwm 1979, ond ar ôl eu cyfarfod, a gweld bod y ddau yn ymgorfforiad piwr o Gymreictod o ran eu hegni a'u hymddygiad, sylweddolais 'mod i'n dyst i esiampl wych o fewnoli trefedigaethol. Aeth y sioe o nerth i nerth, a'r tro diwethaf y cefais y cyfle i'w pherfformio oedd ar ran Sefydliad Bevan yng Nghasnewydd ble cefais y pleser o gyfarfod â'r gweriniaethwr a'r ymgyrchydd dros gyfreithloni canabis, yr Aelod Seneddol dros Orllewin Casnewydd, Paul Flynn.

Cyn diwedd y flwyddyn gwnes i weithdy i Dalier Sylw, darlleniad i Honno a ffilm i John Mead HTV am yr arloeswr ffotograffiaeth William Henry Fox Talbot, a chwaraewyd gan Dafydd Hywel, a minnau ac Elin Rhys, sefydlydd cwmni teledu Telesgop, yn ein ffrogiau crinolin, yn nhafarn The Sign of The Angel ym mhentref hynod Lacock yn ymyl Chippenham. Darllenais ddarn Mallt Anderson am y Pwdin 'Dolig yn *Sêr yn Salem*, ac yna ychydig o ddiwrnodau cyn y Nadolig teithiais i ardal Caernarfon i chwilio am rywle i fyw am bedwar mis. Roedd yr antur nesaf am fod yn y gogledd, ac unwaith eto coch fyddai lliw fy ngwallt.

Y NAWDEGAU

1990

Anest

Anest oedd enw'r cymeriad â'r gwallt coch, a hi oedd canolbwynt y gyfres wyth pennod o'r un enw, a ysgrifennwyd gan Gwenno Hywyn a Meinir Pierce Jones. Dyma un o'r cyfleoedd gorau i fi gael trwy gydol fy ngyrfa. Do'n i erioed wedi chwarae y brif ran ar y teledu o'r blaen, na chwaith wedi chwarae menyw ddeallus o statws uchel yn y Gymraeg, ac roedd cael arwain cyfres yn gyffrous tu hwnt. Cyfreithwraig ym mhractis ei thad yng nghyfraith ym Mhorthmadog oedd Anest, oedd yn magu ei mab arddegol tra ei bod yn brwydro dros ei chleients llai breintiedig. Am fod Gwenno a Meinir yn famau eu hunain, ac am archwilio'r heriau mae menywod yn wynebu wrth gyfuno gwaith a magu teulu, roedd y rhan hyd yn oed yn fwy deniadol a chyffrous.

Ffilmiau'r Nant oedd yn cynhyrchu'r gyfres, ac fe fyddai'n golygu treulio pedwar mis oddi cartref o fis Ionawr tan fis Ebrill, ac yn hytrach na gadael Mam a Steffan yng Nghaerdydd a minnau'n cymudo a dod adre ar y penwythnosau, fel a ddigwyddodd adeg *The Magnificent Evans*, fe gytunon ni fel teulu i adleoli, a symud i'r gogledd, i bentref bach Llandwrog.

Rhentais i dŷ drws nesa i'r prifardd Gerallt Lloyd Owen

ochr draw i gartre fy ffrind, yr actores Iola Gregory, a'i merched Angharad a Rhian; byddai Steffan yn mynd i'r ysgol bentref gyda nhw, ac roedd Mam yn hapus i ddod gyda ni. Roedd siop yn Llandwrog ar y pryd a thafarn, y Ty'n Llan, sydd wedi cau ac ailagor erbyn hyn, ac roedd pawb yn siarad Cymraeg. Roedd yr ysgol yn fach iawn: tri deg pump disgybl, sef yr un nifer â dosbarth Steffan yn ysgol Coed y Gof yng Nghaerdydd. Doedd dim rhaid iddo aros am fws, na wynebu traffig boreol y ddinas am hanner awr i gyrraedd adeilad yn llawn dop i'r ymylon yng nghanol stad anferth y Tyllgoed; ro'n ni fwy neu lai yn byw drws nesa. Roedd bywyd yn dawel ac yn syml, ac yn fy atgoffa o fy magwraeth yn Llandyfaelog yn y pumdegau a'r chwedegau, ond plentyn y ddinas oedd fy mab, a'i farn am ein bywyd newydd i gychwyn oedd bod 'dim digon o *hassle*'. Ers pan gyrhaeddais i Fangor yn 1970 i gychwyn fy hyfforddiant fel actores gyda Chwmni Theatr Cymru, a hyd yn oed yn fwy diweddar wrth berfformio drama olaf Siôn Eirian yn y Galeri, mae'r 'gogledd' wedi teimlo fel gwlad arall i fi bron; yn lle egsotig, gydag iaith a diwylliant gwahanol. Roedd yn gyfle i Steffan brofi'r Gymru arall yma, 'Tibet', ys dywed fy nghefnder Dafydd Hywel, oedd yn hoff o ddangos ei basport pan oedd rhaid talu i groesi'r cob ym Morthmadog. Ymunodd Steffan â band Trefor, a threuliodd oriau'n chwarae ar y cyfrifiadur gyda Bedwyr, mab Gerallt y prifardd drws nesa.

Alun Ffred oedd yn cynhyrchu, a hefyd yn cyfarwyddo rhai penodau, a Gwennan Sage a Tim Lyn yn cyfarwyddo'r gweddill. Roedd arddull y tri yn wahanol iawn, ac roedd gofyn addasu i'r egni amrywiol oedd yn dod o du'n ôl i gamera Dafydd Hobson, enillydd llu o wobrwyon am ei waith goleuo a ffotograffiaeth. Fe'm taflwyd i gychwyn pan sylweddolais mai gwrando yn hytrach na gwylio roedd Alun

Ffred yn ystod *take*, a thaerai fod modd iddo wybod yn iawn a oedd yr olygfa'n gweithio dim ond wrth glywed goslef y lleisiau. Roedd Gwennan yn fwndel o nerfusrwydd rhwyfus yn ystod yr ymarferion, ond yn gwbl hunanfeddiannol wrth saethu, a Tim Lyn fel arian byw, yn llawn syniadau heriol. Mae yna linyn anweledig rhyngof fi a'r cyfarwyddydd wrth i fi berfformio, ac mae sensitifrwydd y berthynas yn hollbwysig. Saethwyd llawer iawn o'r golygfeydd mewn un saethiad, yn hytrach na phrif saethiad o'r olygfa gyfan i gynnwys pawb, ac yna saethiadau agosach, ac yna rhai agos iawn. Roedd hyn yn fy nhaflu i gychwyn, am ei fod yn cynnig llai o gyfleoedd i adeiladu perfformiad. Ond yn y dwylo iawn, sef dwylo Dafydd Hobson, roedd hi'n dechneg oedd yn creu llyfnder ac egni, a hefyd wrth gwrs yn cyflymu'r broses, cyhyd â bod pawb ar y droed flaen.

Doedd dim amheuaeth bod Stuart Jones a Beryl Williams, dau o actorion mwyaf dawnus Cymru, oedd yn chwarae rhieni yng nghyfraith Anest, a Judith Humphreys, oedd yn chwarae ffrind Anest, ar ben eu pethau, a'r tri yn fy nghynnal, yn ogystal â'r holl actorion eraill oedd yn rhan o stori wahanol bob pennod. Roedd Beryl yn actores â thalent arbennig, ac mae ei pherfformiad dirdynnol fel Nel, yn nrama deledu Meic Povey o'r un enw, yn aros yn y cof. Synnais pan ddwedodd ei bod hi'n gas ganddi actio bellach, a hithau wedi bod yn dipyn o eilun i mi ers iddi fy nysgu ar gynllun hyfforddi Cwmni Theatr Cymru. Wrth fynd yn hŷn, ac i'r rhannau fynd yn brinnach ac yn llai o faint, mae'n wir ei bod hi weithiau'n anodd cynnal brwdfrydedd. Aled Davies, actor ifanc dawnus o Sir Fôn oedd yn chwarae fy mab, ac aeth yn ei flaen i ddilyn gyrfa fel cyfreithiwr, wedi ei ysbrydoli, siŵr o fod, gan ei brofiad yn gweithio ar set *Anest*.

Crëwyd delwedd Anest gan y gynllunwraig colur, Magi

Vaughan, enillydd Emmy am ei gwaith ar *Downton Abbey* yn ddiweddarach, a fyddai'n lliwio fy ngwallt yn goch yn ôl yr angen, a Llinos Non Parry, y gynllunwraig gwisgoedd, a ddewisodd y got hir, las tywyll a'r siwtiau ffurfiol, smart llwyd a du, gyda'u hysgwyddau mawr, oedd yn creu teimlad o awdurdod a difrifolwch. Yr un ddibynadwy a chlên, Magi Rhys, o ddyddiau *Mae Hi'n Wyllt Mr Borrow*, oedd yr oruchwylwraig sgript. Tîm sy'n creu cynhyrchiad llwyddiannus, ac mae'n wir i ddweud mai un o'r pleserau mwyaf i mi ar hyd fy ngyrfa yw cael cydweithio gyda chriw mawr o bobl a phawb yn anelu tuag at gyflawni'r un nod.

Darganfyddais yn 'o gloi mai'r prif gymeriad mewn cyfres debyg i *Anest* yw'r sment sy'n cadw'r adeilad at ei gilydd, a gwelais hyn yn ddiweddarach wrth weithio gyda Noel Bain, cymeriad Philip Madoc yn *Yr Heliwr*, a Tom Barnaby, cymeriad John Nettles yn *Midsomer Murders*. Roedd gan Anest fywyd personol ar wahân i'w gwaith, ond achos cyfreithiol pob pennod oedd calon y ddrama, a'r emosiwn a'r gwrthdaro yn digwydd ym mywydau'r drwgweithredwyr a'r dioddefwyr; gwaith Anest y gyfreithwraig oedd cadw ei phen a datrys problemau pawb arall.

Wnes i fwynhau pob munud o'r ffilmio a'r dathlu bob nos Wener yn nhafarn y Goron Fach ac aeth y cyfan fel wats. Yr unig dro y dryswyd yr amserlen oedd pan arestiwyd Bryn Fôn, yng nghanol y ffilmio, o dan amheuaeth o losgi tai haf, oedd yn fy atgoffa nad oedd popeth yn iawn ym mharadwys. Roedd Steffan yn chwarae'n braf ar iard ysgol Llandwrog ar y pryd, ac mae'n rhyfedd meddwl, fel y gwelwyd yn ei raglen ddogfen tri deg a dwy o flynyddoedd yn ddiweddarach, bod y dirgelwch o gwmpas y cyhuddiad yn erbyn Bryn yn dal heb ei ddatrys, ac mae'n warth bod effaith niweidiol ail gartrefi ar ddiwylliant ac economi ein cymunedau yn parhau.

Meddyliais o ddifri am adael Caerdydd ar ddechrau'r cyfnod ffilmio, yn wir symudais fy nghyfrif banc (pan oedd pwrpas gwneud y ffasiwn beth) i Borthmadog, ond roedd fy ysfa i symud 'nôl i fyw i'r gogledd yn barhaol wedi pylu erbyn diwedd y pedwar mis; fel Steffan, yn y bôn doedd dim digon o *hassle* i fi yno. Roedd 'da fi atgofion hapus iawn o fyw yn Rachub a Bangor yn nyddiau Cwmni Theatr Cymru a Bara Caws, a minnau'n rhan o griw creadigol o weithwyr theatr, ond does dim modd troi'r cloc yn ôl, ac roedd cael mynd 'nôl i Gaerdydd ar ddiwedd y cyfnod ffilmio yn ollyngdod. Roedd cerdded ar hyd Cowbridge Road East swnllyd, llychlyd a chyrraedd Canolfan Gelfyddydau Chapter yn rhyddhad. Er gwaetha fy hiraeth am fy hen gartref yn Llandyfaelog a chartref fy nheulu yng Nghwmaman, sylweddolais 'mod i nawr wedi bwrw gwreiddiau dwfn yn niwylliant dinesig Caerdydd.

Daeth gwyliau'r Pasg ac aeth Mam a Steffan adre ac aeth Steffan ar ei wyliau gyda'i dad at ei ddad-cu yn Ngwlad yr Haf. Ar fy niwrnod olaf ges i dusw mawr o flodau a mwynhau dathliad bach cyflym yn y Goron Fach, cyn troi am adre i baratoi i yrru i Landeilo y diwrnod canlynol i gychwyn ffilmio pennod o'r ddrama gyfnod *Dihirod Dyfed*. Pendefig, cwmni'r gwneuthurydd ffilm dawnus, Paul Turner, oedd yn gyfrifol am y gyfres, ac Aled Evans yn cyfarwyddo, a Nic Ros a Brinley Jenkins oedd fy nghyd-actorion. Ar ôl y cyfnod dwys o ffilmio *Anest*, roedd hi'n braf chwarae rhan lai, a chael digon o amser i eistedd a smygu yn yr haul yn fy wig a fy ngwisg cyfnod. Wrth feddwl 'mod i wedi methu ffarwelio'n iawn â Nic Ros ar y diwrnod olaf, gyrrais i'r Hydd Gwyn yn fy wig hir frown a fy ngŵn nos Fictorianaidd i godi gwydraid yn y bar cyn troi am Gaerdydd, am bythefnos o hoe cyn ailgychwyn ar y prosiectau nesaf.

Tra ein bod ni'n byw yn Llandwrog, daeth hi'n arfer wrth i'r nosweithiau ymestyn i fynd am dro ar ôl gwaith, rhywbeth na fyddwn i byth yn meddwl am ei wneud gatre, er gwaetha cyfleustra parciau Pontcanna, a meddyliais y byddai'n rhywbeth llawer mwy naturiol a deniadol i wneud gyda chi. Daethon ni o hyd i Honey, hanner ci defaid a hanner adargi aur, yng nghartref cŵn Caerdydd, oedd yn dipyn o Houdini, a chanddo hanes o neidio dros waliau chwe troedfedd i gwrso beiciau modur ar y draffordd, ac fe ddysgon ni i beidio â gadael cymaint â chil y drws ar agor. Bu'n amser hir cyn iddi roi'r gorau i'w harferion gwyllt, gan ddiflannu dros nos weithiau tan iddi setlo'n iawn, ond roedd hi'n warchodwraig ac yn gwmnïaeth benigamp i ni am flynyddoedd lawer.

Serch 'ny, ychydig iawn o gyfleoedd ges i i fynd am dro yn y parc wrth i ail gyfres *Slac yn Dynn* a'r gyfres *Emlyn's Moon* (dilyniant i *The Snow Spider*) gydredeg o fis Mai tan fis Awst gan lenwi fy amser tan ddiwedd yr haf. Rhannais fy amser rhwng Glenys y ffarmwraig a Delyth y brotestwraig ar hyd rhan helaeth o'r cyfnod oedd yn golygu ymarfer yn Llundain ac yna gyrru i fferm Dillwyn Price, ar ochr y mynydd yn Rhaeadr, i goginio wrth Aga Glenys, am yn ail â gyrru i Benarth i beintio placardiau Ceri. Diolchais fod y ddwy yn fenywod hawddgar a chall.

Erbyn dechrau Awst ro'n i'n falch i ddod i stop ar ôl saith mis di-dor o waith, a chael bod yn fi eto, a cheisio cael gwared ar y bobl oedd wedi bod yn byw yn fy mhen ers misoedd, os oedd hynny'n bosib. Mae corff a meddwl actor yn profi emosiynau'r cymeriadau mae'n portreadu, ac mae'n anochel bod hynny yn cael dylanwad arnom ni ac ar ein bywydau bron yn ddiarwybod i ni. Yn ôl yr actor enwog Saesneg, Ralph Richardson, mae actor yn dal bob cymeriad mae wedi ei chwarae tu fewn iddo am byth, sy'n syniad eithaf brawychus. Er gwaetha'r mwynhad o gael y cyfle i 'orffwys' a phrosesu popeth sydd wedi digwydd, mae'r cyfnod ar ôl stopio gweithio yn un od iawn. Ar ôl misoedd o bobl eraill yn trefnu'ch amser, a'r ddisgyblaeth o orfod bod mewn lle arbennig ar amser arbennig yn ôl galwadau llym y *call-sheet*, mae yna deimlad o wacter ac o ddiffyg cyfeiriad ac ystyr, heb sôn am golli cymdeithas y rhai y buoch yn treulio cymaint o amser dwys yn eu cwmni.

Lleisiais hysbyseb ar gyfer siop enwog B J Jones yn Llanbed, lle bu Mam yn prynu ei dillad pan oedd hi'n athrawes ifanc yn Ffaldybrenin, aethon ni â Honey i'w heisteddfod gyntaf yng Nghwm Rhymni, 'steddfotgi' chwedl Lyn Ebenezer, aeth Mam nôl i'r fflat, aeth Steffan i Lundain at ei dad ac yna aeth Mam a fi a Steffan am wyliau i Dde Ffrainc.

Roedd hi'n dipyn o *odyssey* cyrraedd pentref glan môr Cavalaire-sur-mer ym Mhrovence wrth i mi benderfynu y byddai'n braf osgoi hedfan a mynd ar y trên. Roedd y daith yn cynnwys sawl tacsi, bws a thrên a llong, ac yn antur i'w chofio heb sôn am fod yn fodd i ymarfer fy Ffrangeg rhydlyd. Roedd y daith ar y trên dros nos o Dieppe i Toulon yn llawn rhamant ac roedd gweld Avignon wrth i'r haul godi, a'r tirwedd fel peintiad melyn golau a phinc yn hudolus. Roedd Mam wedi dwli ar Ffrainc erioed, ac yn arfer canu '*Frère Jacques*' ac '*Au Clair De La Lune*' i fi a 'mrawd pan ro'n i'n fach, ac ro'n i wedi dal yr haint, a daeth atgofion o lyfr Marcel Pagnol a astudiais ar gyfer fy lefel 'A', *La Gloire de Mon Père*, ac aroglau'r rhosmari a chân y cicadas yn neidio o'r tudalennau. Aethon ni i Monaco, cartref Grace Kelly, seren y ffilmiau wyliais i a Mam yn y Lyric yng Nghaerfyrddin, ac i San Tropez, a'i gysylltiad hudolus â Brigitte Bardot ac artistiaid di-ri, ac mae'r poster o'r arddangosfa *Fauves de Provence* yn y *Musée de l'Annonciade* yn San Tropez ar wal fy nghegin yn atgof parhaus o haul a chyfaredd y Riviera.

Ym mis Medi ailgychwynnodd yr ysgol, y capel, yr Urdd a chyfarfodydd bwrdd golygyddol y cylchgrawn *Radical Wales* ar nos Wener, ac ymunais â bwrdd Brith Gof a rhyfeddu at y cynhyrchiad ysblennydd o *Pax* yn Neuadd Dewi Sant, ac ar ôl bod yn ymweld â'r ganolfan waith am ddeufis i sino ar y dôl, ro'n i'n falch o gael ailgychwyn gweithio ar ddechrau Hydref.

Roedd *Mamiaith/Mothertongue* yn trafod yr hawl i lais, ac yn gyd-gynhyrchiad rhwng cwmnïau theatr Moving Being a Dalier Sylw. Roedd yn brosiect uchelgeisiol, cyffrous a blaengar ac ro'n i wrth fy modd yn cael bod yn rhan o'r *ensemble* o actorion unwaith eto yng nghartref Moving Being, hen eglwys St Stephen's yn y dociau. Llais a gwefus ar sgrin o'n i yn *Kaspar*, drama Peter Handke, gyda Tim Lyn yn chwarae'r brif ran. Ro'n i'n chwarae Suzana yn *Largo Desolato*, drama led-hunangofiannol Václav Havel, y dramodydd a'r gweithredydd gwleidyddol a garcharwyd droeon ac a ddaeth yn arlywydd Gwlad Tsiec, a Beti yn *The Myth of Michael Roderick*, addasiad Saesneg Ed Thomas o *Adar heb Adenydd*. Roedd *The Myth of Michael Roderick* fel ei rhagflaenydd Cymraeg yn trafod ein hargyfwng fel cenedl, ond roedd y fersiwn Saesneg yn wylltach ac yn fwy amrwd ac anarchaidd. Roedd Beti wedi cyfnewid ei ffrog briodas a'i mascara am wisg menyw o'r *outback* yn America gyda bandana am ei thalcen. Roedd hi hefyd yn coginio darn o bupur coch a drysorwyd gan ei mab dan gamargraff mai tafod ei fam oedd e, gan ddarlunio'r teitl *Mamiaith/Mothertongue* mewn modd syfrdanol o heriol ac abswrdaidd.

Ro'n i'n ymarfer yn y dydd a rhuthro adre i ddal lan gyda gwaith cartref a'r gweithgaredd amrywiol eraill: y sglefrio, y partïon Calan Gaeaf a Guto Ffowc, ac yn mynd yn ôl i berfformio gyda'r nos. Aethon ni ar daith fer i Aberteifi a chael *lock-in* yn nhafarn y Bell, ac i Fethesda ble canslwyd perfformiad olaf *The Myth of Michael Roderick* ar y nos Sadwrn wedi i un o'r cast, Ian Poulson Davies, fethu cyrraedd, ar ôl mynd ar goll wrth ddilyn aradr eira dros y Bannau. Mae canslo perfformiad wastad yn deimlad rhyfedd, ac aethon ni i'r dafarn ac yna i dŷ Tim Lyn yn Llanwnda i ddathlu ein rhyddid annisgwyl, ac anghofia i fyth wyneb Ian druan, pan gyrhaeddodd o'r diwedd, wrth iddo bipo'i ben rownd cornel y drws, ei wallt yn flêr, ei lygaid yn wyllt a golwg dyn newydd ddod o'r Arctig arno ar ôl brwydro trwy'r eira yn ddiddiben.

Roedd *Mamiaith/Mothertongue* yn waith pwysig, oedd yn cyfrannu'n uniongyrchol tuag at rôl hollbwysig theatr o fewn democratiaeth i gwestiynu a thrafod, ond fel pob rôl debyg roedd rhaid ei sybsideiddio gyda gwaith arall i gadw'r blaidd wrth y drws. Ar yr un pryd â'r gwaith theatr ro'n i'n trosleisio'r gyfres wyddonol *Canfod* i BBC Cymru a hefyd wedi cychwyn ar waith ffilmio cymeriad fyddai'n gwmni i mi am rai blynyddoedd.

Roedd *Noson yr Heliwr/A Mind to Kill* yn ffilm gan Lyn Ebenezer a Siôn Eirian ac a gynhyrchwyd gan gwmni Pete Edwards, Lluniau Lliw, ac a saethwyd yn Gymraeg ac yn Saesneg. Allai neb fod wedi rhagweld llwyddiant ysgubol y syniad ar y pryd, a dwi'n falch 'mod i wedi dilyn fy ngreddf a derbyn y gwaith, er gwaetha amheuon fy asiant, Bruna Zanelli, oedd am i fi ei wrthod am fod y ffi yn rhy isel. Rhan y patholegydd fforensig sy'n greiddiol i bob cyfres dditectif wrth drafod achos marwolaeth ac yn bwysicach na dim, ei amseriad, a gynigiwyd i fi, ond ro'n i'n ddryslyd braidd wrth ddarllen y sgript a gweld mai fy enw i oedd Leonard. Ffoniodd Pete i esbonio eu bod wedi penderfynu newid rhyw y cymeriad yn dilyn sylw Llinos Wyn Jones, yr oruchwylwraig sgript, bod angen menyw gref fel gwrthbwynt i'r ffaith fod cymaint o fenywod yn y ffilm yn cael eu cam-drin a'u lladd. Bedyddiwyd hi'n Margaret a chyrhaeddodd Aberystwyth mewn hofrenydd cyn gwisgo ei siwt wen i archwilio'r corff yn yr harbwr. Erbyn hyn mae yna gyfresi ditectif bwygilydd ar ein sgriniau, a chryn dipyn o gwyno dilys am fod cymaint ohonyn nhw'n dibynnu ar gyrff menywod diymadferth sydd wedi cael eu treisio, eu cam-drin a'u llofruddio, yn aml am resymau rhywiol. Mae trais yn erbyn menywod yn endemig yn ein cymdeithas, ac mae'r portreadau yma sy'n normaleiddio'r syniad o'r fenyw fel ysglyfaeth naturiol, a hynny fel rhan o raglen adloniant, yn codi cwestiynau cythryblus. Mae angen llawer mwy o fenywod fel Llinos yn rhan o'r prosesau ysgrifennu, cyfarwyddo a chynhyrchu.

Daeth cyfres ar ôl cyfres, a minnau'n cael fy hun ym mhob math o leoliadau difyr ac annisgwyl wrth gydweithio gyda Philip Madoc oedd yn chwarae'r brif ran, yr arolygydd Noel Bain, diolch i Llinos. Ro'n i wrth fy modd yn cael chwarae rhan menyw ddeallus, statws uchel, annibynnol eto, ac es ati'n frwdfrydig i ymchwilio, gan osgoi'r edrychiadau amheus yn y llyfrgell wrth fenthyg llyfrau fel *Forty Years of Murder*, a'r lluniau graffig o grogi a thrywanu a boddi. Treuliais amser gyda'r patholegydd, Dr Stephen Leadbetter, yn trafod, yn gofyn cwestiynau ac yn gwrando arno'n rhoi tystiolaeth yn y llys.

Bu Philip yn byw yn Llundain am flynyddoedd. Cymraeg ei fagwraeth ym Merthyr, y Wenhwyseg, oedd ganddo, ac er gwaetha ei brofiad fel ieithydd, yn siarad Rwsieg a Swedeg, yn ogystal â thipyn o Huan, Hindi a Mandarin, yn ôl ei ddudalen Wikipedia, roedd ei Gymraeg yn eithaf bregus i gychwyn. Roedd yn hoff iawn o holi, 'Wyt ti'n gwbod beth yw hyn a hyn yn Mandarin?' i guddio ei ddiffyg hyder yn y Gymraeg, ond fe wellodd wrth ymarfer, ac roedd yn frenin o'i gymharu â Hywel Bennett, seren cyfres ITV *Shelley*, oedd yn chwarae'r brif ran fel gwestai. Mab Lally, ffrind da i fy mam yn ysgol gynradd y Garnant oedd Hywel, wedi ei fagu yn Llundain, ac ar gyfer y fersiwn Gymraeg, darllenai lawer o'i eiriau oddi ar fwrdd du mawr. Cyflogwyd aml i actor tebyg iddo, yn uniaith Saesneg bron, oherwydd yr ysfa i godi proffil y tu allan i Gymru. Mynegi emosiwn ac ystyr trwy eiriau yw un o hanfodion crefft actor, ac yn anffodus, ddeugain mlynedd ar ôl sefydlu S4C, mae'r arfer o gyflogi actorion sy'n methu siarad Cymraeg yn parhau. Gwasanaethu fersiwn iaith Saesneg yw'r bwriad ac mae'n dibrisio'r gynulleidfa Gymraeg ac yn dilorni ein hiaith a'n diwylliant.

Lansiwyd *Anest* ar ddechrau Tachwedd tra 'mod i ar ganol yr holl waith yma a hynny mewn tipyn o steil. A'r sianel heb gyrraedd ei deg oed, roedd yna gyffro a hen ddisgwyl ymlaen am y gyfres neu'r ffilm nesaf, a pharhad y cyffro yn sicrhau parch a statws.

Ymddangosodd Anest, yn ei chot hir Jaeger a'i gwallt fflamgoch, ar dudalen flaen *Y Faner*, cylchgrawn *Pais* a *Sbec*, cylchgrawn S4C, gyda'r geiriau 'Cyfres am fam sy'n gyfreithwraig ac am gyfreithwraig sy'n fam.' Cafwyd ymateb cadarnhaol dros ben gydag un adolygydd yn disgrifio'r gyfres fel 'rhaglen soffistigedig Ewropeaidd sy'n gyfan gwbl Gymreig', ac roedd ail gyfres ar y gweill.

1991

Ail Gyfres *Anest*

CAMAIS I FYD arall ar ddechrau'r flwyddyn ar sawl ystyr. Menter greadigol ddiweddaraf Peter Edwards oedd *Dan Rhufain*, cyfres wedi ei lleoli yn y flwyddyn 205 AC, yn dychanu bywyd yng Nghymru dan oruchwyliaeth y Rhufeiniaid. Pan ddanfonodd Pete y sgriptiau gan Jeff Thomas, y Bowen yn *Bowen a'i Bartner*, i mi cyn y Nadolig, disgrifiodd *Dan Rhufain* fel comedi, ond teimlwn mai dim ond mewn ffordd lac y gellid defnyddio'r term hwnnw. Pendronais yn hir cyn derbyn; es i briodas Ed Thomas, tynnu'r trimins o'r goeden Nadolig, adeiladu bwrdd cyfrifiadur i Steffan a theithio i'r gogledd i chwilio am rywle i fyw ar gyfer ail gyfres *Anest*, tra 'mod i'n ceisio argyhoeddi fy hun y dylwn i dderbyn y gwaith. Yn y pen draw cytunais; wedi'r cyfan doedd dim sôn am waith tan i mi gychwyn ail gyfres *Anest* ym mis Ebrill, a chyn diwedd Ionawr ymunais â Dennis Birch, Catherine Tregenna, Ian Rowlands, Mair Rowlands a Rhys Ifans mewn hofel to gwellt yn stiwdio HTV ym Mhontcanna i chwarae rhan Mellt, matriarch Frythonaidd.

Roedd gan Mellt wallt cyrliog maint tas wair, lot fawr o golur, yn cynnwys llachau ffug, a sawl dant du, ac roedd hi a'i theulu o Frythoniaid yn treulio eu hamser yn torri gwynt ac yn cwyno am y Rhufeiniaid soffistigedig oedd yn gorwedd ar eu hyd, yn eu togas, yn bwyta grawnwin ac yfed gwin mewn *goblets*. Yn y pen draw cafodd Mair a Rhys eu sgrwbio a'u tacluso a mynd i fyw at y Rhufeinwr William Thomas. Efallai fod y gyfres yn anelu at fod yn gyfeiriad ffraeth a dychanol at ein sefyllfa fel Cymry ond dwi'n tybio bod hyd yn oed PeteEdwards yn sylweddoli nad oedd hi'n taro deuddeg wrth iddo awgrymu mai mwy a mwy o dorri gwynt oedd ei angen er mwyn gwella ansawdd y sgript. Yn y cyfamser trodd y cyfnodau rhwng y saethu yn llawer difyrrach na'r gwaith, wrth i fi ac Ian, fy mab yn y gyfres, dreulio mwy a mwy o amser gyda'n gilydd, ac roedd y ffaith ei fod e bymtheg mlynedd yn iau na fi ddim yma nac acw wrth i ni drafod a dadlau am bopeth dan haul, ac ymhen hir a hwyr fe ddaethon ni'n gariadon.

Pan ddaeth y newyddion bod Paul Turner am lansio cyfres *Dihirod Dyfed* yn y Lyric yng Nghaerfyrddin, ro'n i'n fwy cyffrous na phetae e wedi datgan ei fod am ei dangos yn Hollywood. Mae'n anodd disgrifio'r teimlad rhyfedd o eistedd yn yr *auditorium* a gweld fy hun yn ymddangos yn fy wig frown a fy nillad Fictorianaidd ar y sgrin ble wyliais i Grace Kelly yn *High Society* a Deborah Kerr, Yul Brynner a Mario Lanza gyda Mam, a ble treuliais bron i bob nos Sadwrn yn ystod fy arddegau cynnar yn cael fy ysbrydoli gan sêr fel Hayley Mills a Tippi Hedren. Roedd y sinema wastad yn orlawn a'r *usherettes* a'u fflachlampau yn chwilio yn ddidostur am ddrwgweithredwyr. Liz Evans, un o fy nghyd-ddawnswyr yng nghwmni opera Caerfyrddin pan o'n i yn yr ysgol, oedd yn gyfrifol am achub y Lyric rhag cael ei dymchwel yn 1993, ac mae'n destun tristwch i fi bod y ffilm *Save the Cinema* wedi castio cymaint o Saeson yn y prif rannau, gan ddod â'r term *Welshface* i fodolaeth wrth i ni ddod yn fwyfwy ymwybodol o'r ffordd mae'n diwylliant yn cael ei wyrdroi wrth gael ei berchnogi gan estroniaid. Blynyddoedd ar ôl dangosiad *Trychineb Llwyntywyll* perfformiais sawl tro mewn dramâu ar lwyfan y Lyric ei hun, ac roedd cael darganfod yr ystafelloedd cefn llwyfan yn brofiad hyd yn oed rhyfeddach; doedd y gofod yma ddim i fod i fodoli, doedd dim byd i fod tu ôl i'r sgrin hud, roedd e fel darganfod y Dewin Oz. Daeth ysbryd cyfarfod anhygoel Gwynfor Evans cyn iddo ennill sedd Caerfyrddin i'r cof hefyd, a minnau'n ferch ysgol yn llawn cyffro a'r sinema gyfan yn ferw o gyffro a gobaith.

Gwaddol y cyfnod hwnnw yn 1966 berodd i fi fod yn rhan o ymgyrch Plaid Cymru i wrthwynebu Treth y Pen, y dreth a gyflwynwyd gan Margaret Thatcher i ariannu llywodraeth leol, oedd yn anfanteisio'r llai breintiedig mewn cymdeithas ac yn creu anghyfartaledd sylweddol. Fe'i bedyddiwyd yn *Poll Tax* yn Saesneg gan gyfeirio at yr hyn oedd yn rhannol gyfrifol am y Peasants' Revolt yn 1381 yn y wlad honno, a bu gwrthryfela tebyg y tro hwn. Gwrthododd y Blaid Lafur gefnogi'r ymgyrch i beidio â thalu treth y pen, gyda Neil Kinnock yn dweud *'Lawmakers can't be law breakers'*. Ar wahân i'r ffaith ei fod e'n anodd i'w weinyddu a'i orfodi, roedd yn atal llawer rhag cofrestru ar y gofrestr etholiadol. Gwrthodais dalu'r dreth ac ymddangosais yn y llys er mwyn tynnu sylw at yr hyn oedd yn digwydd, gan gyfrannu fy llais at y brotest a arweiniodd at ei diddymu yn 1993.

Tair wythnos ar ôl gorffen y naw wythnos mewn hofel to gwellt yn *Dan Rhufain*, roedd hi'n amser diosg carpiau Mellt a gwisgo siwtiau smart a lliwio fy ngwallt yn goch; roedd *Anest* wedi bod yn llwyddiant ac ail gyfres wedi ei chomisiynu. Roedd hi'n amser ymgartrefu yn y gogledd eto, ond y tro hyn mewn carafán. A hithau'n dymor twristiaeth doedd unman arall yn ddigon agos i'r ysgol ar gael, ac felly bywyd ar lan y môr oedd hi am y pedwar mis nesaf. Daeth Mam gyda ni i gychwyn, a Honey'r ci, ac weithiau fe fyddai hi'n aros yng Nghaerdydd wrth i ni fynd yn ôl bob penwythnos er mwyn creu mwy o *hassle* a byddai lan yn dod yn ei lle. Doedd harddwch syfrdanol yr A470 ar y teithiau nôl ac ymlaen byth yn siomi, er bod fy hen Volkswagen Scirocco'n torri lawr yn amlach ac amlach a Honey'n deithiwr gwael. Prynais Seat Ibiza coch a System Porsche ar ei ochr, a thawelyddion i'r ci.

Roedd teimlad ychydig yn wahanol i'r ail gyfres. Ceisiwyd gwthio cymeriad Anest ymhellach y tro yma, yn enwedig wrth i Tim Lyn gyfarwyddo'r mwyafrif o'r penodau. Roedd dillad Anest yn hafaidd a lliwgar, roedd hi'n jogio, yn nofio ac yn cerdded y mynyddoedd gyda'i chariad, y bargyfreithiwr, Emyr Wyn, ac roedd llinyn storïol am un llofruddiaeth yn cyd-redeg â stori bersonol Anest trwy'r cyfan. Cafodd y gyfres ymateb gwych unwaith eto gydag un adolygydd yn cyfeirio at yr 'ysgrifennu cadarn sy'n sail i bob llwyddiant ar y teledu', ac yn canmol sgriptiau ardderchog Gwenno Hywyn a Meinir Pierce Jones. Tristwch o'r mwyaf oedd colli Gwenno i ganser mor ifanc yn niwedd Mai yng nghanol y cyfnod ffilmio.

Wrth edrych yn ôl mae'r cyfnod yn un gymysgfa o baratoi a dysgu llinellau, mwynhau bob munud o'r dyddiau hir yn y gwaith, o'r gadair golur i'r *wrap*, ac o'r siwrneiau 'nôl a mlân i Gaerdydd yng nghanol gwyrddni syfrdanol yr A470. Ac er difyrred yr amser hamdden, o'r nofio yn y pwll nofio, y caru ar y traeth, i yfed diodydd syfrdanol o lachar a lliwgar yng nghlwb y maes carafanau, fel ym mywyd Anest ei hun, roedd cadw'r ddysgl yn wastad rhwng y gwahanol alwadau a'r roliau roedd yn rhaid i fi eu chwarae yn dipyn o her.

Gorffennodd ffilmio *Anest* ar y cyntaf o Awst ac o fewn deng niwrnod, ro'n i yng nghanolfan yr Urdd yn Heol Conwy yn ymarfer *The Chestnut Soldier*, yr olaf o drioleg *The Snow Spider*. Roedd fy ngwallt yn frown eto wrth i fi ailafael â Glenys, y wraig ffarm annwyl a didwyll, a dal i fyny gydag Osian bach, Siân Phillips, Bob Blythe a Pennant Roberts. Ffarweliais â Glenys a ffarm Dillwyn yn Rhaeadr a'r criw am y tro olaf ar ddiwedd Medi, a'r diwrnod wedyn cychwynnais weithio ar bennod o *Casualty*.

Shell-suit wyrddlas sgleiniog a gwallt coch, unwaith eto, oedd gwisg Jean, oedd yn cael affêr gyda gŵr ei ffrind gorau, a'r ddau gwpl ar eu ffordd nôl o'u gwyliau yng Ngwlad Groeg, mewn pennod ddramatig am ddamwain awyren ym Maes Awyr Holby. Ffilmion ni tu fewn i'r awyren yn amgueddfa wyddonol Swindon, a'r ddamwain tu fas dros sawl noson ym Maes Awyr Bryste, a llithro i lawr y *chute* diogelwch droeon fel plant bach, cyn gorffen yn stiwdio'r BBC ym Mryste. Chwaraewyd cariad Jean gan yr actor Davyd Harries, y deintydd o'n i'n feistres iddo yn *That Uncertain Feeling* yn 1995, ac roedd yn gyfle hyfryd i hel atgofion am y nosweithiau hir ar y traeth yn Plymouth.

Roedd llif y gwaith yn ystod y blynyddoedd hyn yn gwbl syfrdanol wrth edrych yn ôl, ac ro'n i'n lwcus tu hwnt i gael gymaint o amrywiaeth. Prin oedd amser i fi gael fy ngwynt ataf, a sawl cynhyrchiad yn digwydd ar yr un pryd, ond ro'n i'n sylweddoli bod fiw i fi wrthod unrhyw gynnig, am y gallai'r wledd droi'n newyn ar amrantiad.

Ro'n i ac Ian yn bartneriaid erbyn hyn, a thra 'mod i'n ffilmio *Casualty* cychwynnais ymarfer ei sioe lwyfan, *The Adventures of Rhys and Hywel* am anturiaethau dau ffrind, un o'r gogledd ac un o'r de, a chwaraewyd gan Ian a'i ffrind, Dafydd Roberts o Fae Colwyn, ac roedd Ruth Jones, sy'n enwog fel Nessa yn *Gavin and Stacey* a *Stella* hefyd yn rhan o'r cast.

Perfformion ni yn Abertawe, yn nhafarn y Four Bars oedd yn cynnal nosweithiau theatr lan lofft bob nos Sul, a hefyd yng Nghorc yn Iwerddon, a dros y blynyddoedd nesaf sefydlodd Ian gysylltiad artistig cryf a llwyddiannus rhwng ei gwmni, Theatr y Byd, a'r wlad honno.

Tua diwedd y flwyddyn, darlledwyd ail gyfres *Anest* a chafodd ymateb cystal â'r gyntaf. Yng nghanol bwrlwm y ffilmio mae'n anodd dychmygu sut bydd y cynhyrchiad yn dod at ei gilydd, a gwerthfawrogi'r gwaith yn ei grynswth, er 'mod i'n ymddangos yn y mwyafrif o'r golygfeydd yn yr achos yma. Mae'n amhosib bod yn wrthrychol wrth wylio am y tro cyntaf, wrth i atgofion o'r diwrnodau ffilmio a'r pethau ddigwyddodd tu allan i'r gwaith dorri ar draws y canolbwyntio, ond erbyn yr eildro mae'n haws, er ei bod hi'n gallu arwain at yr arfer ofer o ddadansoddi a dychmygu dewisiadau amgen. Weithiau mae'n braf cael dangosiad preifat i'r cast a'r criw, nid yn unig er mwyn dathlu'r cyfnod gwaith, ond i gael cyfle i baratoi cyn i'r rhaglen gael ei darlledu i'r byd a'r betws.

Do'n i ddim yn gyfan gwbl segur dros fisoedd ola'r flwyddyn; daeth ychydig o waith radio a chafodd Steffan gyfle i ymddangos yn un o'r dramâu hynny hefyd. Roedd hi hefyd yn braf pan ddaeth prawf clir bod ei addysg heb ddioddef oherwydd trefniadau anarferol y ddwy flynedd ddiwethaf wrth iddo gael adroddiad gwych ar ddiwedd ei dymor cyntaf yn Ysgol Gyfun Glantaf. Roedd modd i fi ymlacio a mwynhau 'bywyd bob dydd' ac anghofio am waith, a gwylio fideos o siop fideo Chaplins ar gornel stryd Pontcanna, lle bu Steffan, oedd ag obsesiwn am ffilmiau erbyn hyn, wrth ei fodd yn helpu'r rheolwr, dyn â'r enw rhyfedd Tree.

Cyn diwedd y flwyddyn collwyd yr olaf o'r un deg wyth plentyn a fagwyd ym Mryncethin Bach yn Garnant i John a Rachel Evans, rhieni fy mam-gu. Roedd Anti Hetty, sef Esther Thomas, chwaer Mam-gu, yn fenyw addfwyn, ddeallus oedd yn mynychu capel pentecostal Penygroes ac yn pregethu ar sgwâr Gwauncaegurwen, ac fel y soniais yn fy sioe *Ede Hud*, oedd bob amser yn gosod lle i Iesu Grist wrth y bwrdd bwyd. Es i â Mam i'r gwasanaeth yng nghapel Carmel yng Ngwauncaegurwen, ac yna at lan y bedd ym mynwent Hen Garmel. Wrth ganu 'O Fryniau Caersalem' meddyliais ei bod hi'n ddiwedd cyfnod arall, a'r llinynnau oedd yn fy nghlymu i Gwmaman yn llacio fwyfwy. Mae hanesion y teulu yn dal i fod yn fyw i fi, wrth gwrs, a chaledi'r gweithiau glo, y tlodi a'r frwydr i'w oresgyn, pwysigrwydd y capel ac addysg, yn dal yn rhannau creiddiol o fy ymwybyddiaeth o pwy ydw i hyd y dydd heddiw.

1992

Pris y Farchnad

MAE ROSE COTTAGE yn *Under Milk Wood* gan Dylan Thomas oedd y rhan gyntaf erioed i fi ei chwarae o flaen cynulleidfa oedd yn talu, a fi oedd y gyntaf i chwarae'r rhan yn Gymraeg, yn *Dan y Wenallt*, addasiad T James Jones, mewn perfformiad amatur yn Nhalacharn yn 1967 a minnau'n groten ysgol un deg saith oed. Roedd yn bleser mawr felly cael ailymweld â Mae, oedd yn 'ffast' ac am 'bechu 'sboi'n bosto' a minnau'n bedwar deg dwy, ar ddechrau'r flwyddyn, yn stiwdio'r BBC yn Abertawe dan gyfarwyddyd Lyn T Jones. Fersiwn cartŵn o'r ddrama oedd hon, wedi ei chomisiynu gan S4C, a ges i hefyd chwarae Nansi Prydderch a dweud y geiriau a glywais am y tro cyntaf o enau Wendy Ellis, mam Steffan Rhodri a Siwan Ellis, yn y *marquee* mawr hwnnw yn Nhalacharn, a rhyfeddu at y tinc hiraethus yn ei llais. Ac yna, ar ddiwedd Chwefror, mentrais i fyd cwbl ddieithr.

Gofynnwyd i fi greu rhaglen hanner awr am Theatr mewn Addysg yng Nghymru, gan Margaret Bird, cynhyrchydd yn adran Radio Ysgolion y BBC, fyddai'n golygu teithio o gwmpas Cymru i gyfweld ag aelodau'r cwmnïau, ac yna creu sgript a'i lleisio. Roedd e'n brofiad difyr iawn, er yn rhwystredig oherwydd cyfyngiadau hyd y rhaglen, a sylweddolais gymaint o bŵer oedd gan rywun i gambortreadu cyfranwyr, ac mor bwysig oedd hi i roi unrhyw rhagfarn bersonol o'r neilltu. Mae'n siŵr fod y rhaglen ar gael yn rhywle, yng nghrombil archif y BBC, a byddai'n ddiddorol cymharu'r sefyllfa â'r hyn sy'n digwydd heddiw, yn sgil penderfyniad Cyngor y Celfyddydau i ddiddymu y rhan fwyaf o'r cwmnïau yn 1999. Ddaeth dim gwaith am dipyn wedyn, ac erbyn mis Mawrth ro'n i wedi dechrau meddwl, fel sy'n digwydd bob tro, bod fy ngyrfa ar ben ac na fyddwn i byth yn gweithio eto. Ond yna daeth galwad ffôn annisgwyl, yn cynnig rhan arbennig i fi, a diflannodd yr anobaith llwyr mor sydyn â niwl y bore.

Roedd Lowri Aston-Davies yn fenyw gyfrwys, gwbl hunanol ac annibynnol oedd yn mwynhau grym a chyfoeth, ac roedd yn aelod o'r teulu pwerus o arwerthwyr oedd yn ganolog i *Pris y Farchnad*, cyfres wyth pennod a gynhyrchwyd gan gwmni David Lyn, Penadur. Awdur y gyfres oedd Wil Roberts, ac yn ôl pennawd yn y *Western Mail* roedd yn *'multi million pound TV series'*. Y bwriad uchelgeisiol oedd archwilio dylanwad teulu fel hwn ar y gymuned wledig, a David Lyn ei hun, actor dawnus a charismataidd, oedd yn chwarae rhan y penteulu, John Aston-Davies, Tori a oedd yn ffan mawr o Thatcher. Merch o ail briodas John Aston-Davies oedd Lowri, a addysgwyd yn Cheltenham Ladies College ac oedd wedi dychwelyd o Awstralia i redeg busnes antîcs y cwmni. Byddai'r prosiect difyr yma yn sicrhau gwaith i fi tan ddiwedd Awst ar ôl i'w phriodas gyda chneifiwr ddod i ben.

Lleolwyd y gyfres yng Nghaerfyrddin, ac roedd tipyn o'r ffilmio'n digwydd yn y dre a'r cyffiniau. Roedd Ian yn daer am symud yno, a meddyliais eto am symud o Gaerdydd, wrth i hen hiraeth godi am brifddinas anturiaethau fy arddegau; siop sglodion Morgans, y Lyric, y Capitol a'r ffair yn y mart. Ond pasiodd yr ysfa i symud i rywle arall heb ddigon o *hassle*. Do'n i ddim am golli popeth oedd bywyd

Caerdydd yn cynnig imi, ac roedd Steffan yn hapus iawn yn Ysgol Glantaf.

Bu tair cyfres o *Pris y Farchnad* i gyd, ac enillodd lu o enwebiadau BAFTA Cymru.

Enillodd Eluned Jones dlws yr actores orau yn 1993, a gwahoddodd David Lyn y cast cyfan i'r seremoni. Wrth edrych nôl ar y flwyddyn honno, mae'n amhosib peidio â gwerthfawrogi egni ac uchelgais syfrdanol y diwydiant ffilm a theledu yng Nghymru ar y pryd. Roedd gwobrwyon BAFTA Cymru 1993 yn cynnwys dau gategori i'r ddrama unigol orau, un yn y Gymraeg ac un yn Saesneg, a phob un yn gynhyrchiad gwreiddiol cynhenid Cymreig, yn hytrach nag wedi ei fewnforio gan gwmnïau o'r tu allan. Ro'n i ar reithgor y ffilm Gymraeg. Y ffilmiau a enwebwyd oedd *Hedd Wyn* a *Cwm Hyfryd* gan Paul Turner, *Cylch Gwaed* gan Ffilmiau'r Nant ac *Elenya*, cyd-gynhyrchiad rhwng cwmni Llifon a chwmni o'r Almaen. Comisiynwyd y pedair ffilm gan S4C, ac roedd yna deimlad ein bod ni ar drothwy diwydiant ffilm Cymraeg fyddai'n cystadlu â gwledydd bychain eraill. Aeth *Hedd Wyn* yn ei blaen i gael ei henwebu am Oscar. Roedd dau gategori ar gyfer rhaglenni plant hefyd, ffeithiol a ffuglen. *Anturiaethau Jini Mê* gan Angela Roberts a Dyfan Roberts a enillodd y categori ffuglen, a chafodd Steffan, oedd yn ffan mawr o'r ferch ifanc heriol oedd yn torri trwy'r tresi, y fraint o fod ar y rheithgor. Dangoswyd mentergarwch a dychymyg yn nyddiau cynnar S4C gan y cwmnïau di-ri a sefydlwyd gan ystod o unigolion dawnus a rhoddwyd cyfleon amheuthun i awduron, actorion a thechnegwyr galluog ac ymroddedig. Am ryw reswm ni lwyddwyd i adeiladu ar ffyniant y dyddiau hynny, ac mae'r newidiadau radical ym maes darlledu yn ddiweddar wedi gosod heriau anferth i ni fel gwlad fach ddwyieithog. Yn fy nhyb i, yr unig ffordd y gallwn obeithio amddiffyn ein hunaniaeth yw trwy ddatganoli darlledu.

Yn ystod Ebrill a Mai roedd Ian ar daith trwy Gymru, Lloegr, Iwerddon a Llydaw, gyda'i ddrama ddiweddaraf, *The Sin Eaters*, ac yn ystod gwyliau'r Pasg, a minnau ag amser rhydd yng nghanol ffilmio *Pris y Farchnad*, es i a Steffan am dro i Baris i brofi holl ryfeddodau'r ddinas. Yfon ni siocled poeth yn Café Angélique, mynd am drip ar y Bateaux-Mouches ar y Seine, ymweld â'r amgueddfa wyddoniaeth yn Parc de la Villette, bwyta mewn tai bwyta arbennig a thrafod pêl-droed drwy'r wythnos – un o ddiddordebau ysol Steffan sy'n parhau!Yng nghanol cyfnod ffilmio *Pris y Farchnad* ges i gyfle hefyd i fod yn rhan o *Canu o Brofiad*, prosiect cyntaf Magdalena, y rhwydwaith theatr ryngwladol ar gyfer menywod, yn y Gymraeg. Ro'n i wedi bod yn gefnogwraig frwd i'r fenter ers ei chychwyn yng Nghaerdydd yn 1986, ond er gwaetha'r elfen 'ryngwladol' yn y teitl, doedd Magdalena ddim yn adnabyddus am gysylltu â Chymru, na'i hiaith na'i diwylliant, y tu hwnt i'w perthynas â Lis Hughes Jones, un o'r sylfaenwyr. Byddai'r prosiect yn golygu ymarfer yn Aberystwyth am dair wythnos cyn cyflwyno perfformiad yn yr Eisteddfod Genedlaethol yn y dref, a chytunodd David Lyn i fy rhyddhau. Fel actor ei hun roedd yn gwybod mor bwysig oedd derbyn pob cyfle i ymestyn profiad a chrefft, ac roedd hwn yn sicr am fod yn gyfle i arbrofi gyda dulliau gwahanol o greu perfformiad. Roedd hefyd yn gyfle i dreulio amser gyda fy mrawd a'i deulu ym Mhenrhyn-coch. Teithiais adre ar y penwythnosau, ac i ffilmio ambell i olygfa yn *Pris y Farchnad*, a phan ddaeth tymor yr ysgol i ben daeth Mam a Steffan i aros hefyd.

Roedd y naw ohonom oedd am berfformio yn *Canu o Brofiad* o gefndiroedd gwahanol iawn. Roedd rhai o fyd theatr mewn addysg, eraill o theatr arbrofol a dawns, un yn chwedleua a minnau o fyd teledu yn bennaf erbyn hyn. Lis Hughes Jones oedd yn arwain, ynghyd â Theresa Valli o Peru a Lana Skale o Ganada oedd yn golygu bod llawer iawn o'r gwaith yn digwydd trwy gyfrwng y Saesneg. Y bwriad oedd defnyddio ein profiadau fel menywod i greu gwaith gwreiddiol oedd yn tarddu o'n profiadau personol, a dod o hyd i ffyrdd o'u mynegi trwy ddefnyddio'r corff. Dianc oddi wrth yr hunan oedd fy mhroses arferol i wrth geisio dehongli a chreu cymeriad wedi ei ysgrifennu gan rywun arall, ac yn ddiarwybod i fi, agorodd y cyfnod ddrysau newydd creadigol.

Roedd yn gyfnod cyffrous a heriol ond gan fod y berthynas rhwng yr iaith, y cof a'r corff mor bwysig yn fy nhyb i, fe fyddai wedi bod o fudd petai hi wedi bod yn bosib gweithio yn gyfan gwbl trwy gyfrwng y Gymraeg wrth archwilio ystyr a gwreiddiau emosiynau. Wrth i ni drafod y straeon oedd yn bwysig i ni, y rhai oedd wedi effeithio arnon ni'n emosiynol, roedd y cwestiwn, 'Beth ydw i eisiau?' yn un blaengar, ac fe ddaeth hi'n glir ein bod ni, fel menywod, yn ei chael hi'n anodd i ddiffinio hynny, heb sôn am ei fynegi. Mae merched wedi eu haddysgu o oedran ifanc i gydymffurfio â'r hyn mae cymdeithas yn pennu sy'n addas, yn hytrach na dilyn eu greddf, ac mae 'bod yn agos i'ch lle' hefyd yn deillio o'n sefyllfa fel gwlad a gafodd ei choloneiddio. Roedd hi'n broses anodd i sawl aelod o'r grŵp ar brydiau wrth i deimladau oedd wedi eu hen gladdu ddod i'r amlwg am y tro cyntaf ers blynyddoedd, ac o bryd i'w gilydd roedd y dagrau'n llifo.

Ar ddiwedd y tair wythnos, ro'n i braidd yn bryderus am y perfformiad, ac yn teimlo mai dim ond cyfres o olygfeydd byrion oedd 'da ni i'w dangos a'r rheiny heb gael cyfle i'w datblygu'n llawn. Roedd y cyfnod paratoi wedi bod mor fyr, yn enwedig o ystyried heriau datblygu ffordd o weithio oedd yn ddieithr i ni. Oedd hi'n deg gofyn i bobl dalu i weld perfformiad oedd ar hanner ei bobi? Serch hynny, cyflwynwyd perfformiad ar ddydd Sadwrn cyntaf yr Eisteddfod, fe brynwyd y tocynnau ac fe gafon ni gynulleidfa. Yn ddiddorol iawn, ymatebodd un adolygydd trwy ddweud ei bod yn anghyfforddus iawn ar y dechrau, fel petai hi'n amharu ar griw o ferched oedd yn rhannu eu profiadau dyfnaf mewn grŵp therapi, ond yna ei bod hi wedi mwynhau wrth wrando ar y straeon. Y bwriad oedd arbrofi er mwyn creu cynhyrchiad llawnach a mwy ymestynnol, ond er i rai ohonon ni gyfarfod yn ysbeidiol wedyn, ddaeth dim datblygiad pellach.

Er gwaetha, neu efallai oherwydd y teimlad o anfodlonrwydd ac ansicrwydd a deimlwn ar y pryd ynglŷn â'r perfformiad, cafodd y cyfnod ddylanwad mawr arna i o ran fy nghyfeiriad fel perfformwraig. Ymhen hir a hwyr ysgogodd y profiad ysfa i fwrw ati i ysgrifennu gwaith fy hun, wedi ei wreiddio yn fy mhrofiadau personol i, ac mae'n drawiadol cymaint o'r delweddau o gyfnod *Canu o Brofiad* a oroesodd yn fy ngwaith. Roedd byw gyda sgwennwr hefyd yn ysgogiad. Er i Ian hyfforddi fel actor, erbyn hyn roedd e'n canolbwyntio ar ysgrifennu, ac ymdrechodd i ddangos ei waith drwy ffurfio Theatr y Byd. Mae bod yn actor, waeth pa mor ddawnus, yn golygu bod o dan reolaeth eraill. Rhaid mynd i gyfweliadau, chwilio a gofyn am waith, ac yn anorfod, cael ein gwrthod dro ar ôl tro a gall hynny fod yn anodd. Mae yna deimlad braf o ryddid i'w gael wrth greu cymeriad, dysgu llinellau a gweithio gyda chwmni am gyfnod byr, cyn ffarwelio a symud ymlaen at y nesaf, ond does gan actor ddim rheolaeth artistig na phersonol, a dechreuais feddwl am ysgrifennu, cynhyrchu a pherfformio fy ngwaith fy hun.

Roedd gwaith yr hanesydd arlunio Peter Lord yn arwain

at dipyn o sylw a chyffro ym myd celf cyfredol y cyfnod, ac ro'n ni'n ymwelwyr cyson ag Oriel Martin Tinney oedd newydd agor ar lawr uchaf marchnad hen bethau Jacob's Market. Mae waliau fy nhŷ yn cynnwys yr anrheg cyntaf ges i gan Ian, *The Feast*, darn lliwgar ar bren o wynebau menywod yn gwledda, a gwaith Iwan Bala, artist sy'n sylwebydd gwleidyddol; dau brint – *Y Draethell Unig* ac *Y Ffyliaid yn Dod Mewn i Ddociau Caerdydd*, a'r peintiad *Cwch y Cymro Olaf* a'i neges frawychus am ein tranc fel cenedl. Ro'n ni hefyd yn ymweld â sioeau graddedigion y Coleg Celf ac o'r fan honno daeth gwaith gan Eira Moore, gwraig a mam yr arlunwyr o fri, Leslie Moore a Sally Moore, aeth i'r coleg ar ôl ymddeol o'i gyrfa fel coreograffydd a darlithydd. Mae'n llun o fenyw noeth ar ddrws, a darnau o wydr o'i hamgylch, fel petai'n dod drwyddo, a phili pala bach yn arwydd o obaith.

Daeth cyfres gyntaf *Pris y Farchnad* i ben yn niwedd Awst ac ar Fedi'r cyntaf dechreuodd ymarferion *Dawns Angau* gan Strindberg i gwmni Theatr Had, a Nic Ros yn cyfarwyddo. Mae'r ddrama'n olrhain hanes gŵr a gwraig sy'n casáu ei gilydd, Edgar, Capten wedi ymddeol, a'i wraig Alys, cyn-actores, sy'n byw ar ynys y tu hwnt i gysylltiad â chymdeithas. Daw cefnder Alys, Kurt, i ymweld ac mae perthynas y ddau'n troi'n rhywiol wrth iddyn nhw gynllwynio i ddinistrio Edgar. Wel, dyna ffordd syml o ddisgrifio'r plot. Dwedodd Emyr Edwards, yn ei adolygiad yn *Golwg*, bod 'strwythur y sgript yn ymbalfalu rhwng Mynegianaeth, Naturiolaeth a Melodrama' a bod Strindberg ar drothwy ei gyfnod 'Swrealaidd' a'i bod yn 'dasg helbulus i gyfarwyddydd'. Wnaeth e ddim mwynhau'r perfformiad. Roedd Nic Ros wedi treulio cyfnod gyda chwmni'r ymarferydd theatr Grotowski yng Ngwlad Pwyl, ac wedi actio gyda chwmnïau Brith Gof, Cyfri Tri a Volcano, ac felly yn dod o draddodiad corfforol gwrth-naturiolaidd. Byddai yn ein herio, weithiau, wrth ddod o hyd i leoedd annisgwyl i ymarfer, fel coridor cul tywyll ym mherfeddion Chapter, ac un tro drwy ein clymu wrth ein gilydd â rhaffau.

Ro'n ni wedi bod yn ymarfer yn gaeth yn ein rhaffau y bore ro'n i am orffen yn gynnar, er mwyn gyrru i Lundain ar gyfer seremoni wobrwyo Urdd y Sgwenwyr, am fod Ian wedi cael ei enwebu ar gyfer ei ddrama *The Sin Eaters*. Ro'n ni wedi prynu'r tocynnau drudfawr ac yn edrych ymlaen yn eiddgar at yr achlysur, ond pan gyrhaeddais adre dwedodd Ian ei fod wedi penderfynu peidio â mynychu'r seremoni. Yn benderfynol o beidio â cholli allan ar noson ddifyr neidiais i'r car a gyrru i'r Dorchester. Ro'n i'n eistedd wrth ochr y ddramodwraig ddifyr, Timberlake Wertenbaker, a enillodd y wobr am ddrama orau'r West End, oedd wrthi'n esbonio ei bod hi wedi cael ei henwi ar ôl ardal bicnic pan, tua awr yn ddiweddarach, cyrhaeddodd Ian. Weithiau roedd ein perthynas fel drama a sgwennwyd gan Strindberg.

Cafodd *Pris y Farchnad* dderbyniad gwych pan ddarlledwyd y gyfres ar ddechrau mis Tachwedd, gydag un adolygydd yn dweud bod ganddi 'ei bys ar byls y byd amaethyddol' a'i bod 'yn gwneud i *Noson Lawen* edrych fel *The Good Old Days*', ac un arall yn sôn bod yr *intrigue* rhywiol a throseddol yn plesio. Daeth cadarnhad o'i phoblogrwydd wrth i'r *Cymro* holi pobl cefn gwlad go iawn, a chafwyd atebion ffafriol. Eto roedd y gyfres yn cynhyrfu pobol, ambell olygfa yn creu tipyn o sioc, a chodwyd y cwestiwn, 'a oedd y pethe 'ma'n digwydd yng nghefn gwlad Cymru?' Cafwyd *'thumbs up'* i'r ferch oedd yn gwerthu antîcs.

Roedd deufis ola'r flwyddyn yn gymharol dawel ar wahân i waith radio ac wythnos ar *Glanhafren*, cyfres feddygol a gynhyrchwyd gan HTV ac a ffilmiwyd yn y Barri. Yn fy nyddiadur mae'n dweud 'mod i wedi cael fy 'hôso lawr dair gwaith' ar y diwrnod olaf. Oherwydd y cymeriad, gobeithio, ac nid am fy mod i wedi camymddwyn ar y set! Dwi ddim yn cofio'r hôso o gwbl, na pha ran ro'n i'n ei chwarae na beth oedd y stori. Mae rhai perfformiadau'n diflannu i ebargofiant bron yn syth ar ôl tynnu'r colur a'r gwisgoedd.

Aeth cyfarfodydd difyr *Radical Wales* yn eu blaen, ac ar wahân i'r gwersi sacsoffon, Côr ieuenctid De Morgannwg, ac Aikido, roedd y capel ar ddydd Sul, a'r gweithgareddau ynghlwm ag e yn creu canolbwynt cymdeithasol a diwylliannol pwysig wrth fagu plentyn yng nghanol dinas Saesneg ei hiaith. Er fy mod i'n anffyddwraig, mae wedi bod yn bwysig i fi gyflwyno fy mhlant i gymdeithas y capel; y math o gymdeithas oedd yn gyfarwydd i lawer ohonom ni ymfudwyr i Gaerdydd oherwydd ein cefndir yn nhrefi a phentrefi bach cefn gwlad. Roedd y tripiau Ysgol Sul, nosweithiau Guto Ffowc a'r parti Nadolig ac ymweliad Siôn Corn yn hwyl, ond hefyd roedd y perfformio a'r canu, a'r straeon Beiblaidd mae gymaint o'n llenyddiaeth yn frith o gyfeiriadau atyn nhw, yn eu cyfoethogi. Ar ben hynny ro'n i am iddyn nhw gael y profiad o ddeall beth oedd crefydd, sef y cysyniad o greu strwythur i esbonio bywyd, hynny yw, rhyw fath o athroniaeth oedd yn gwneud sens o'r byd i'r rhai oedd yn credu ynddo. Gallwch anghytuno ag e, ond mae'n bwysig eich bod yn gwybod bod y fath gysyniad yn bodoli.

1993

Gadael Lenin

IDDEWES O DRAS Rwsiaidd oedd Catherine Nichols, fy hen fam-gu o Firmingham, yn ôl y sôn, a phetawn i'n gwybod ymhle yn Rwsia oedd fy nghyndeidiau'n byw fe fyddwn i wedi mynd i chwilio amdanyn nhw pan es i yno i weithio ar y ffilm *Gadael Lenin*. Ond ym mis Ionawr, wrth aros i'r hoe ddi-waith arferol ar ddechrau'r flwyddyn ddod i ben, do'n i ddim hyd yn oed yn gwybod bod y ffilm yn bodoli, heb sôn am y ffaith y byddwn i yn rhan o'r cast a'r criw lwcus fyddai'n teithio i St Petersburg ym mis Mai.

Daeth Made in Wales i fy achub unwaith eto ac ym mis Chwefror camais i'r stafell ymarfer i weithio ar *Wanting* gan Jane Buckler, drama a osodwyd 'rhywle rhwng y nefoedd a Woolworths', yn ôl y dramodydd, sef mewn ffatri dân gwyllt ar gyrion Casnewydd. Dyma oedd y ddrama gyntaf gan fenyw i gael cynhyrchiad llawn gan Made in Wales ers i'r cwmni gael ei sefydlu un ar ddeg mlynedd ynghynt, ac felly roedd yn destun dathlu. Fy nghyd-actorion oedd yn profi 'eisiau' y teitl – y teimlad annelwig o hiraeth a gwacter sy'n anodd i'w ddiffinio – oedd William Thomas, Linda Quinn a Jan Pearson, ac mae Jan yn gyfarwydd iawn i wylwyr y gyfres awr ginio, *Doctors*, erbyn hyn. Yn ystod yr ymarferion gwnaeth Gilly Adams, cyfarwyddydd artistig Made in Wales, ddefnydd helaeth o'r *beanbags* er mwyn miniogi'r corff a'r meddwl, a daeth y dawnsiwr a'r actor,

Frank Rozelaar-Green atom ni, yn ogystal â'r cerddor Lynne Plowman i greu ymarferion corfforol a rhythmig. Roedd Lynne hefyd yn chwarae'r sacsoffon yn ystod y sioe, wedi ei gwisgo fel angel mewn wig oren. Er ein bod ni'n poeni fel cast nad oedd digon o amser i weithio ar y sgript, daeth popeth at ei gilydd yn y pen draw, ac ro'n ni, yn sicr, yn gast arbennig o ffit a rhythmig.

Pytiog iawn oedd y gwaith ar ôl hynny ac yn ystod y cyfnod yma dechreuais adolygu'r papurau ar gyfer rhaglen foreol Radio Cymru bob hyn a hyn, oedd yn golygu codi am chwech, gyrru i'r BBC, casglu'r holl bapurau newydd, chwilio am rywbeth diddorol i'w ddweud ar ôl saith, wedi ei grynhoi i lai na deg munud, a gwneud yr un peth eto ar ôl wyth. Do'n i ddim yn anelu at gytbwysedd newyddiadurol, gan ymwrthod yn llwyr â phapurau topiau coch fel y *Sun*, y *Star* a'r *News of the World*, a cheisio blaenoriaethu trafodaeth am sefyllfa Cymru, oedd yn dipyn o dasg. Roedd y papurau trymion yn anwybyddu Cymru gan amlaf, fel sydd dal yn wir heddiw, a digon tila ac arwynebol oedd ymdriniaeth y *Western Mail* a'r *Daily Post* hefyd, yn coleddu agweddau Eingl-sentrig wrth drafod materion Cymreig, er bod y *Western Mail* yn arddel yr enw 'Papur Cenedlaethol Cymru'. Roedd hi'n sefyllfa rwystredig ond roedd wastad digon i'w ddweud wrth dynnu sylw at ddiffyg polisïau perthnasol i Gymru, a cheisio fframio'r drafodaeth o fewn paramedrau Cymru.

Gellid dadlau nad yw'r sefyllfa wedi gwella rhyw lawer, wrth i mi wynebu'r dasg o wneud yr un peth yn ddiweddar, mwy nag ugain mlynedd ar ôl datganoli. Erbyn hyn mae'r *Western Mail* wedi adleoli i Loegr ac yn rhan o gwmni Reach plc. a'i bresenoldeb ar y we fel *Wales Online* yn destun gwawd i eraill. Mae gweledigaeth unigolion fel Ifan Morgan Jones a Huw Marshall, sydd wedi mynd ati i greu ffynonellau newyddion ar lein, fel *nation.cymru* a *The National*, er i hwnnw ddod i ben, wedi bod yn chwa o awyr iach. Mae diffyg cyfryngau cenedlaethol sy'n trafod sefyllfa wleidyddol economaidd a diwylliannol gwlad yn tanseilio democratiaeth; does dim modd i bobl wybod sut i bleidleisio heb ddeall beth sy'n digwydd o'u cwmpas. Dim ond yn ddiweddar, a hynny oherwydd y pandemig, y daeth llawer o drigolion Cymru i ddeall bod Iechyd wedi ei ddatganoli, ac mae hynny'n gwbl frawychus. Cam i'r cyfeiriad iawn, yn fy nhyb i, fyddai dysgu dinasyddiaeth a gwleidyddiaeth yn ein hysgolion, o'r cynradd i'r uwchradd, ac fe fyddai hyn yn anochel yn golygu y byddai'n rhaid hefyd dysgu Hanes Cymru fel pwnc. Mae'n ddiddorol nodi datblygiad ein tîm pêl-droed cenedlaethol ers iddyn nhw ddysgu tipyn am hanes Cymru trwy law Ian Gwyn Hughes, ŵyr Lewis Valentine, un o'r tri fu'n gyfrifol am y Tân yn Llŷn.

Yn dilyn drama Pirandello, *Chwe Cymeriad yn Chwilio am Awdur*, ar y radio, sy'n trafod y ffin rhwng ffantasi a realiti, celfyddyd a bywyd, eraill a'r hunan, ac a oedd yn teimlo'n hynod o berthnasol i fy mywyd i ac Ian ar y pryd, cefais wahoddiad i fynd am dro i Abergorlech, pentref cyfagos i Glawddowen, ble ges i fy ngeni, am noson o ddramâu yn neuadd y pentref wedi eu cynhyrchu gan Janet Aethwy a Llio Davies. Daeth Ian a Steffan gyda fi, ond doedd Mam ddim am ddod am ei bod hi'n ymdrechu i fyw yn y presennol, meddai hi, ac roedd hyd yn oed trip i Sain Ffagan yn codi hiraeth arni. Gall y dynfa i hel atgofion am y gorffennol gryfhau wrth i'r byd droi'n un gwahanol iawn i'r un a'n creodd ni, a dwi'n deall ei theimladau'n gliriach o lawer erbyn hyn.

Ces waith yng ngŵyl flynyddol Made in Wales, Write-On, y flwyddyn yma eto, a chael chwarae rhan y fam, Vee, yng nghampwaith Alan Osborne, *In Sunshine and in Shadow*, ar noson ola'r ŵyl, fel rhan o'r deyrnged i'r dramodydd a'r *polymath* o artist o Ferthyr.

Cynhaliwyd perfformiadau sgript mewn llaw o *Bull, Rock and Nut* a *Redemption Song* hefyd, ac mae'r tair wedi eu cyhoeddi yn y gyfrol, *The Merthyr Trilogy*. Roedd Theatr y Sherman yn bair byrlymus unwaith eto wrth i griw mawr ohonom ddod at ein gilydd i ddarllen ac ymarfer gwaith newydd am y tair wythnos gyfan. Does dim modd gorbwysleisio'r gagendor a adawyd pan ddaeth yr ŵyl hon i ben. Roedd cymuned theatrig glos yng Nghaerdydd ar y pryd, a phawb yn gwylio a thrafod gwaith ei gilydd, a rhoddodd lwyfan i ystod eang o ddramodwyr hen a newydd. Y flwyddyn honno cynhaliwyd trafodaethau ar ysgrifennu dramâu radio, sgwrs gyda'r gwneuthurydd ffilm, Karl Francis, a gweithdy i ddramodwyr ifanc, a gweithiais ar ddramâu gan Christine Watkins a Siân Williams ac eraill, yn ogystal ag *In Sunshine and in Shadow*. Ar y noson olaf aeth pawb i ddathlu mewn un parti mawr yn nhŷ'r cynhyrchydd radio Alison Hindell, ac roedd 'da fi reswm arall i ddathlu wrth i fi edrych ymlaen i hedfan i Rwsia ymhen wythnos.

Ffilm am griw o ddisgyblion chweched dosbarth a thri o'u hathrawon yn mynd ar drip celfyddydol i St Petersburg oedd *Gadael Lenin*, a ysgrifennwyd gan Siôn Eirian ac Endaf Emlyn. Mae'n debyg mai'r bwriad gwreiddiol oedd ei lleoli yn Ffrainc, fyddai wedi golygu rhoi sglein ar fy Ffrangeg rhydlyd, ond pan newidiwyd y lleoliad i Rwsia, roedd rhaid mynychu gwersi Rwsieg ar gyfer y golygfeydd yn yr iaith honno. Ro'n i'n chwarae Eileen, athrawes gelf oedd yn byw i'w gwaith tra bod ei phriodas yn chwalu. Roedd yr Undeb Sofietaidd newydd chwalu hefyd, prin dwy flynedd ynghynt yn 1991, ac roedd hi'n amser cyffrous tu hwnt i ymweld â'r wlad.

Hedfanon ni i Moscow ac yna teithio dros nos ar drên i St Petersburg. Sefydlwyd y ddinas fel Petrograd gan y Tsar Pedr Fawr yn 1703, a'i hailenwi'n Leningrad ar ôl y chwyldro, cyn cael ei hailenwi eto yn 1991. Roedd un o olygfeydd cyntaf y ffilm yn dangos cymeriad Wyn Bowen Harries, sef Mostyn, gŵr Eileen, yn edmygu penddelw Lenin, oedd ar fin cael ei ddisodli gan benddelw Pedr Fawr. Roedd un criw gwrthwynebus yn protestio yn yr orsaf wrth i ni ffilmio, er bod Lenin yn destun gwawd i eraill. Gwnaeth ein cyd-actor o Rwsia, Misha, dynnu coes trwy ddweud, *'You like caviar better than Lenin! You haven't tasted Lenin!'* Ac roedd graffiti ar bont yn dweud *'Lenin is alive and well, he's lived so long because he doesn't drink or smoke'.* Wrth gerdded i lawr y brif stryd, Nevsky Prospect, roedd tlodi amlwg i'w weld yng nghanol hen adeiladau mawreddog gorffennol ymerodrol y ddinas, a gwelon ni amryw yn begera, llawer wedi dioddef yn y rhyfel yn Afghanistan.

Roedd yr oriau ffilmio'n hir oherwydd y 'nosweithiau gwyn', pan na fyddai hi ond prin yn tywyllu gyda'r nos, ac roedd yna fosgitos yn y goedwig, a phan oerodd y tywydd yn sydyn a ninnau wedi'n gwisgo mewn dillad haf, roedd rhaid cael achubiaeth gan y fenyw wisgoedd ar ffurf sanau gwlân hir a thrwchus, y *'Russian socks'*. Bu ardal ein gwesty ni o'r ddinas heb gyflenwad dŵr am dair wythnos, a bachais ar y cyfle i gael bath cofiadwy yn yr Hotel Oktyabrskaya yn yr awr ginio tra ein bod ni'n ffilmio yno. Pan ailgychwynnodd y cyflenwad, roedd y dŵr yn dra rhyfedd, ac er mwyn mentro i'r bath, dychmygais mai ychwanegiad o ryw sylwedd iachusol i'r corff a'r meddwl oedd yn gyfrifol am ei liw brown tywyll. Roedd 'na ddiffyg tai bach dybryd allan yn y wlad, ac yn y Dachas, sêt bren a thwll mewn sied yn yr ardd oedd hi, fel mewn llawer man yng Nghymru yn ystod fy ieuenctid, er feddyliodd neb yn fy nheulu i, am wn i, i ludo bocsys creision a chaniau Coca-Cola gwag ar y waliau fel arwyddion optimistaidd o gyfalafiaeth. Cawl *borscht* a darnau o spam oedd yr arlwy dyddiol, a chyw iâr tenau fel sgerbwd i ddilyn, ond allen i ddim cwyno, â Misha yn ein hatgoffa ein bod ni'n lwcus i gael bwyd o gwbl, gan ychwanegu at fy euogrwydd wrth i mi ordro Pizza Express cyfalafol i'm stafell yng ngwesty Europa. Roedd y nosweithiau 'gwyn' nid yn unig yn ein galluogi i ffilmio 'mhell i mewn i oriau'r nos, ond hefyd yn golygu bod aros lan yn hwyr i yfed yn teimlo'n gwbl naturiol, yn enwedig gan taw rhyw bunt y botel oedd y fodca a doedd y siampên ddim llawer drutach.

Roedd cyflawni'r fath brosiect yn deyrnged i allu arbennig y cynhyrchydd, Pauline Williams a'r cyfarwyddydd talentog, Endaf Emlyn, gyda help Adam Alexander o gwmni Lara Globus. Roedd gweddill ein criw ni yn hen lawiau a'r criw Rwsieg yn bobl y tu hwnt o annwyl a charedig. Wrth ffilmio ar y bore cyntaf daeth hen fenyw o'r enw Elenya oedd yn byw yn y Dacha gerllaw, â bwnsied o diwlips o'i gardd i fi yn anrheg.

Roedd menywod y coluro a'r gwisgoedd, Tamara a Natasha, yn wych wrth eu gwaith, wedi eu trwytho yn niwylliant eu gwlad, ac yn daer am ein tywys o gwmpas y ddinas ar y penwythnosau. Teithiais ar fy mhen fy hun hefyd, ar y Metro hardd a chyflym, neu ar dram gorlawn drewllyd, i weld rhyfeddodau'r ddinas. Un diwrnod clywais lais cyfarwydd yn fy nghyfarch mewn siop ffrwythau enwog ar Nevsky Prospekt, gyda'i nenfwd aur a'i *chandeliers*, a rhyfeddais wrth weld fy hen ffrind o ddyddiau *Under Milk Wood* ym Mangor, yr actores Menna Gwyn, a'i gŵr Aled, oedd yno ar eu gwyliau. Es i Theatr Mariinsky, y Kirov gynt, i weld y bale, *Anna Karenina*, a chael dau docyn am ryw ddwy bunt yn ein harian ni, ac ymweld â'r amgueddfa bale yn Academi Vaganova a theimlo ias wrth weld sgidie Anna Pavlova, a gwisg Nijinsky ar gyfer y bale *La Spectre de La Rose*. Roedd gweld perfformiad Theatr Maly o *Demons* gan Dostoevsky yn brofiad amheuthun, ac mae hwylio ar y Neva, a'r disgyblion yn canu '*Come On, Eileen*' i'w hathrawes wrth i Richard Harrington, pedair ar bymtheg oed, geisio agor potel siampên ar gamera, wedi'i serio ar y cof.

Cafodd y ffilm groeso mawr a bu'n llwyddiant ysgubol gan ennill gwobrau lu yn seremoni BAFTA Cymru. Enillodd yng nghategori'r ffilm orau, hefyd am y sinematograffeg, y cyfarwyddydd a'r sgript orau, ac enwebwyd Steffan Trefor yng nghategori'r actor gorau am ei bortread gwych o siwrnai'r bachgen hoyw Spike, calon y ffilm. Enillodd y ffilm wobr y gynulleidfa yng Ngŵyl Ffilm Llundain, a bu llawer o sôn yn yr adolygiadau am '*rising Welsh cinema*' a '*the fledgling Welsh film industry*'.

Y tro cyntaf i fi wylio *Gadael Lenin* oedd yn ystod yr ŵyl ffilm honno yn Tottenham Court Road yn Llundain a rhyfeddais; ro'n i wedi fy nghyfareddu gan ddawn Siôn ac Endaf. Ac fe deimlais yn union yr un peth chwarter canrif yn ddiweddarach pan wyliais i'r ffilm yng nghwmni Siôn prin flwyddyn cyn iddo farw, yn 2019, fel rhan o Ŵyl Ffilm Iris. Yn dilyn y dangosiad, gwnaeth Berwyn Rowlands, sylfaenydd a chyfarwyddydd yr ŵyl honno, sôn mor bwysig iddo oedd gweld ffilm am berthynas hoyw yn y Gymraeg wrth iddo dyfu fyny. Wrth ailymweld â'r ffilm ces fy syfrdanu gan gelfyddyd cynnil yr haenau o wleidyddiaeth, y trafodaethau am gelf a'r ymdriniaeth â chyflwr Rwsia ar y pryd, oedd wedi eu gweu trwy hanesion personol y cymeriadau, gyda chryn dipyn o hiwmor, wrth i'r cymeriadau geisio ailddyfeisio eu hunain fel roedd Rwsia'n gwneud ar y pryd.

Er ei bod hi'n adeg hanesyddol cyffrous i fod yn St

Petersburg, roedd hi hefyd yn ddinas beryglus. Ro'n i wedi ystyried mynd â Steffan gyda fi, ond penderfynais bod y cyfnod yn rhy hir a'r amodau'n rhy ansefydlog, yn enwedig ar ôl clywed bod dau ffrind i'r cynhyrchydd, Adam Alexander, wedi cael eu lladd yno. Gwelsom un dyn meddw yn rhoi ei ben trwy ffenest, ac yn ceisio torri ei wddf drwy ddefnyddio darn o wydr. Cafodd dyn arall ei lofruddio a'i adael ar stretsier yn yr orsaf ble ro'n i'n ffilmio. Wrth i ni ffilmio golygfa yn cyfleu parti ar y bont dros y Neva curwyd cwpl ifanc a'u taflu i mewn i fan am siarad ag un o'r actorion. Clywson sôn hefyd am rai'n cael eu saethu mewn clybiau nos. Ond ro'n i'n teimlo'n saff o fewn paramedrau'r criw ffilmio, ble mae'n ddigon hawdd smalio bod dim byd yn bodoli ond gofynion y *call-sheet*, y sgript a'n perthynas â'n gilydd.

Roedd hyn cyn dyddiau'r ffôn symudol wrth gwrs ac roedd hi'n anodd cysylltu â gatre. Byddai'n rhaid bwcio galwadau, ac roedd y gwahaniaeth amser rhwng y ddwy wlad ac oriau'r ffilmio yn cymhlethu'r sefyllfa, felly ro'n i'n ddigon balch i gyrraedd yn ôl ar y 19eg o Fehefin. Ches i ddim llawer o amser i gymryd fy ngwynt, gan fod ail gyfres *Pris y Farchnad* yn dechrau dau ddiwrnod yn ddiweddarach, a llwyddiant y gyfres gyntaf wedi sicrhau ail gomisiwn i gwmni Penadur. Roedd Lowri ddrwg, gynllwyngar â'i dillad crand a'i Jaguar XJS awtomatig yn gymaint o hwyl i chwarae ag erioed, ac aeth y gyfres yn ei blaen tan fis Tachwedd. Erbyn mis Medi ro'n i hefyd wedi camu'n ôl i fyd gwaed a chlwyfau Margaret Edwards wrth i Pete Edwards a'i gwmni Lluniau Lliw ennill comisiwn i greu'r gyntaf o nifer o gyfresi cefn wrth gefn am anturiaethau Noel Bain, yn dilyn llwyddiant y ffilm *Noson yr Heliwr*.

Ym mis Gorffennaf roedd pentref Llandyfaelog yn dathlu hanes yr ysgol gynradd a sefydlwyd yn 1852, lle bûm i'n ddisgybl o 1953 tan 1960, a fy nhad yn brifathro o 1951 tan 1968. Trwy ryw rhyfedd wyrth roedd yr ysgol yn dal ar agor er gwaethaf sawl bygythiad i'w chau, ac ro'n i'n falch iawn i allu rhannu yn y dathliad o'r hanes mewn cyngerdd gan y plant yn y neuadd ac arddangosfa yn yr ysgol. Bum mlynedd yn ddiweddarach fe fyddai wedi bod yn rhy hwyr. Caewyd yr ysgol yn 1998. Wrth eistedd yn y neuadd yn ymyl Carol Edwards, cyd-ddisgybl i mi o'r pumdegau, cofiais hi'n canu 'Oh, What a Beautiful Morning' o'r sioe gerdd Oklahoma! ar fore braf ar iard yr ysgol, yn ei llais alto cryf a hithau'n ddeg oed, a daeth llu o atgofion yn sgil hynny.

Yn yr ysgol gofynnodd rhywun a oedd Steffan, oedd gyda fi yn gwmni, yn siarad Cymraeg; 'Wrth gwrs,' atebais ond doedd y cwestiwn ddim yn fy synnu, gan mai Saesneg ro'n i'n siarad rhan fwyaf wrth dyfu fyny. Mae cymhlethdod dwyieithrwydd fy nheulu yn rhyfeddol wrth edrych nôl. Ro'n i'n gallu siarad Cymraeg, wrth gwrs, ond Saesneg oedd iaith aelwyd fy mam yn Nyffryn Aman, oherwydd bod fy nhad-cu, Frederick Nicholson, yn frodor o Firmingham. Roedd Mam yn siarad Saesneg gyda fi a fy mrawd, er ei bod hithau hefyd yn gwbl rugl ei Chymraeg. Do'n i erioed wedi siarad gair o Saesneg gyda 'nhad, er mai Saesneg siaradai e a Mam â'i gilydd, a fy nhad newidiodd iaith ysgol Llandyfaelog i'r Gymraeg pan ddaeth yn brifathro yno. Pan ddaeth y chwyldro, perswadiais Mam i siarad Cymraeg gyda fi hefyd, a dyna wnaeth hi wedyn trwy gydol ei hoes. Serch 'ny, dwi a 'mrawd yn dal i siarad Saesneg â'n gilydd. Rhyfedd o fyd.

Roedd Mam yn 77 erbyn hyn, a ddim am wynebu taith arall fel ein Odyssey Provençal ac felly ar ddiwedd Awst aethon ni yn hytrach i Sir Benfro, ac arhoson ni yng ngwesty Llwyngwair, lle bu Mam a Steffan yn aros wrth iddo ffilmio Clymau yn 1985, a fyntau'n deithiwr pum mlwydd oed ar *y Mimosa*, ac i weld rhyfeddodau'r sir, o Gwm Gwaun i Bwll Gwaelod. Roedd Mam yn dal i fyw yn y fflat yn y dre, ac roedd yn hapus iawn i fod *in loco parentis* ac aros dros nos pan oedd angen.

Tra oeddwn i yn Rwsia roedd yr ysfa gynyddol i ysgrifennu wedi tyfu'n uchelgais bendant, a phenderfynais fwrw ati i addasu stori fer gan Simone De Beauvoir, gan dderbyn cynnig Ian i'w llwyfannu fel rhan o gynhyrchiad nesaf Theatr y Byd, sef *Pedwarawd*.

1994

Lledaenu Fy Adenydd

PARHAODD Y FFILMIO ar *Yr Heliwr/Mind to Kill* trwy gydol 1994, ac fe lwyddais i weu cymeriad Margaret Edwards trwy fy ngwaith arall i gyd. Treuliwn bum neu chwe diwrnod bob deufis yn fy siwt wen, yn archwilio corff rhyw actor anffodus yn y man lle cafodd ei ladd, neu yn y *morgue* yn gwisgo *scrubs* a chap tebyg i J-cloth ar fy mhen. Fe fyddai'r actor 'marw' bellach yn noeth ar wely metel, label wedi ei glymu wrth ei fys bawd, wedi ei amgylchynu gan jariau llawn organau yn arnofio fel pysgod jeli. Siaradwn yn wybodus iawn am achos y farwolaeth, gyda chefnogaeth wych yr ymgynghorydd o blismon, Mr Badminton.

Gwnaethon ni'r gwaith ffilmio mewn amryw o ysbytai, ac mewn llwyth o leoliadau anghysbell ac annymunol: coedwigoedd, caeau a meysydd parcio, er y treuliwyd cyfnod hyfryd hefyd yn yr Orendy yng Nghastell Margam ym mis Awst, pan wnaeth yr actores chwedlonol Siân Phillips ymuno â ni. Mae Cymraeg Siân yn ardderchog a gwych o beth oedd cael actor gwadd oedd nid yn unig yn enwog, ond hefyd yn gadarn ei Chymraeg. Nid bai'r actor, wrth gwrs, yw cael ei gastio, er ei bod hi'n anodd deall pam y gwnaeth John Rhys-Davies oedd yn enwog am ei ran fel Sallah yn ffilmiau *Indiana Jones*, gytuno i ymddangos yn y gyfres. Er bod ei wreiddiau yn Rhydaman doedd ganddo nemor ddim Cymraeg, ac fe ddaeth y byrddau du allan unwaith eto, er na wnaeth y llinell anfarwol 'Mae'n rhaid i ni ddal y llefrith' ymddangos ar un ohonyn nhw! 'Llofrudd' oedd y gair a ysgrifennwyd ar y bwrdd, wrth gwrs, ond roedd gan yr actor, druan, cyn lleied o afael ar y Gymraeg, doedd dim hyd yn oed y bwrdd du yn achubiaeth yn yr achos yma. Roedd gan Margaret Edwards fywyd personol yn y gyfres hon, y tu hwnt i'w gwaith fel patholegydd fforensig, ac aeth Philip a minnau ati i ddysgu dawnsio'r Tango ar gyfer un bennod, wrth i'w pherthynas hi a Noel Bain ffrwtian, ond heb gyrraedd y berw erioed, achos fel yr esboniodd Pete Edwards, 'roedd hynny'n fwy diddorol.' Teimlwn yn gynyddol anfodlon wrth gael fy nghyfyngu fel actores. Roedd y rhannau'n ddiddorol, does dim dwywaith, roedd Lowri a Margaret yn fenywod annibynnol cryf, ond ro'n i eisiau mwy. Efallai bod cael chwarae'r brif rhan yn *Anest* yn golygu na fyddai cyfraniad llai yn fy modloni bellach, ac ar ben hyn roedd y prosiect *Canu o Brofiad* wedi agor drws arall i greadigrwydd. Roedd cymaint o syniadau yn chwyrlïo o gwmpas fy mhen ac ro'n i'n chwilio am ffordd i'w mynegi. Ar wahân i geisio ymestyn fy hun trwy sgrifennu, gwnes ymgais i archwilio'r syniad o gyfarwyddo, a chroesawais y cyfle pan gynigiodd David Lyn gyfle i gyfarwyddo ychydig o olygfeydd *Pris y Farchnad*. Ym mis Chwefror, ymunais â chwrs cyfarwyddo ar gyfer y teledu yn Llundain ac arsylwais ymarferion dramâu byrion *The Ark* gan Helen Griffin ac *Ogpu Men* gan Ian yn Theatr y Sherman. Roedd hyn i gyd yn ddiddorol iawn ac yn wirioneddol werth ei wneud petai ond er mwyn darganfod bod gen i ddim diddordeb o gwbl mewn cyfarwyddo. Efallai fod hynny i wneud â'r ffaith mod i'n wrth-awdurdodol o ran natur. Ond roedd e hefyd yn teimlo'n groes graen o ran fy nghreadigrwydd, a fy ysfa i greu gwaith oedd yn deillio'n uniongyrchol ohona i, mewn ffordd bersonol iawn, o fod mor agos â phosib i'r weithred o greu, a gallu cuddio fy hun yn y broses.

Ond yna ym mis Ebrill, daeth prosiect i law ble nad oedd modd cuddio, ble roedd rhaid i fi fod yn fi fy hun, sef cyflwyno'r ddrama ddogfen *Codi Clawr Hanes – Y Cyntaf i Daflu Carreg*. Cynhyrchiad gan gwmni Teliesyn oedd hwn, yn archwilio rhywioldeb y fenyw Gymraeg yn oes Fictoria, gyda Mary Simmonds yn cynhyrchu a Bethan Eames yn cyfarwyddo, wedi ei seilio ar waith yr hanesydd, Russell Davies, *Secret Sins: Sex, Violence and Society in Carmarthenshire 1870–1920*. Roedd hi bron yn chwarter canrif ers i fi ennill fy ngradd mewn Hanes o Brifysgol Caerdydd a dyma'r tro cyntaf i fi allu ei defnyddio mewn ffordd ymarferol. Trafod hanes y fam ddibriod oedd y bennod hon, gan gynnwys erthyliad, atal cenhedlu, gofal plant a chanlyniadau erchyll rhagrith dybryd y cyfnod. Roedd y ffaith fod y rhaglen yn cyfuno dau o fy hoff ddiddordebau, sef hanes a hawliau menywod, yn gymorth mawr wrth wynebu'r dasg o edrych yn syth i mewn i'r camera a bod yn fi fy hun. Mae cyflwyno yn grefft, mae'n rhaid ymlacio, ac eto bod yn ddigon egnïol ac awdurdodol, heb fod yn nawddoglyd wrth drosglwyddo gwybodaeth. Gan Russell Davies y deuai'r wybodaeth wrth gwrs, wedi ei hidlo trwy ddadansoddiad Bethan a minnau wrth gydweithio ar y sgript.

O'n i'n nerfus iawn ar ddiwrnod cyntaf y ffilmio, yn fferyllfa eiconaidd D King Morgan yn Stryd y Brenin, Caerfyrddin, gyda'i jariau a'i photeli hardd hen ffasiwn, yn sôn am y *penny royal* oedd menywod oes Fictoria yn ddefnyddio ar gyfer erthylu, oedd yn atgof cyfarwydd i'r hen fferyllydd ei hun. Wnes i ymlacio'n raddol, a'r pwnc yn goresgyn unrhyw nerfau. Buon ni mewn clinig atal cenhedlu, *crèche* Prifysgol Caerdydd ac mewn llys yn

Aberhonddu, ac fe'n hatgoffwyd bod y pynciau hyn yn dal yn berthnasol, wrth i gorff babi newydd-anedig gael ei ddarganfod yn y Marina yn Abertawe yn ystod y ffilmio. Ro'n i'n fam ddibriod fy hun, wrth gwrs, a chredaf fod priodas yn symbol o ormes ar fenywod, ac yn fodd i'r wladwriaeth a chrefydd reoli ein rhywioldeb, ac erbyn hyn mae cyfalafiaeth eithafol, sy'n troi pob dim i'w melin ei hun er mwyn creu elw, hefyd wedi perchnogi'r sefydliad. Ar ôl y dyddiau cychwynnol, ddes i i arfer yn fuan iawn, a hyd yn oed fwynhau bod yn gyflwynydd, gan chwalu unrhyw hen fwganod oedd ar ôl ers fy nghyfnod anhapus yn cyd-gyflwyno'r rhaglen i arddegwyr ifanc, *Seren Wib*, i HTV gydag Emyr Glasnant Young yn y saithdegau.

Tra 'mod i wrthi'n ymrafael â hanfodion cyfarwyddo a chyflwyno, fe ges i'r fraint, cwbl annisgwyl, ar gais George Owen o adran ddrama'r BBC, i feirniadu'r Ddrama Un Act ar gyfer Eisteddfod Genedlaethol Nedd a'r Cyffiniau. Mae traddodiad hir ac anrhydeddus i'r ddrama amatur, sy'n rhoi oriau o ddifyrrwch i gwmnïau a chynulleidfaoedd, ac mae'n dal yn siom i mi na wireddwyd gobaith Euros Lewis o gwmni Troed y Rhiw i greu rhaglen am yr hanes ar gyfer S4C. Er 'mod i'n teimlo'n gwbl anghymwys ar gyfer y gwaith fe gytunais, wedi'r cyfan roedd hwn eto yn fodd i herio fy hun, trio rhywbeth do'n i erioed wedi ei wneud o'r blaen. Roedd y gwaith yn golygu trafaelu ar hyd a lled y wlad, i Gapel Bangor, Llandudoch, Crymych, Yr Wyddgrug, Cas-mael ac i Gapel y Crwys yng Nghaerdydd i wylio'r dramâu oedd yn amrywio o *Y Practis*, comedi Leyshon Williams, i *Garddwest Gosforth*, addasiad o ddrama Alan Ayckbourn, a *Priodas Slei* gan Margaret Rees Wiliams. Wnes i fwynhau'r cynyrchiadau, er fy mod i'n aml yn cyrraedd ar ôl ffilmio trwy'r dydd, a daeth atgofion cynnes am befformiadau Bryn ac Edna Bonnell yn neuadd Llandyfaelog, gweld cynyrchiadau fy mam yn neuadd Glan y Fferi a pherfformio fy hun gydag aelwyd Caerfyrddin yn *Hollti Blew* ac yn *Dan y Wenallt* yn Nhalacharn. Ond roedd yr un amheuon oedd yn fy mhoeni wrth feddwl am gyfarwyddo yn dod i'r wyneb dro ar ôl tro. Roedd fy ngreddf wrth-awdurdodol yn brwydro yn erbyn taro pren mesur fy meirniadaeth ar waith didwyll, a phendroni sut oedd cymharu ystod mor eang o allu a phrofiad. Dwi'n teimlo yn union yr un fath wrth feirniadu perfformiadau yn Eisteddfod yr Urdd a'r Genedlaethol, ac yn rhyfeddu at allu'r beirniaid profiadol, sy'n amlwg wedi eu magu yn y traddodiad Eisteddfodol, i swnio mor sicr eu barn a'u hawl i'w datgan yn gyhoeddus. Mae'r holl syniad o gystadlu mewn maes creadigol yn fy nrysu braidd. Serch hynny rhaid oedd bwrw ymlaen â'r gwaith ac yn Eisteddfod Nedd cyrhaeddodd y gystadleuaeth ei huchafbwynt wrth i fi draethu'r feirniadaeth olaf, ac i Myfanwy Jarman, mam y canwr Geraint Jarman, gipio tlws yr actores orau.

Pennant Roberts, cyfarwyddydd profiadol llu o gyfresi teledu o *Juliet Bravo* i *Doctor Who* a *Tenko* ac, wrth gwrs, trioleg *The Snow Spider*, a'i gwmni Penderyn, sefydlodd yr HTV Short Play Scheme. Roedd y dramâu hanner awr yn cael eu perfformio'n fyw yn theatr yr Old Vic ym Mryste neu'r Sherman yng Nghaerdydd, ac yna eu darlledu ar HTV Wales neu West, ac ym mis Mai mi wnes i ymddangos yn *The Decent Thing* gan Jane Buckler yn yr Old Vic, gyda David Bond, cyn-Bennaeth Actio Coleg Cerdd a Drama Cymru, yn cyfarwyddo. Ar ôl ymarfer am wyth niwrnod ar gyfer saith perfformiad cafon ni bedwar diwrnod o ymarfer ar gyfer y fersiwn deledu cyn recordio yn y stiwdio ar y pumed diwrnod. Roedd yn fodd i hybu'r dramodwyr a chynnig gwaith i lu o actorion a chyfarwyddwyr. Roedd hefyd yn esiampl wych o'r modd y gall y ddau gyfrwng gynnal ei gilydd, ac mae sawl llais wedi bod yn annog ailgychwyn cynllun o'r fath. Mae teledu yn fodd i gyrraedd cynulleidfa ehangach o lawer na'r theatr, ac mae'r cyfnod o ymarfer a pherfformio ar lwyfan yn rhoi amser i archwilio sgript a'i mireinio yn sgil ymateb cynulleidfa fyw, mewn ffordd na all teledu fyth gynnig.

Wrth i'r gwaith actio fynd yn ei flaen, ro'n i hefyd wedi bod yn ysgrifennu, gan weithio ar addasu'r stori fer *Monologue* gan Simone De Beauvoir o'i llyfr o straeon byrion, *La Femme Rompue* (y fenyw ddrylliedig). Ro'n i wedi edmygu Simone De Beauvoir ers i fi ddarllen *Le Deuxième Sexe/The Second Sex*, ei chyfrol arloesol am sefyllfa'r fenyw yn y byd, ar ddechrau'r saithdegau, gan ddisgrifio'r modd roedd y fenyw yn cael ei rhoi yn safle'r 'arall' o'i gymharu â 'norm' y dyn. Ro'n i'n meddwl 'mod i'n ffeminist ar y pryd, ac ro'n i'n teimlo anniddigrwydd am lawer o bethau gwahanol, ond gwnaeth y llyfr newid fy mywyd wrth i fi sylweddoli ei fod e'n normal i fenyw deimlo'n annifyr wrth fyw dan batriarchaeth.

Gobeithion Gorffwyll a Breuddwydion Brau oedd teitl y sioe un fenyw fydden i'n ei pherfformio ym Machynlleth ym mis Awst, cyn ei theithio yn yr hydref fel rhan o daith*Pedwarawd* Theatr y Byd.

Mae'r fonolog yn digwydd ar Nos Galan, wrth i Muriel, menyw unig ganol oed, arllwys ei hofnau a'i chasineb tuag at fyd sydd wedi ei thrin hi'n wael, yn ei thyb hi, gan amharu ar ei hawl i sicrhau y bywyd mae hi'n ei haeddu. Mae'n datgelu ofnau a rhwystredigaethau gwraig a mam, sydd wedi ei llyncu'n llwyr gan y syniad o briodas *bourgeois*, ac sy'n gwrthod cymeryd unrhyw gyfrifoldeb dros ei bywyd ei hun. Defnyddiais y Ffrangeg gwreiddiol yn ogystal â'r cyfieithiad Saesneg fel sail i'r gwaith, a throsglwyddais y lleoliad o Baris i fflat yng nghanol Caerdydd, er mwyn i'r gynulleidfa allu uniaethu mor llwyr â phosib â chymeriadau a sefyllfa'r ddrama. Mewn gwlad fach, heb nemor ddim traddodiad theatr, gwlad sydd wedi ei dylanwadu'n drwm gan theatr a diwylliant gwledydd eraill, yn arbennig y theatr Saesneg, mae'n anodd tu hwnt osgoi'r dylanwad hwnnw.

Pan ddaeth tymor yr haf i ben aeth Mam a Steffan a fi a Honey'r ci ar wyliau i Sir Benfro unwaith eto, ac yna ar ddiwedd Gorffennaf cychwynnais ymarfer *Gobeithion Gorffwyll a Breuddwydion Brau* mewn amryw o leoliadau rhad ac am ddim, diolch i'r sgowts ym Mhontcanna a Theatr Iolo ym Mynachdy. Gweithiais ar fy mhen fy hun am gyfnod a hynny am yn ail â ffilmio'r *Heliwr,* gan fachu ar bob cyfle i ddysgu'r llinellau rhwng golygfeydd. Daeth Ian i weithio gyda fi ar gyfer wythnos olaf yr ymarferion, er dwi ddim yn siŵr a wnaeth hynny les i'n perthynas ar y pryd, a Muriel mewn cyflwr emosiynol mor fregus.

Perfformiais y sioe am y tro cyntaf yng Ngŵyl Machynlleth am dri o'r gloch y prynhawn ar ddiwedd Awst. Dydw i'n dal ddim yn gwybod sut y llwyddais i. Meddyliais am ganslo'r perfformiad sawl gwaith yn ystod yr ymarferion. Sut wnes i erioed feddwl y gallwn i nid yn unig gynnal sioe unigol, ond sioe ro'n i'n gyfrifol am ei hysgrifennu hefyd? Pam y byddai rhywun am wynebu'r perygl o greu sioe a allai fod yn fethiant llwyr? Dwi'n dal ddim yn gwybod sut gyrhaeddais i'r llwyfan a mynd trwy'r holl beth heb stopio, heb sôn am wneud synnwyr o'r cynnwys. Roedd perfformio yn her emosiynol wrth reswm, ond hefyd yn her gorfforol a lleisiol, am fod y darn yn rhaeadr gwyllt o ddicter a rhwystredigaeth ddi-dor.

Dywedwyd y gwirionedd yn y blyrb cyhoeddusrwydd fod Muriel yn 'sianelu ei holl nerth a'i holl egni i'r araith am ffolineb a thwyll, ac am drais a ffantasi rhywiol'.

Dyma'r tro cyntaf i fi berfformio sioe ar fy mhen fy hun ac roedd bod yn unig ar y llwyfan yn frawychus. Cymerais boteli o fitaminau a *ginseng*, a diolchais i'r drefn 'mod i wedi llwyddo i roi'r gorau i smygu ers sawl blwyddyn gyda help y llyfr enwog, *Allen Carr's Easy Way To Stop Smoking*. Ers i mi ailgychwyn smygu yn ystod noson ddifyr yn y Goat yn Llanwnda gydag Iola Gregory, ar ôl pum mlynedd heb gyffwrdd mewn sigaréts, ro'n i wedi bod yn ceisio rhoi'r gorau iddi droeon, gan ddefnyddio gwm cnoi Nicorettes oedd ddim ond yn parhau'r ddibyniaeth, ac wnaeth hypnotherapi ddim gweithio chwaith. Roedd Ian yn smygu pan wnaethon ni gyfarfod, a gwnaeth y ddau ohonom roi'r gorau iddi ar y cyd. Yn ei lyfr roedd Allen Carr yn esbonio'r triciau mae'r meddwl yn chwarae pan fydd rhywun yn gaeth i nicotîn, oedd yn fwy caethiwus na heroin, meddai e. Defnyddiodd y gymhariaeth o roi eli ar friw sy'n achosi'r briw i ledu yn hytrach na'i grebachu, wrth i ni dwyllo'n hunain i feddwl bod y sigaréts yn gwella yn hytrach na gwaethygu ein sefyllfa. Mae'r cam ymddangosiadol syml o dorri trwy'r twyll yn un anodd iawn, er gwaetha'r bygythiad i'r iechyd a'r gost ariannol. Creodd ei lyfr deimlad o gryfder ac optimistiaeth a wnaeth fy nghynnal trwy'r wythnosau cychwynnol anodd. Mae dal rhyw hiraeth yn codi weithiau wrth i mi glywed gwynt mwg tybaco, ond dwi'n gwybod 'mod i'n sigaholic a byddai un yn ddigon i fy rhoi'n ôl ar lwybr deugain y dydd. Hiraeth am gyfnod yn hytrach na'r sigaréts yw hwn efallai, am hwyl y nosweithiau hwyr mewn tafarnau myglyd, ac am y bobl o gwmpas y bwrdd. O'n i'n dal i yfed, ac fe gynyddodd yr ysfa am alcohol ar ôl stopio smygu, fel modd i foddi'r teimladau o bryder a gwacter, a chafwyd aml i noson ddifyr yn nhafarn yr Half-Way ac yna clwb y Cameo ar ôl stop tap, y ddau o fewn tafliad carreg i'r tŷ. Roedd y Cameo wedi esblygu o fod yn glwb yfed i ddynion dosbarth gweithiol oedd yn mwynhau chwarae *backgammon* a dartiau, i fod yn gyrchfan i bobl y cyfryngau, a Babs, y rheolwraig, yn rhedeg y lle gyda llaw gadarn. Dwi'n fythol ddiolchgar na chafodd alcohol yr un afael arna i â nicotîn, er iddo arwain at ambell i ddadl danbaid y byddai'n well 'da fi ei hanghofio. Erbyn hyn, anaml iawn fyddai'n yfed alcohol o gwbl.

Yn dilyn y perfformiad ym Machynlleth es i'n ôl i'r stafell ymarfer. O'n i wedi cael cynnig i berfformio *Gobeithion Gorffwyll* yng Ngŵyl Magdalena yng Nghaerdydd, oedd yn cyfannu cymaint o 'ngobeithion personol i. Roedd yn bleser o'r mwyaf gweld gwaith yn y Gymraeg yn sefyll ochr yn ochr gyda'r ieithoedd eraill a glywyd yn ystod yr Ŵyl. Cefais gyfle yn ogystal i siarad am frwydr ieithyddol a gwleidyddol Cymru mewn sesiwn drafod, a gwnaethpwyd eitem am y sioe ar gyfer rhaglen *The Slate* ar y BBC.

Cychwynnodd taith ddwyieithog *Pedwarawd/Quartet* i Theatr y Byd ym mis Medi a *Gobeithion Gorffwyll* yn rhan o'r daith, oedd yn ymgais ar ran Theatr y Byd i bontio'r gagendor rhwng cynulleidfaoedd Cymraeg a Saesneg eu hiaith. Y tair monolog arall, Saesneg eu hiaith, oedd *The Change* gan Jane Buckler a Helen Griffin, a Helen yn ei pherfformio, *Thinking in Welsh*, wedi ei sgrifennu a'i pherfformio gan Dafydd Wyn Roberts, a *Big Black Hole* gan Tim Rhys, wedi'i pherfformio gan Richard Nichols. Roedd diddordeb ysol Ian mewn celf yn golygu bod ei gwmni hefyd yn dilyn polisi aml-gyfryngol, ac fe gomisiynwyd pedwar artist i weithio ar y cyd gyda phob monolog. Daeth Catrin Jones, artist gwydr lliw, i'r ymarferion i fy ngwylio ac i drafod a braslunio. Creodd gasgliad o ddeuddeg portread bychan ar wydr yn dangos emosiynau a chyflwr Muriel, a bu arddangosfa o waith yr artistiaid yn Oriel Owen Owen ym Machynlleth. Y bwriad gyda'r sioeau oedd creu awyrgylch *cabaret*, gan fynd ar drywydd ein Greal Sanctaidd fel ymarferwyr theatr, sef dod o hyd i bobl na fyddai byth yn

Sylvia Pankhurst
Cracking up: Thursday's Child, Teliesyn,
Channel 4, 1989.

Sylvia yn y carchar.

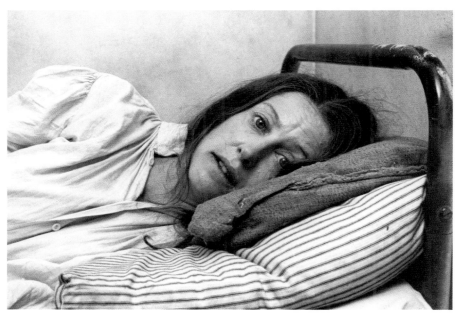

Steffan yn *Making News*, ITV, 1989.

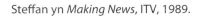

Barbarossa, Ffilmiau Tŷ Gwyn, S4C, gyda Noel Williams, 1989/90.

Y delynores fyd-enwog yn *Barbarossa*.

Gorffennol amheus y delynores yn *Barbarossa* gyda Mei Jones.

Mam yn *House of America*,
Y Cwmni, 1988/89.

Poster Iwan Bala ar gyfer
Gŵyl Caeredin.

House of America gyda
Richard Lynch, Catherine
Tregenna a Russell Gomer.

Poster hysbysebu Dalier Sylw 1989.

Beti yn *Adar Heb Adenydd*, Dalier Sylw, 1989.

BANER
ac
AMSERAU
CYMRU

85c

Cylchgrawn
Annibynnol
Cymru

SEFYDLWYD
1843

Dydd Gwener, Tachwedd 16, 1990

y Faner

ANEST — opera sebon i
ddarllenwyr y Guardian —
meddai Siân Wyn Siencyn tud. 20

Y brif ran yn *Anest*, Ffilmiau'r Nant, S4C, ar glawr *Y Faner*, 1990/91.

Anest gyda Stuart Jones.

Dihirod Dyfed: Trychineb Llwyntywyll, cwmni Pendefig, 1990.

Magdalena, *Canu o Brofiad*, Eisteddfod Aberystwyth, 1992. Rhes ôl: Margaret Ames, Rhiannon Williams, Llio Silyn, Esyllt Harker, fi, Lana Skauge, Jill Pearce, Lis Hughes-Jones. Rhes flaen: Carys Huw, Sue Jones-Davies, Sian Richards, Theresa Valli.

Lowri, *Pris Y Farchnad*, cwmni Penadur, S4C, 1992/3/5.

Lowri gyda Geraint Lewis.

Eileen, *Gadael Lenin*, Gaucho, S4C, 1993, gyda Wyn Bowen Harries.

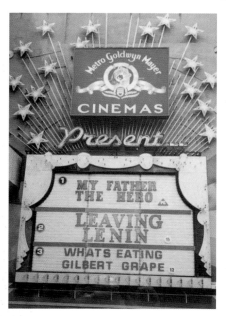

Gadael Lenin yn y sinema fel *Leaving Lenin*.

Eileen yng Ngerddi'r Haf wrth ffilmio *Gadael Lenin* yn St Petersburg gyda Helen Rosser Davies, Shelley Rees Owen a Nerys Thomas.

Yr Heliwr/Mind To Kill, Lluniau Lliw/Fiction Factory, S4C, Channel 5 gyda Philip Madoc, 1990/2002.
Llun: Alamy.

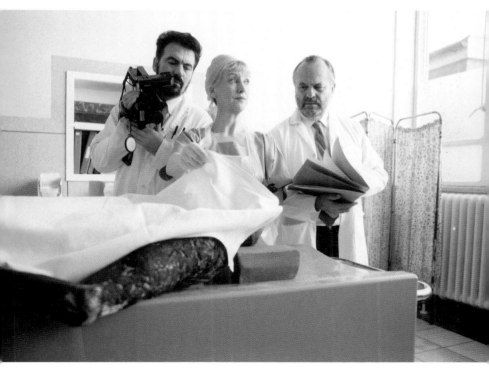

Yr Heliwr/Mind To Kill gyda Philip Madoc yn y *morgue*.

Honey'r ci ar y traeth yn Southerndown, 1992.

Muriel, *Gobeithion Gorffwyll*, Theatr y Byd, 1994.

Jennett, Adran Addysg, S4C. Bythynnod Rhydycar, Amgueddfa Sain Ffagan, 1994.

Arian Llosg, Penadur, S4C, 1994, gyda Sharon Roberts a Phil Reid.

Mam a Saran newydd-anedig yn ysbyty Llandochau, 1995.

Thérèse yn *Waiting at the Water's Edge*, Made in Wales, 1995.

Codi Clawr Hanes, Teliesyn, S4C, ar y set gyda Saran, 1995.

Codi Clawr Hanes, Margaret Haig Thomas Is-Iarlles y Rhondda ar y set gyda Saran, 1996.

Y Fam Ddibriod, hysbyseb yn y *Western Mail*.

Ede Hud, Gypsophelia Mam-gu, 1997.

Rhosys Cochion yn adrodd stori.

Dan y lleuad.

Steffan a Saran Morgan yn cysgu ar y soffa. Saran gydag Ian.

Steffan a'i ffrindiau ar daith
World Challenge yn Kenya, 1998.

Steffan ar ben mynydd Kenya.

Steffan yn neuadd breswyl Badock Hall,
Prifysgol Bryste, 1998.

Lowri a Llew
Evans gyda
Saran, Cwrt,
Penrhyn-coch
1998.

Saran yn yr ysgol
feithrin, 1998.

Mary, *Tair Chwaer*, Gaucho, S4C, 1997/8/9.

Mary gyda Ray Gravell.

Mary wrth y piano.

Mary gyda
William Thomas.

Wedi ennill y BAFTA am Mary yn *Tair Chwaer*, 1999.

Yn diolch am gael ennill y BAFTA.

tywyllu theatr fel arfer, a'u denu i wylio gan fod cyfle i yfed ar yr un pryd mewn lleoliad cyfarwydd. Mae'n wir ei bod hi, efallai, yn haws i blesio pobl feddw a doedd y lleoliadau ddim bob amser yn addas. Serch hynny cafwyd croeso mawr yn y clybiau a'r tafarnau, gan gynnwys Clwb Rygbi Brynaman, y Boar's Head yng Nghaerfyrddin, Clwb Rygbi Pont-iets a'r Bodwigiad Arms yn Hirwaun, yn ogystal â'r theatrau, wrth i *Quartet/Pedwarawd* deithio ledled Cymru am bump wythnos.

Roedd ysgrifennu'r sioe a rhannu'r syniadau oedd ynddi yn bwysig tu hwnt i fi, ar *The Slate* ac yng Ngŵyl Magdalena yn ogystal ag o flaen cynulleidfaoedd ar y daith, a'r teimlad o gyflawni nod hir-ddisgwyliedig yn braf iawn, ond roedd hefyd yn braf cael ymestyn fy hun i'r eithaf fel perfformwraig. A minnau wedi bod yn gweithio fel actores broffesiynol am bron i chwarter canrif roedd yna deimlad o rwystredigaeth wrth chwarae rhannau oedd ond yn gofyn i mi ddefnyddio canran fechan o fy ngallu. Mae angen her er mwyn datblygu, ac o fewn y theatr Gymraeg, sydd heb lwybr amlwg ar gyfer creu'r heriau hynny, mae'n rhaid i actor dorri cwys ei hun.

Yn ystod cyfnod ailymarfer *Gobeithion Gorffwyll*, fe ges i'r pleser annisgwyl o berfformio yn rhai o fy hoff adeiladau yn Sain Ffagan, sef tai rhes Rhydycar, Merthyr, ar gyfer rhaglen addysgol i S4C. Cymerodd y gynllunwraig goluro Anne Marie Williams ddwy awr i'm trawsnewid i Jennett bedwar ugain oed, oedd yn un o drigolion gwreiddiol y tŷ hynaf. Mae'r tai yn codi rhyw hiraeth rhyfedd ynddo i wrth i fi gofio tai cyffelyb yn ystod fy mhlentyndod, a dwi wedi etifeddu llawer iawn o'r eitemau tebyg i'r celfi a'r llestri a geir yn y tai hyn gan fy nheulu, sydd bellach yn fy nhŷ fy hun. Ro'n i'n gorffwys yn yr ystafell wely yn y cefn rhwng golygfeydd, gan roi tipyn o sioc i ambell i ymwelydd ddaeth ar fy nhraws wrth grwydro o dŷ i dŷ! Doedd dim cyfres *Pris y Farchnad* y flwyddyn hon, ond roedd David Lyn a'i gwmni Penadur wedi sicrhau comisiwn i gynhyrchu ffilm Nadolig i S4C, sef *Arian Llosg*, hanes teulu o bobl fusnes unwaith eto, ond y tro hwn roedd yr hanes wedi ei leoli mewn siop fawr adrannol. Dechreuais ymarfer *Arian Llosg* ddau ddiwrnod ar ôl agor taith *Pedwarawd* yng Nghlwb y Bont, ym Mhontypridd, a pharhau gyda'r ffilmio yng Nghaerdydd yn ystod y daith. Gorffennodd y daith ar nos Sadwrn yr 22ain o Hydref yn Llanfyllin, ac ar y dydd Llun canlynol ro'n i'n hedfan i Montreal i barhau â'r ffilmio am bythefnos arall. Daeth Steffan gyda fi y tro hyn, gan fod Montreal yn dipyn saffach na St Petersburg, a dwi'n cyfri fy hun yn lwcus dros ben fy mod i a fy nheulu wedi gallu gweld cymaint o'r byd yn sgil fy ngwaith. Roedd e'n brofiad bythgofiadwy, ond yn fwy cyfalafol ei natur na'r ymweliad â Rwsia, wrth reswm. Roedd pwll nofio a champfa ar do'r gwesty, a'r salad a'r byrgyrs yn y bwytai yn ddigon i bedwar. Wnaethon ni ddarganfod *bagels*, aethon ni i gêm hoci iâ, a theimlo fel tasen ni mewn ffilm. Welon ni dŷ Leonard Cohen, yr Hard Rock Cafe a'r pwll Olympaidd, a rhyfeddu at y dathliadau Calan Gaeaf, a buon ni'n ffilmio yng nghanolfan sgio Saint-Sauveur. Cwrddais â'r ddramodwraig a'r cyfieithydd llenyddol, Linda Gaboriau, addasydd 125 o ddramâu a nofelau o'r Quebecois i'r Saesneg, a mynd i'r theatr i weld perfformiad cofiadwy o *Les Muses Orphelines* gan Daniel Danis, er bod y Ffrangeg Quebecois ychydig yn anodd i'w ddeall. Er gwaethaf y pleserau amrywiol ro'n i'n methu dianc rhag y ffaith mai wedi ei dwyn oddi wrth y brodorion oedd y wlad hon, ac wrth gerdded ar hyd y strydoedd ro'n i'n ceisio dychmygu sut le oedd yma cyn i'r bobl wyn gyrraedd. Gwrthodais y cyfle i fynd i ymweld â *'reservation'*, cartref y llwyth a gollodd ei dir; roedd y gair ei hun yn hala cryd arna i. Teimlais yn freintiedig iawn a phrysuraf i ddweud 'mod i'n gweithio hefyd, yn egnïol ac yn gydwybodol, yng nghwmni J O Roberts, Iris Jones, Heulwen Haf, Phil Reid a Sharon Roberts, er dwi'n dal ddim yn hollol siŵr pam yn gwmws oedd rhaid i ni fynd i Ganada i ffilmio. Cyrhaeddon ni gatre mewn pryd i dreulio noson Guto Ffowc yng nghapel Salem.

Tawelodd y gwaith a daeth cyfle ac amser, nid yn unig i ddal lan â phethau adre, fel glanhau'r tŷ a delio â'r mynydd o waith papur, ond i fynychu'r cyfarfodydd a'r digwyddiadau ro'n i'n eu colli wrth i'r gwaith fy mherchnogi. Wrth edrych nôl mae'n syndod cymaint o weithgarwch oedd o ran mudiadau menywod ar y pryd. Ymunais â Chynulliad Merched Cymru, ac roedd Menywod Mewn Ffilm a Theledu, grŵp Ffilm a Fideo Menywod yn Chapter, a Permanent Waves, grŵp celfyddydol menywod De Morgannwg, i gyd yn gynhaliaeth i mi. Roedd Permanent Waves yn trefnu nosweithiau theatr a darlleniadau barddoniaeth, a gwahoddiad ganddyn nhw i gyflwyno sioe a esgorodd ar *Ede Hud,* y darn cyntaf gwreiddiol i mi ei sgrifennu ar gyfer y theatr. A minnau ar daith *Gobeithion Gorffwyll* gwahoddwyd fi i gyflwyno'r fonolog fel rhan o ŵyl Permanent Waves. Gan fod yr ŵyl yn y Sherman, lle byddwn i'n ymddangos ymhen tair wythnos, gwrthodwyd y cais, oherwydd bod ar y theatr ofn colli cynulleidfa, ac roedd rhaid meddwl am rywbeth i lenwi'r bwlch. Am taw fi, gan amlaf, oedd yr unig Gymraes Gymraeg ei hiaith (mewn lleiafrif bach o Gymry beth bynnag) ym mhob achlysur ffeministaidd celfyddydol yng Nghaerdydd, penderfynais gyflwyno rhywfaint o'r diwylliant Cymraeg i'r gynulleidfa barod, gan ofyn y cwestiwn, beth yw Cymraes, a'i ateb trwy archwilio fy ngwreiddiau fy hun.

Defnyddiais bytiau o ddigwyddiadau trwy lygaid merch fach yn eistedd yng ngardd hudolus ei mam-gu, fel cyflwyniadau i ddarnau o farddoniaeth gan amryw o ffeministiaid fel Adrienne Rich, Erica Jong a Menna Elfyn. Ymestynnais y cyflwyniad a'i berfformio yn *Sêr yn Salem* y Nadolig hwnnw, a bu'r syniad hwnnw'n chwyrlïo o gwmpas fy mhen byth ers hynny.

Heuwyd yr hedyn mewn ffordd gwbl annisgwyl, bron yn ddamweiniol, ac er na fyddai'r gwaith yn cyrraedd ei lawn dwf am sbel go lew eto, roedd hwn yn ddigwyddiad allweddol, ac yn enghraifft berffaith o'r ffordd aeth gwleidyddiaeth a chreadigrwydd law yn llaw o bryd i'w gilydd yn ystod fy ngyrfa.

1995

Geni Saran

Roedd dechrau'r flwyddyn yn dawel yn ôl yr arfer, ac yn fwy felly wrth i fi ddysgu dweud 'Na'. Roedd gymaint o ymholiadau am gyfweliadau ac erthyglau, a minnau wastad yn ymateb yn gadarnhaol, er ei fod yn talu cyn lleied, neu ddim byd o gwbl, er ei fod yn golygu twrn go dda o waith. Roedd hi'n anodd gwrthod, a'r tri deg punt am gyfrannu i raglen radio, sydd heb newid ers chwarter canrif gyda llaw, yn achubiaeth weithiau. Er mwyn cael nerth i wrthod, gan fy mod i eisiau plesio pawb, glynais ddarn o bapur a 'Na' fawr arno uwchben y ffôn, er mwyn gallu o leiaf pwyso a mesur cyn cydsynio.

Bywyd llaw i'r genau yw bywyd actor, ac ro'n i'n dibynnu ar y budd-daliadau diweithdra rhwng y cyfnodau o waith, fel pob actor arall, a doedd dim cywilydd yn hyn o gwbl. Roedd 'y dôl' yn hawl y brwydrwyd i'w greu, ac un ro'n innau'n cyfrannu i'w gynnal pan ro'n i mewn gwaith fel pawb arall; heb y rhwyd ddiogelwch yma byddai ein bywyd creadigol ni'n dlotach wrth i laweroedd orfod rhoi'r gorau i'w gwaith fel artistiaid yn gyfan gwbl. Doedd e ddim yn ffortiwn, ac er bod y blynyddoedd o Thatcheriaeth wedi erydu cysyniad y Wladwriaeth Les, yr agwedd wedi newid a'r cwestiynu'n fanylach, yn enwedig parthed pa drefniadau gofal plant oedd yn caniatáu i fi weithio, roedd yn gynhaliaeth. Mae syniad y cyhoedd o actor a'r math o fywyd mae hi neu fe yn byw wedi ei seilio ar y delweddau o actorion enwog yn Lloegr neu America, sydd werth eu miloedd, yn jet-setio o gwmpas y byd, ond canran fach iawn o actorion yw'r rhain. Mae'r mwyafrif helaeth, dros y byd i gyd, yn byw bywydau gwahanol iawn, ac yn sicr, felly y mae i bob actor yng Nghymru, ble mae'r cyflogau'n fach iawn ar y cyfan. Ac mae'n debyg mai felly y dylai hi fod, yn ôl cynhyrchwyr rhaglen materion cyfoes *Y Byd ar Bedwar* ar y pryd, mewn rhaglen oedd fel petai'n cefnogi'r farn nad oedd gan actorion Cymraeg yr hawl i ennill lot o arian.

Mae'n debyg bod rhywun yn rhywle wedi digio bod actorion *Pobol y Cwm* yn ennill arian mawr yn sgil y ffaith fod y gyfres erbyn hyn yn cael ei darlledu'n ddyddiol a hynny trwy'r flwyddyn. Ro'n i'n falch iawn 'mod i wedi gadael, er gwaetha'r ffaith y byddai 'nghyflog fel Sylvia Bevan wedi mwy na dyblu, ond ro'n i wedi 'nghythruddo gan yr agwedd a amlygwyd ar *Y Byd ar Bedwar*. Ymddangos fel cymeriad rheolaidd yn *Pobol y Cwm* oedd unig gyfle actor Cymraeg i ennill arian da yn gyson, a hyd yn oed wedyn gallai'r gwaith ddiflannu mewn amrantiad yn ôl mympwy'r cynhyrchwyr. Mae'n debyg bod yr arwyddair '*The pen is mightier than the actor*' yn hongian ar wal swyddfa'r sgwenwyr yn y BBC ers dyddiau cynnar y gyfres, yn dilyn cais rhyw actor anffodus am godiad cyflog, a achosodd farwolaeth ei chymeriad mewn ffrwydrad yn fuan wedyn. Mae cyflogau actorion *Pobol y Cwm* wedi gostwng yn sylweddol erbyn hyn, fel cyflogau actorion drwyddi draw, ac wrth i'r mwyafrif helaeth o gyfresi a ffilmiau S4C gael eu hailddarlledu ar wasanaeth CLIC, am dâl llawer iawn yn llai na'r hyn a geir ar y sianel ei hun, does bellach ddim gobaith am gynhaliaeth gan dâl ail-ddarllediadau chwaith. Amlygwyd yr agwedd amwys yma tuag at y diwydiannau creadigol, fel y'i gelwir, pan benderfynwyd mai 1995 oedd y flwyddyn olaf y byddai seremoni BAFTA Cymru yn cael ei darlledu gan 'fod neb eisiau gweld pobl y cyfryngau yn llongyfarch ei gilydd', yn ôl y sôn. Nawr, yn eironig ddigon, a'r seremoni yn raddol golli ei chysylltiad â'n diwylliant cynhenid, gall pawb ei gweld, wedi ei ffrydio'n uniongyrchol i'w stafelloedd ar y we.

Ym mis Chwefror, prysurodd pethau'n sydyn, wrth i fi gychwyn gweithio ar ddrama i Made in Wales ac ar gyfres newydd o *Yr Heliwr* ar yr un pryd, oedd yn golygu 'mod i unwaith eto yn ffilmio yn y dydd ac yn perfformio yn y nos. *Waiting at the Water's Edge* oedd y ddrama, gan Lucinda Coxon, sy'n olrhain hanes dwy ffrind sy'n gweithio fel morynion mewn tŷ mawr yng ngogledd Cymru, cyn cael eu gwahanu gan ddamwain drasig, un yn diflannu i Novia Scotia i fyw fel dyn, a'r llall yn aros adre yn yr un tŷ. Gilly Adams oedd yn cyfarwyddo, ac ro'n i'n chwarae y Ffrances, Thérèse, perchennog chwerw y tŷ, oedd wedi cael strôc a'i gadawodd yn gwbl ddibynnol ar ei morwyn, a'i hofn o fynd yn hen a bod ar ei phen ei hun yn lliwio ei holl ymddygiad. Mae'r ddrama'n archwilio perthnasau grym rhwng meistres a morwyn, a rhwng menyw a dyn a chafodd y ddrama ei disgrifio fel '*a spiritual odyssey of considerable bleak majesty*' yn y *Spectator*. Roedd yn gyfle i ymarfer fy Ffrangeg unwaith eto ac yn bleser i'w pherfformio yng ngofod hen eglwys St Stephen's yn y dociau.

Roedd Yr *Heliwr* yn golygu gwaith cyson, os ysbeidiol, unwaith eto trwy gydol y flwyddyn, ond doedd hi ddim yn hawdd gwneud i'r amserlen weithio'n dwt bob amser, ac un tro, wrth i Noel Bain deithio ymhell oddi cartref i ymchwilio i lofruddiaeth yn Eryri, a *Waiting at the Water's Edge* wedi agor yng Nghaerdydd, roedd rhaid cael fy nghodi'n syth ar ôl y sioe yn St Stephen's a fy nghludo i'r gogledd ar gyfer ffilmio yng nghanol y mynyddoedd y bore wedyn. Pan gyrhaeddais i westy'r Royal yng Nghaernarfon, tua thri o'r gloch y bore, cael a chael oedd sicrhau mynediad i'r adeilad oedd wedi ei hen esgeuluso, ac roedd cael fy arwain gan y porthor nos ar hyd y coridorau hir fel rhywbeth allan o freuddwyd a honno'n un wael, a'r ystafell wely, pan gyrhaeddais o'r diwedd, a'i waliau'n ddu gan leithder a llwydni, fel rhagwelediad o fyd dystopaidd. Ar ôl tair awr o gwsg, ro'n i ar ben rhyw fynydd yn fy siwt wen, yn archwilio corff rhywun oedd wedi cael ei lofruddio mewn sied ffowls. Roedd y lleoliad yn annisgwyl ac yn her ychwanegol, gan fod 'da fi ffobia adar. Sicrhawyd fi gan Pete Edwards, oedd yn cyfarwyddo, bod ganddo'r ddawn i dawelu ieir, a threulion ni'r cyfnod ffilmio yn y sied a Pete yn gorwedd ar lawr yn swyno'r creaduriaid pluog wrth i fi fynd trwy'r archwiliad gwyddonol yn null disgybledig a deallus yr Athro Edwards. Teithiais i lawr y mynydd a chael fy ngyrru'n syth 'nôl i St Stephen's i berfformio'r sioe y noson honno.

Croesawais y chwech wythnos rydd ar ddiwedd drama Made in Wales. Roedd yn gyfle i dreulio mwy o amser gyda Steffan, oedd wedi cael aflwydd ar ei ên a'i cadwodd o'r ysgol am gyfnod, a ches archwilio rhyfeddodau maes llafur TGAU blwyddyn deg ar yr un pryd. Daeth gwellhad llwyr i Steffan ac aeth yn ei ôl i'r ysgol ar gyfer tymor yr haf ac edrychais i ymlaen at bum mis cyfan o waith, wrth i ail gyfres *Yr Heliwr/Mind to Kill* a thrydedd cyfres *Pris y Farchnad* gydredeg. O fis Mai tan fis Medi roedd Margaret Edwards yn trafod amser marwolaeth ac yn fflyrtio gyda Noel Bain am yn ail â Lowri Aston-Davies oedd yn prynu a gwerthu a chynllwynio mewn tai crand. Am ryw bedwar diwrnod yn y canol fyddwn i'n arolygydd carchardai yng nghyfres cwmni teledu Pontcanna, *Tu Fewn Tu Fas*. Roedd hi am fod yn bum mis llawn. Ac yna trodd hi'n llawnach fyth.

Yn ystod y daith i'r gogledd ar gyfer ffilmio'r *Heliwr* ro'n i'n teimlo'n sâl ac roedd rhaid i fi stopio yn Rhaeadr i daflu fyny. O'n i'n meddwl mai straen y sefyllfa oedd yn gyfrifol, neu hwyrach y frechdan cyw iâr ddaeth Ian i fi ar ôl y sioe, i 'nghynnal i ar hyd y daith. Ond heb yn wybod i fi dyma'r arwydd cyntaf fy mod i'n feichiog. A minnau'n bedwar deg chwech, ro'n i dan yr argraff bod absenoldeb y mislif yn arwydd fy mod i'n *perimenopausal* ond pan amlygwyd y gwir roedd yn destun llawenydd mawr. Ro'n i'n disgwyl. Yn fy oedran i. Daeth yr un emosiynau yn ôl fel ag o'r blaen: sioc, rhyfeddod a chyffro. O'n i fel Rebecca yn y Beibl, meddyliais, yn hen iawn pan gafodd hi blant; o'n i jest yn gobeithio 'mod i ddim yn disgwyl efeilliaid. Oherwydd fy oedran mawr, fe ges i brawf sampl *chorionic villus*, a oedd hefyd yn gallu dangos rhyw y babi, ac ro'n i wrth fy modd pan ddeallais 'mod i'n disgwyl merch a'i bod hi'n holliach. Ac felly hefyd Ian a gweddill y teulu, ar ôl yr ymateb cyntaf oedd yn debyg i f'un i: sioc a rhyfeddod. Doedd y ffaith 'mod i'n disgwyl ddim yn golygu stopio gweithio. Gweithiais trwy gydol fy meichiogrwydd. Ro'n i'n ffit ac yn iach ac yn cyfri fy mendithion.

Roedd trydedd gyfres *Pris y Farchnad* yn dra gwahanol i'r ddwy arall, gan mai tîm o actorion, yn hytrach nag awdur y ddwy gyfres flaenorol, Wil Roberts, oedd yn gyfrifol am y sgriptiau, sef Catherine Tregenna, Wyn Bowen Harries ac Eluned Jones, dan oruchwyliaeth Tim Lyn. Mae'n debyg bod Tim, a oedd hefyd yn cyfarwyddo'r gyfres, yn awyddus i greu awyrgylch gyffrous a ffres. Roedd wastad yn sicrhau bod digon o gyfle ar y set i drafod ac i geisio dod o hyd i rywbeth difyr ac agos at y gwir, ond am fod ganddo dîm o sgrifennwyr wrth law'n barhaus, roedd y ffilmio mewn stad gyson o *flux*. Wrth iddo geisio syfrdanu'r gynulleidfa, roedd ei ddull yntau o weithio yn annisgwyl. Weithiau, ar ôl dysgu a gweithio ar dudalennau bwygilydd o ddeialog, byddwn i'n cyrraedd y set a'r cyfan yn cael ei dorri, a chynnwys yr olygfa wedi ei weddnewid yn llwyr. Ar ôl tipyn, gofynnais a fyddai modd cael sgript derfynol, o leiaf erbyn deuddeg o'r gloch y diwrnod blaenorol, ond ofer fu fy nghais.

Derbyniais fy ffawd, ac un diwrnod wrth eistedd mewn car gyda Phil Reid a Richard Lynch ar fryn uwchben tref Caerfyrddin, yn esgus edrych i lawr ar ladd-dy ym Mhensarn, sylweddolais nad oedd y ddeialog yn gwneud unrhyw synnwyr o gwbl i fi. Dwedais y geiriau gyda chymaint o arddeliad â phosib dan yr amgylchiadau, gan gysuro fy hun y byddwn yn deall arwyddocâd y geiriau wrth wylio'r gyfres ar y sgrin. Yn anffodus, fel amryw o'r gynulleidfa dwi'n tybio, ro'n i'n dal i fod mewn tywyllwch llwyr. Mae'r drefn yn golygu bod rhaid i actor gydsynio â'r cyfarwyddydd, ond un waith ar y gyfres hon tynnais yn groes gan wrthod mynd i ganol y gwartheg a'r teirw ar y maes tra ein bod ni'n ffilmio yn sioe'r Tair Sir yng Nghaerfyrddin. Yn y diwedd crëwyd corlan fach o 'nghwmpas i yng nghanol y cae, er mod i'n gwybod yn iawn, fel merch a fagwyd yn y wlad, na fyddai hynny yn fy amddiffyn mewn gwirionedd tase rhywbeth annisgwyl yn digwydd. Erbyn hyn ro'n i'n feichiog ers dau ddeg wyth wythnos, ac ro'n i'n llawer mwy gofalus ohona i fy hun nag y byddwn i'n arferol.

Doedd Margaret Edwards a Lowri Aston-Davies ddim yn feichiog wrth gwrs, ac felly roedd pobl y gwisgoedd, Pam Moore yn *Yr Heliwr* a Ffion Elinor yn *Pris y Farchnad*, yn gorfod addasu'r gwisgoedd i ffitio. Roedd rhaid hefyd dynnu sylw oddi ar fy mola trwy ddefnyddio sgarff neu fwclis i greu diddordeb o gwmpas rhan uchaf y corff. Mae disgwyl babi'n sicr yn un ffordd o sicrhau *close-ups*. Yn achos *Yr Heliwr* hefyd roedd rhaid osgoi mynd yn rhy agos at gyrff oedd wedi eu llosgi (er mai rhai ffug oedden nhw, prysuraf i ddweud), neu at gemegau yn y *morgue*. Ar y cyfan roedd pawb yn ofalus iawn ohona i ond, wrth i fi gyrraedd y mis olaf roedd rhaid cael papur doctor er mwyn cwtogi fy oriau, wrth i'r diwrnodau deuddeg awr a mwy fynd yn drech na fi. Gan amlaf, yn y dyddiau hynny, doedd unman penodol i actorion eistedd nac ymlacio'n dawel, ac yn sicr doedd dim lle i orwedd a rhoi fy nhraed i fyny. Roedd Lowri'n dueddol o dreulio ei hamser mewn tai moethus a lleoliadau braf, ond stori wahanol oedd hi i Margaret druan. Roedd gan Philip Madoc Winnebago mawr moethus wrth gwrs, ac yn y fan honno y byddwn i'n gorffwys pan nad oedd Philip yn ei defnyddio. Mae cymwysterau addas ar y set ar gyfer actorion beichiog, yn ogystal â rhai sy'n bronfwydo, ar restr hawliau gofynnol Equity erbyn hyn er mwyn sicrhau cydraddoldeb.

Fe ges i fis o orffwys, a mynychu dosbarthiadau'r NCT, Aquanatal ac Aromatherapi cyn yr enedigaeth. Unwaith eto, ceisiais baratoi fy hun mor drylwyr â phosib ar gyfer digwyddiad sy'n amhosib i'w reoli. Dewisais ofal bydwraig a geni'r babi yn ysbyty Llandochau ble roedd stafell â phwll geni, golau isel a phlanhigion. Roedd yr holl broses wedi newid yn ddirfawr: doedd dim siafio, nac enema y tro hwn, ac arhosodd y fydwraig gyda fi trwy gydol yr amser, a hithau'n deall bod symud o gwmpas yn hyrwyddo pethau. Roedd yr enedigaeth yn dal yn hir ac yn boenus, ac roedd doctor y tu fas i'r drws yn barod gyda'i fforseps, ond yn y diwedd llwyddais i eni'r babi fy hun, a doedd dim rhaid wrth bwythau chwaith. Cyrhaeddodd Saran Briallu fel ail wyrth, yn gynnar ar fore'r 29fed o Hydref, ac yn union fel ei brawd, wnes i ddwli'n lân arni'n syth. Cafodd Mam osgoi'r profiad y tro hwn, ac er bod sawl ffrind wedi cynnig, llwyddodd Ian, oedd ar fin mynd ar daith gyda chwmni Dalier Sylw, i fod gyda fi.

Pan oedd Saran yn bump wythnos oed es i'n ôl i'r gwaith. Enillodd *Codi Clawr Hanes: Cyntaf i Daflu Carreg* y wobr BAFTA am y rhaglen ddogfen orau, ac yn sgil hyn comisiynwyd cyfres *Codi Clawr Hanes* gyda Bethan Eames a Mary Simmonds yn cyfarwyddo ac yn cynhyrchu unwaith eto i gwmni Teliesyn, wedi ei seilio ar waith Russell Davies a Catrin Stephens. Olrhain safle'r fenyw, rhywioldeb a'r teulu yn oes Fictoria wrth garu, priodi a magu plant oedd themâu'r tair pennod oedd i'w ffilmio cyn y Nadolig, gyda thair arall i ddilyn y flwyddyn wedyn. O'n i'n angerddol am y pwnc, wrth gwrs, a gan mai cyflwynydd o'n i, doedd dim rhaid i fi ddiflannu i fyd arall, na phoeni'n ormodol am olur na gwisgoedd, dim ond dysgu'r geiriau a'u hadrodd nhw i'r camera mewn ffordd ddealladwy a synhwyrol, ac roedd modd gweithio ar y sgript a dysgu'r geiriau wrth fronfwydo, gweithred oedd yn llenwi fy nyddiau.

Fel mamau eu hunain, roedd 'da Mary a Bethan ddigon o ffydd yndda i i gynnig y gwaith i fi fis ar ôl geni Saran, ac ro'n nhw'n hollol hapus i fi ddod â hi ar y set, fel wnes i gyda Steffan pan oedd yntau'n fabi. Does dim rhyfedd bod fy mhlant yn gweithio yn y busnes rhyfedd yma heddiw. Cynigiodd Ian ddod gyda fi pan dderbyniais y gwaith, ond newidiodd ei feddwl, ac roedd e'n sicr yn ormod i Mam a hithau'n saith deg naw, ac felly fe ges i nani, sef Rhiannon Bianchi, i ofalu amdani. Cafon ni dair wythnos hyfryd o waith gyda chriw o actorion a phlant gan orffen deg diwrnod cyn y Nadolig. Roedd y rhaglenni'n chwalu'r ddelwedd sychdduwiol o Gymru barchus trwy ddangos bod hen ddefodau paganaidd, a rhyw cyn priodas, yn rhan annatod o fywyd cefn gwlad. Ro'n nhw hefyd yn dangos erchylltra bywyd y menywod oedd yn gaeth mewn priodasau anhapus, ac arswyd camdriniaeth plant. Roedd hi'n fwriad tynnu cymariaethau rhwng ein sefyllfa gyfredol ni, gan chwalu syniadaeth y llywodraeth Doriaidd ar y pryd mai'r ateb i'n problemau cymdeithasol oedd dychwelyd at werthoedd oes Fictoria. Daeth Carolyn Hitt o'r *Western Mail* i'r set, hen dŷ ffarm o'r ail ganrif ar bymtheg, i fy nghyfweld i, wrth i fi fronfwydo tra 'mod i'n cael colur, ac aeth y cyfan yn rhyfeddol o ddidramgwydd.

Roedd 1995 wedi bod yn flwyddyn lwyddiannus o ran gwaith ond roedd hi'n rhyferthwy o emosiynau anferthol gatre. Salwch annisgwyl Steffan a gollyngdod ei wellhad, llawenydd geni Saran a marwolaeth Kitty, styfnig, wydn, hen fam-gu Steffan, a fu farw'n gant a phump ar ddechrau Tachwedd. Cynhaliwyd gwasanaeth coffa Kitty ar ddiwrnod marwolaeth Gwyn Alf, a'r ddarlith ddisglair, ffraeth a dysgedig yn Chapter yn y gwanwyn yn dal yn fyw yn fy nghof.

Erbyn gorffen ffilmio *Codi Clawr Hanes* roedd naw diwrnod cyn dydd Nadolig, ac roedd fy mherthynas i ac Ian wedi dod i ben. Byddai angen cyfrol arall i ddadansoddi'r clymau dwys a ddatodwyd ac a ailbwythwyd droeon ac a sugnodd gymaint o fy egni a'i gwneud hi'n anodd i ymdopi â phopeth arall. Doedd 'da fi ddim digon o nerth i gynnal pawb, ac fe wahanon ni. Gorffennodd y flwyddyn ryfedd hon o emosiynau eithafol yn dawel ac yn heddychlon a llwyddais i aros yn gall, cael trefn ar fywyd unwaith eto, a chreu Nadolig mewn naw diwrnod.

1996

Awr yr Actorion yn Eisteddfod Llandeilo

BUES I BRON â phrynu *camper van* yn anrheg Nadolig i fi fy hun, gan ddilyn esiampl yr actor Ifan Huw Dafydd, er mwyn sicrhau rhywle call i ymlacio wrth ffilmio *Yr Heliwr* yn ystod misoedd cynta'r flwyddyn, yn enwedig o gofio y byddai babi a nani'n dod gyda fi ar y set. Ond ces i draed oer, ac ar y bws cinio oedd y tri ohonon ni: fi, Saran a Rhiannon, y nani. Wnes i barhau gyda fy ngwaith fel petai bod yn fam i fabi bach a gweithio fel actores ddim yn rhwystr o gwbl. Roedd hyn, wrth gwrs, o fewn strwythur oedd heb addasu i gynnwys bronfwydo, nac hyd yn oed yn cynnig rhywle i eistedd er mwyn gallu gwneud hynny, yn wahanol i fy mhrofiad wrth weithio i gwmni sosialaidd, ffeministaidd fel Teliesyn. Ro'n i wrth fy modd yn cael cefnogaeth gan yr oruchwylwraig sgript, Wendy Gruffydd, oedd yn aelod blaenllaw o Fenywod Mewn Ffilm a Theledu ar un adeg, wrth iddi roi pregeth ar gyfalafiaeth i rai aelodau anfodlon o'r criw – benywaidd, rhaid dweud. Gyrrais y tair ohonon ni i bob math o leoedd, o Gilfach Goch i Lan-y-bri, ac fe ddaethon ni i ben â hi, weithiau mewn lleoedd digon annymunol, gan gynnwys noson mewn llety heb wres canolog yn Nhregaron ym mis Ionawr, ble bu rhaid i

158

fi dynnu 'nillad i gyd o 'nghes a'u rhoi nhw droston ni ar y gwely i drio 'nghadw i a Saran fach yn gynnes.

Yn ystod y cyfnod hwnnw ces i'r cyfle i chwarae yr artist, y bardd a'r nofelydd, Brenda Chamberlain ar gyfer *The Slate*, rhaglen gelfyddydol BBC Cymru. Enillodd Brenda ddwy fedal Aur Gyntaf yr Eisteddfod Genedlaethol yn y pumdegau cynnar, bu'n byw ar Ynys Enlli, yn Hydra yng Ngroeg a hefyd yn Rachub, fy nghartre i am gyfnod yn y saithdegau, ble sefydlodd hi'r Caseg Press gydag artistiaid eraill. Roedd hi'n fraint cael portreadu menyw mor amryddawn a chreadigol. Dyma'r unig dro i fi ymddangos o flaen y camera heb golur o gwbl, ar ofyn y cyfarwyddydd Catrin Edwards. Roedd yn brofiad diddorol iawn, yn fodd i archwilio realiti ein hymddangosiad ac i ba raddau ry'n ni'n cuddio tu ôl i fasg colur. Roedd yn ffordd o ofyn cwestiynau. Ydy colur yn gymorth wrth greu cymeriad neu'n rhwystr? Ydy'r stad o deimlo'n noeth yn creu perthynas emosiynol wahanol gyda'r gynulleidfa? Mae'n rhaid dweud i fi deimlo ychydig o ryddid, a rhyddhad, ond yn bwysicach na dim roedd yn gweddu i'r cymeriad a'r testun, sef gwraidd pob penderfyniad artistig. Roedd *The Slate* yn gaffaeliad mawr i'n diwylliant ni gan roi platfform a llais i'n hartistiaid ac mae'n warth nad oes rhaglen gelfyddydol o'r fath i'w chael ar y teledu yn Saesneg na Chymraeg erbyn hyn.

Gwnes i hefyd drosleisio dwy rhaglen hanesyddol i S4C, un am Goronwy Rees, pennaeth Coleg y Brifysgol Aberystwyth oedd yn ysbïwr i'r Undeb Sofietaidd, a'r llall am bentref Llangyndeyrn a'r frwydr lwyddiannus i achub Cwm Gwendraeth Fach rhag cael ei foddi. Mae rhaglenni teledu fel yma wedi bod yn fodd i lenwi rhywfaint o'r bylchau yn yr amserlen addysgol parthed dysgu hanes ein gwlad, ar hyd y blynyddoedd, oedd yn dal heb ei gynnwys yn y cwricwlwm tan yn ddiweddar iawn. Mae Llangyndeyrn yn bentref cyfagos i Landyfaelog, lle magwyd fi, ac fe ges i'r fraint o adrodd y stori hon yn llawnach mewn rhaglen deledu, a gynhyrchwyd ac a gyfarwyddwyd gan Steffan, yn rhyfedd iawn, pan oedd e'n gweithio i gwmni Tinopolis yn 2013. Yn y rhaglen honno dwedodd yr ymgyrchydd gwleidyddol Emyr Llywelyn, a garcharwyd am ddifrodi safle adeiladu argae Tryweryn, ei bod hi'n bwysicach cofio hanes buddugoliaeth Llangyndeyrn na hanes boddi Tryweryn oherwydd esiampl gyhyrog a chadarnhaol y pwyllgor, pwyllgor a sefydlwyd gan y gymuned ac a sicrhaodd lwyddiant yr ymgyrch.

Y tu ôl i'r llenni yn y cyfnod hwn, ro'n i wrthi'n ymchwilio a sgrifennu sgriptiau ar gyfer menter nesaf Mary Simmonds a Bethan Eames yn Teliesyn. *Erotica* oedd y rhaglen, drama ddogfen oedd yn archwilio'r syniad o'r hyn oedd yn erotig trwy lygaid Cymreig. Trafodwyd gwaith y bardd o'r bymthegfed ganrif, Gwerful Mechain, gyda'r academydd Dafydd Johnson, yn arbennig 'Cywydd y Cedor'. Yn ogystal, holwyd Manon Rhys am ei nofel *Cysgodion*, sy'n olrhain hanes y prif gymeriad Lois ochr yn ochr â charwriaeth y cerflunydd Rodin a'r artist Gwen John, a holwyd Francesca Rhydderch am y deunydd rhywiol yng ngwaith Kate Roberts. Roedd y rhaglen yn sôn am yr 'edrychiad gwrywol' a'r modd y crëir gwrthrych o'r fenyw yn y Gymraeg ar S4C, ac yn defnyddio syniadau o waith amryw o ffeministiaid amlwg, amrywiol eu barn, o Camille Paglia i Andrea Dworkin. Cyflwyno oeddwn i ac er i Bethan, fel cyfarwyddydd, ofyn i fi chwarae rhan Gwen John yn y golygfeydd dramatig rhywiol, teimlais y byddwn, trwy wneud hynny, yn colli fy awdurdod fel y llais oedd yn dadansoddi ac yn archwilio. Roedd hynny ynddo ei hun yn adlewyrchiad o sefyllfa wyrdroëdig y fenyw a'i rhywioldeb o fewn patriarchaeth, wrth i'n mynegiant rhywiol gael ei gyfyngu i'r hyn sydd yn plesio dynion. Hefyd roedd yn dangos sut ry'n ni fel cymdeithas wedi modelu awdurdod i gyd-fynd â'r diffiniad gwrywaidd.

Ar ddechrau Mai es i Lundain gyda Steffan ar gyfer gwasanaeth coffa ei fam-gu, Margaret Courtenay, yn eglwys yr actorion, St Paul's yn Covent Garden. Roedd Maggie, mam Julian, wedi bod yn byw yng nghartref Denville Hall, cartref gofal i actorion, am beth amser cyn ei marwolaeth ym mis Chwefror, ac wedi cadw hanes ei chanser terfynol oddi wrth ei mam, Kitty, a fu farw chwe mis ynghynt. Magwyd hi yng Nghaerdydd a threuliodd y rhan fwyaf o'i gyrfa ar lwyfan yr RSC, y National a'r West End, yn ogystal â gwneud gwaith teledu. Roedd hi'n gymeriad cryf a lliwgar ac roedd hi'n dwli ar Steffan.

Daeth hi'n amser i Steffan baratoi ar gyfer ei arholiadau TGAU ac weithiau byddwn i'n trafod stori fer neu hanes y Tuduriaid gyda fe tra 'mod i'n bownsio Saran ar fy nglin. Dyma gyfnod o rannu fy amser rhwng babi blwydd a disgybl TGAU; y newid i fwyd solid a'r gwaith cwrs, y dant cyntaf a'r adolygu, y pwyso a'r brechu a'r arholiadau, y camau cyntaf a'r canlyniadau. Roedd pob cyfnod yn destun pryder a llawenydd yn eu tro. Weithiau, pan fyddai digwyddiadau'r flwyddyn flaenorol yn bygwth fy ngoresgyn yn llwyr, byddwn yn mynd i eistedd ar lan y môr yn ymyl tafarn y Captain's Wife yn Sili, yn yfed te ac yn ceisio ail-ddarganfod fy hun, cyn mynd adre i sortio'r dillad a'r fflwcs yn y tŷ, a'u gwaredu nhw i siop elusen mewn ymgais i waredu'r fflwcs yn y 'mhen.

Ym mis Mai darlledwyd trydedd gyfres arbrofol *Pris y Farchnad*, a minnau'n gwylio hyd yn oed yn fwy manwl nag arfer, er mwyn gweld a oedd popeth yn gwneud sens.

Weithiau'n odidog ond weithiau'n shambls aneglur oedd y gyfres honno, a'r beirniaid ychydig yn ddryslyd wrth ei chloriannu hi hefyd. Canmolodd Philip Wyn Jones, yr adolygydd ffilm ac un o hoelion wyth Gŵyl Iris yn ddiweddarach, yr actio, y gerddoriaeth a'r gwaith camera, ond roedd wedi ei ddrysu'n llwyr. 'Pwy oedd y cymeriadau?' holodd. Medd eraill, 'O diar! Di-chwaeth a disynnwyr,' a 'rwtsh o'r radd flaenaf'. Gallasai Tim Lyn, oedd yn gyfarwyddydd mor angerddol a chreadigol, fod wedi elwa drwy gydweithio gyda chriw ohonon ni, fel y gwnaeth y cyfarwyddydd arobryn Saesneg, Mike Leigh. Fyddai hynny wedi caniatáu datblygu gwaith, trwy drafodaethau a gwaith byrfyfyr, dros gyfnod o fisoedd, cyn creu sgript derfynol, ond yn sicr does gan S4C mo'r gyllideb i alluogi gwaith o'r fath.

Ym mis Mehefin cychwynnais weithio ar y tair pennod fyddai'n cwblhau'r gyfres am hanes menywod yn ystod oes Fictoria, *Codi Clawr Hanes*. Roedd *Tân yn fy Nghalon*, gan Diana Bianchi, yn olrhain hanes menywod a chrefydd, a'r perfformiwr unigryw Marc Rees yn fythgofiadwy fel y bardd, Ann Griffiths, ar lan yr afon yng Nghwm Nedd. Roedd *Merched y Gerddi* gan Michele Ryan yn trafod y menywod adawodd eu cartrefi yng Nghymru i weithio ym mharciau a gerddi Llundain yn ystod y gwanwyn a'r haf, a *Suffragettes* gan Bethan Eames yn olrhain hanes brwydr menywod Cymreig i ennill y bleidlais. Ces innau chwarae Margaret Haig Thomas, ail Is-Iarlles y Rhondda oedd yn cynrychioli'r menywod dosbarth canol oedd yn ymgyrchu i ennill y bleidlais; gosododd fom cemegol mewn blwch post yng Nghasnewydd, a chafodd ei charcharu a'i bwydo'n orfodol. Mae ei hanes yn ddifyr iawn a chyhoeddwyd bywgraffiad iddi, *Turning The Tide: The Life Of Lady Rhondda* gan Angela John yn 2013. Roedd gwaith Teliesyn ym maes hanes menywod Cymru yn gwbl arloesol ac yn nodweddiadol o waith y cwmni, ac yn enghraifft arall o'r modd y llwyddodd S4C i lenwi'r bylchau yn ein hymwybyddiaeth o'n hanes.

Roedd y ffilmio yn digwydd dros fisoedd yr haf ac roedd yn bleser i finnau, Rhiannon, y nani, a Saran i deithio o gwmpas mewn cwmni menywod oedd yn deall fy mod i am weithio a bod yn agos at y babi. Gallwn fod wedi defnyddio pwmp a gadael potel yn y tŷ, ond mae bronfwydo yn golygu mwy na bwydo i fi, mae'r agosatrwydd a'r cysylltiad yn creu teimlad arbennig iawn. Roedd yr oriau ffilmio yn hir, ac ambell dro roedd rhaid aros dros nos. Roedd yn waith blinedig ac weithiau roedd fel petai rhyw niwl yn disgyn drosta i. Collais y ffordd yn llwyr wrth geisio cyrraedd Glyn Nedd, ac roedd gyrru i westy'r Hundred House trwy Abergwesyn yn dipyn o brawf. Dechreuais golli fy llais, ar ben mynydd yn y canolbarth, ac erbyn i mi gyrraedd cae yn Llaneirwg tu fas i Gaerdydd, i bigo mefus ar ddiwedd y diwrnod, roedd bron wedi diflannu'n llwyr.

Tra 'mod i wrthi'n trafod bywydau menywod yn y bedwaredd ganrif ar bymtheg, ro'n i hefyd nôl yn y carchar yng nghwmni Graham Jones, Pontcanna, yn chwarae rhan yr arolygydd carchardai yn ail gyfres *Tu Fewn Tu Fas*. Roedd rhai golygfeydd yn digwydd tu fewn i garchar Caerdydd, ac roedd yn deimlad yr un mor frawychus â'r profiad o ffilmio *Cracking Up* rai blynyddoedd ynghynt, er taw cael fy mwydo'n orfodol o'n i'r tro hwn, ond yn hytrach, yn chwarae ffigwr awdurdodol oedd wedi dod i roi trefn ar bethau. Er gwaetha'r mesurau diogelwch hirfaith a thrylwyr, gwnaeth un actor dyfeisgar, Dorien Thomas, nad oedd am golli ei beint amser cinio, lwyddo i ddianc i'r dafarn yr ochr draw, a hynny yn ei wisg carchar, a llwyddo i argyhoeddi'r tafarnwr ei fod yn ddieuog o unrhyw drosedd hefyd mae'n rhaid.

Pan ddaeth y ffilmio i ben roedd hi'n bryd canolbwyntio

ar y cam nesaf yn fy natblygiad fel sgrifenwraig, sef *Ede Hud*, sioe i un, wedi ei seilio ar hanesion y menywod yn fy nheulu o 1850 i 1950. Fel y crybwyllais eisioes, heuwyd yr hedyn yn Hydref 1994, pan greais gymeriad y ferch fach yn eistedd yng ngardd ei mam-gu, a nawr yn hytrach na barddoniaeth Adrienne Rich a Menna Elfyn ysgrifennais ddarnau fy hun yn portreadu digwyddiadau arwyddocaol a ddylanwadodd arna i wrth glywed straeon am y teulu. Penderfynais ymgeisio am le yn awr yr actorion yn Eisteddfod Llandeilo gan ddilyn canllaw ysbrydoledig Ian am sut i orffen sgript, sef bwcio lleoliad ar gyfer perfformio'r sioe. Ces fy nerbyn, ac roedd cymhelliad pellach y tri chan punt o dâl, a'r cymysgedd o fraw, cywilydd a phanig yn golygu bod gen i rywbeth ar bapur erbyn mis Gorffennaf. Fy mwriad oedd creu sioe fyddai'n dathlu egni a chreadigrwydd benywaidd, trwy olrhain edafedd profiadau'r menywod yng nghwm glofaol Dyffryn Aman, a'r modd roedd eu goroesiad ym myd dynion wedi cael ei ddiystyru a'i anghofio. Gofynnais i'r cyfarwyddydd Eidalaidd, Firenza Guidi am help i'w llwyfannu, ac er nad oedd hi'n deall gair o Gymraeg, ar ddiwedd fy nisgrifiad o'r sioe dwedodd hi, *'shoes, I see shoes'* a dyna fu fframwaith y sioe; tri phâr o sgidie – bwtîs baban, stiletos a sgidie trwm a lasys. Aethon ati i ymarfer yn Chapter, gyda help Leanne, y rheolwraig llwyfan, a recordiais dâp sain cefndirol yn stiwdio Lawson Dando a hwnnw'n gymysgedd o synau'r gwynt a'r môr a darnau o ganeuon yn atseinio. Roedd Chapter yn hael dros ben ar y pryd, ac yn cynnig cefnogaeth i actorion trwy roi gofod ymarfer am ddim, felly rhwng pawb fe ymestynnodd fy nhri chan punt yn ddigon pell, achos nid hobi mohono ac roedd pawb yn haeddu cael eu talu am eu cyfraniad. Cyflwynais ddarlleniad i griw o wahoddedigion caredig y noson cyn mynd i'r Eisteddfod, er mwyn profi bod o flaen cynulleidfa ac i gael cefnogaeth ac ymateb.

Bu'r darlleniad yn Theatr Fach y Maes yn brofiad rhyfeddol. Roedd cyflwyno fy ngwaith fy hun yn llawer mwy brawychus na chyflwyno addasiad o waith rhywun arall, fel digwyddodd gyda *Gobeithion Gorffwyll*, ac atgoffais fy hun mai pwrpas awr yr actorion oedd dangos gwaith ar ei hanner fel arbrawf dewr. Er mawr syndod i fi, wnaeth neb adael, na thaflu tomatos ac wyau drwg a sylweddolais fod modd i fi ddweud rhywbeth yn gyhoeddus ar lwyfan a bod 'da fi'r hawl i wneud hynny. Yn sydyn doedd dim ots a oedd unrhyw un yn hoffi'r perfformiad, neu'n feirniadol ohono, achos fy ngwaith i oedd e, a syrthiodd y wal oedd wedi bod yn fy nghadw'n garcharor o fewn fy ofn fy hun. Daeth Mam a Steffan, a daeth Ian hefyd i fy nghefnogi.

Ar ôl yr Eisteddfod aeth Mam, Steffan, Saran, finnau a Honey y ci, i Sir Benfro am ein gwyliau arferol. Y bwriad oedd mynd i Aberystwyth at fy mrawd wedyn, ond aeth Mam yn sâl a bu rhaid i ni fynd gatre'n gynt na'r disgwyl. Roedd Mam yn byw gyda ni'n barhaol erbyn hyn a hithau ar fin dathlu ei phen-blwydd yn bedwar ugain, ac er ei bod hi'n siomedig ei bod hi'n methu gofalu am Saran o ddydd i ddydd roedd hi'n gefn aruthrol ac yn gwmni arbennig, wrth ei bodd yn yr ardd ac yn ffrindiau mawr gyda Honey.

O fewn wythnos ro'n i'n ffilmio eto ar gyfres newydd i gwmni Gaucho o'r enw *Tair Chwaer*. Siwan Jones oedd yr awdur ac ro'n i'n chwarae rhan Mary, y fam alcoholig, un o'r rhannau mwyaf diddorol i mi ei chwarae erioed. Bu tair cyfres a ffilm i gyd, ac fe ddaliodd ddychymyg cynulleidfa S4C mewn modd nas gwelwyd ers tipyn. Mae Siwan, sydd erbyn hyn yn awdur ar resaid o gyfresi mwyaf poblogaidd, gwreiddiol a chofiadwy S4C, yn gwybod sut i sgrifennu deialog ac adeiladu stori, ac fel actores ei hun yn ei dydd, yn deall cyrhaeddiad actor, sy'n gwneud y gwaith o ddehongli ei sgriptiau sylwgar, cynnil sydd wedi eu gwreiddio mewn dyfnder emosiynol, yn ddifyr tu hwnt. Roedd *Tair Chwaer* yn llawn hiwmor du, ac roedd y cyfarwyddiadau llwyfan manwl, oedd ar yr olwg gyntaf yn ymddangos yn od, eto i gyd yn gaffaeliad bob tro, ac yn aml yn allwedd i'r cymeriad.

Anaml y byddwn i'n cael cyfweliad ar gyfer gwaith yng Nghymru, yn enwedig yn y Gymraeg yn y cyfnod hwn. Ro'n i wedi gweithio gyda'r rhan fwyaf o'r cyfarwyddwyr a'r cynhyrchwyr droeon, ac ro'n nhw'n gyfarwydd â fy ngwaith i, ond y tro yma roedd y cynhyrchydd, Pauline Williams, ac Endaf Emlyn, y cyfarwyddydd, am i fi ddod i'r swyddfa i weld a fydden i'n argyhoeddi fel mam i dair o ferched yn eu tridegau, a minnau yng nghanol fy mhedwardegau. Mae'n siŵr bod straen y flwyddyn a aeth heibio wedi helpu'r achos, a llwyddais i argyhoeddi'r ddau 'mod i wedi rhoi genedigaeth i Donna Edwards pan o'n i'n bymtheg oed. Roedd y tair chwaer yn canu mewn clybiau yn eu hamser sbâr, ac roedd Mary wedi bod yn gantores ei hun, a roddodd gyfle i fi ganu ychydig bach. Roedd y gyfres wedi ei lleoli yng Nghwm Gwendraeth, ro'n i'n cael bod yn ferch i Margaret John ac yn wraig i Ray Gravell. Pwy allai ofyn am fwy? Roedd yn rhan oedd yn gofyn am ystod eang o emosiynau cryf ac yn aml bydden i'n treulio hanner y diwrnodau'n llefain a'r hanner arall yn chwerthin. Darllenais amryw o lyfrau am alcoholiaeth, ac roedd sgrifennu sensitif Siwan o gymorth mawr, ond a minnau'n teimlo cyfrifoldeb mawr wrth bortreadu alcoholic, roedd yn ollyngdod ac yn destun balchder pan ddwedodd Alun Sbardun Huws, oedd wedi profi'r cyflwr ei hun, 'mod i wedi ei argyhoeddi'n llwyr.

Parhaodd y gyfres tan ddiwedd Tachwedd, ac erbyn

hynny roedd Steffan wedi cychwyn ar ei gwrs lefel A yng Nglantaf, Saran wedi cael ei pharti pen-blwydd cyntaf, ac Amanda Swaffield wedi dod aton ni fel nani, gan gychwyn cysylltiad agos rhyngon ni a theulu'r Swaffields sydd wedi parhau ar hyd y blynyddoedd.

Cyn y Nadolig recordiais i ddwy ddrama radio, *Nest* a *The Citadel*. Jim Parc Nest, yn addas iawn, oedd awdur y ddrama am hanes rhyfeddol Nest oedd yn byw tua 1085 i rywbryd ar ôl 1136. Roedd hi'n ferch i Rhys ap Tewdwr, yr olaf o frenhinoedd annibynnol y Deheubarth a Gwladys o Bowys, ac yn Fam-gu i Gerallt Gymro. Cafodd ei chipio gan Owain ap Cadwgan yng nghastell Cilgerran, a chafodd bump gŵr i gyd. Roedd sôn ei bod hi'n hardd eithriadol a chymharwyd hi â Helen o Droea, a dwedwyd ei bod hi'n 'hudo dynion' ond mae'r hanesydd Elin Jones, yn ei llyfr gwerthfawr *Hanes yn y Tir*, a gafodd ei ddosbarthu i bob ysgol yng Nghymru ar ddechrau 2022, yn dweud bod yr hanes yn un tywyllach o lawer, a'i bod hi yn hytrach wedi cael ei defnyddio'n rhywiol gan y Normaniaid. Petai gyda ni ddiwydiant ffilm cynhenid fe fyddai ei hanes yn destun gwych i'w archwilio a'i bortreadu.

Hanes gwahanol iawn sy'n cael ei adrodd yn *The Citadel*, a seiliwyd ar lyfr A J Cronin am ddoctor ifanc mewn cwm glofaol yn 1924, a daeth chwarae amryw o gymeriadau gwahanol yn y gyfres i Radio 4 ag atgofion o gyfres deledu'r BBC nôl yn 1982, a'r Rice Krispies ar fy ngwyneb, yfed yn y prynhawn gyda Sion Probert a'r newyddion am golli fy nhad yn ddisymwth.

Ychydig cyn y Nadolig aeth Mam a fi i weld y ddrama *Marlene* gan Pam Gems. Roedd Mam wrth ei bodd gyda Marlene Dietrich; roedd hi'n cynrychioli annibyniaeth hudol gwaharddedig y tridegau a'r pedwardegau, yn gwisgo dillad gwrywaidd ac yn smygu sigaréts, a chydiodd ei chân hiraethus 'Lili Marleen' yn nychymyg cymaint yn ystod yr ail ryfel byd.

Aethon ni i weld Marlene Dietrich ei hun yn y Theatr Newydd yng Nghaerdydd yn 1972, a hithau yn ei saithdegau, ac roedd ei phresenoldeb yn drydanol, ei chanu a'i hymddangosiad soffistigedig, yn ei diemwntau a'i chot ffwr hir, wen, yn wefreiddiol. Roedd yn brofiad bythgofiadwy. Roedd y seren fyd-enwog bellter bydysawd o fyd magwraeth capel Mam yng nghwm glofaol Dyffryn Aman, ac felly hefyd fagwraeth yr actores aethon ni i'w gweld yn nrama Pam Gems. Roedd hanner cyntaf y sioe yn digwydd yn yr ystafell wisgo a Marlene wedi ei pharlysu gan nerfusrwydd, yn poeni am arian a'r poenau yn ei choesau, ac yn talu am y blodau fyddai'n cael eu taflu ar y llwyfan ar ddiwedd y perfformiad o'i phoced ei hun. Roedd yr ail hanner yn berfformiad o'r sioe ym Mharis yn 1969, yn rhan o'r daith honno o gwmpas y byd a welon ni yn yr un theatr yn 1972. Roedd deall y cefndir ond yn ategu grym carisma magnetaidd y seren o'r Almaen, ac yn dangos gallu Dr Footlights i godi perfformwraig uwchben pob adfyd. Siân Phillips o Wauncaegurwen oedd yr actores, ac mae hithau'n eicon erbyn hyn ac yn dal i berfformio wrth iddi nesáu at ei naw deg. Roedd yr achlysur yn enghraifft o rym celfyddyd i'n huno ni wrth i ni gyd-deithio i fyd arall.

1997

Derbyn Her

CYFNOD CYMHAROL DAWEL fuodd 1997 i gychwyn wrth i fi bendroni sut i ddod o hyd i ffyrdd o ennill bywoliaeth heb adael Caerdydd. Gyda Steffan yn ei ail flwyddyn dyngedfennol yn nosbarth chwech, a Mam erbyn hyn yn wyth deg, heb sôn am Saran fach, doedd dim modd i fi weithio ymhell o gatre. Daeth y newyddion fod *Tair Chwaer* wedi cael ei hailgomisiynu mewn datganiad ar ddiwedd darllediad pennod ola'r gyfres gyntaf, ond fyddai'r ffilmio ddim yn dechrau tan yr hydref. Er i fi fynychu ambell gyfweliad ar gyfer Theatr Clwyd a'r National yn Llundain, ro'n i'n gwybod yn fy nghalon na fyddai modd i fi dderbyn y gwaith. Ro'n i'n dal i eistedd ar Banel Datblygu Cyngor y Celfyddydau, a sefydlais arolwg i gasglu ystadegau ar ran y panel am y diffyg dybryd o brosiectau gan fenywod. Ro'n ni ar fwrdd *Magdalena* hefyd, ac yn rhan o grŵp Dalier Sylw oedd yn ceisio hybu gwaith gan fenywod, ond roedd y rhain i gyd yn weithgareddau di-dâl.

Ond wrth i'r flwyddyn fynd yn ei blaen ymddangosodd cyfle ar ôl cyfle cwbl annisgwyl wnaeth fy ymestyn mewn ffyrdd newydd a heriol. Sefydlais gwmni theatr, sgrifennais ddwy ddrama lwyfan a gweld eu llwyfannu, ymunais â thîmau ysgrifennu ar gyfer cyfres radio a chyfres deledu, heb sôn am waith arall amrywiol, ac nid y fi yn unig oedd am ddilyn llwybr newydd, achos dyma'r flwyddyn yr enillwyd y Cynulliad.

Roedd S4C am gynnal noson o raglenni i nodi Diwrnod Rhyngwladol Menywod, a'r cynhyrchydd Lowri Gwilym wrth y llyw, ac fe ges i ran yn y ffilm am loches i fenywod rhag trais yn y cartref, *Dail Tafol* gan Eigra Lewis Roberts, a gomisiynwyd yn arbennig ar gyfer yr achlysur. Dangoswyd y ffilm ar y noson ynghyd â sawl cyflwyniad arall fyddai'n cael eu darlledu'n fyw o Ganolfan y Celfyddydau, Pontardawe. Ymddangosais hefyd ar y panel cwestiwn ac ateb i drafod sefyllfa menywod ar ddiwedd y noson gyda Siân Lloyd, Eluned Haf ac Eirlys Pritchard gyda Beti George yn cadeirio. Roedd y ganolfan yn orlawn, a do'n i erioed wedi gwneud unrhyw beth tebyg o'r blaen. Gwnes i fwynhau'r profiad, ac er mawr syndod i mi ysgogodd fy nghyfraniad gynnig gan Dafydd Wigley i ymuno â Chabinet Plaid Cymru i gynrychioli'r celfyddydau. Cytunais, ond er i fi fwynhau'r cyfarfod cyntaf bywiog, roedd y fraint gwbl annisgwyl hon yn anffodus y tu hwnt i fy ngallu i'w chyflawni, oherwydd diffyg amser yn bennaf. O'i gwneud yn iawn roedd hi'n swydd llawn amser.

Yn fuan ar ôl hynny, ges i gynnig gan Diana Bianchi i fod yn rhan o raglen gan gwmni blaengar Teliesyn i archwilio sefyllfa'r fenyw, sef *Ff... Ff... Ff... Ffeminist,* a'i henw'n adlewyrchu'r agwedd gyfredol at y gair. Cychwynnodd trydedd don o ffeministiaeth yn ystod y nawdegau, a'r Spice Girls yn sôn am Rym y Ferch, er gellid dadlau fod Cymru, yn enwedig y Gymru Gymraeg, heb brofi'r gyntaf na'r ail eto, a seiliwyd y rhaglen ar y ffaith fod y gair ei hun yn cythruddo pobl. Hyd heddiw, mae rhai yn credu bod ffeministiaeth yn annog casineb, er bod brwydro dros hawliau cyfiawn i fenywod wedi arwain at welliannau amlwg ym mywydau menywod, a'r gymdeithas yn gyffredinol yn eu sgil, fel tâl cyfartal a hawliau mamolaeth. Nid dim ond cyflwyno o'n i'r tro hyn ond yn holi'r cyhoedd hefyd. Aethon ni i Gaerfyrddin i siarad â disgyblion ysgol Bro Myrddin, ac â phobl ar y stryd. Oedd ganddyn nhw farn o gwbl ar gydraddoldeb i fenywod? Oedden nhw'n deall beth oedd ystyr y gair ffeminist? Oedden nhw'n teimlo bod ffeministiaeth yn wrth-Gymreig? A oedd y gair ei hun yn air brwnt? Cynhaliais gyfweliadau gydag amryw o fenywod craff a chryf eu barn, yn cynnwys Menna Elfyn, Theresa Rees, Helen Mary Jones, Kathryn Jones, Helen Prosser, Sian Edwards a Delyth Prys, a chadeiriais drafodaeth am y cwestiwn o genedl enwau yn y Gymraeg, a sut roedd modd eu goresgyn er mwyn osgoi bod yn rhywiaethol. Beth am y defnydd o 'ddynolryw', a'r 'wr' sydd ar ddiwedd gymaint o eiriau galwedigaethol. Roedd y rhaglen *Erotica* wedi derbyn adolygiad beirniadol gan Robin Gwyn yn ei golofn yn y *Western Mail*, oedd yn adolygu rhaglenni S4C ar y pryd, a doedd y gwron ddim yn or-hoff o'r rhaglen hon chwaith, ac anfonais lythyr i'r papur yn ateb ei feirniadaeth. Diolch am ei ymateb, serch hynny, ac i'r *Western Mail* am adolygu rhaglenni yn y Gymraeg. Gobeithiaf fod y rhaglen wedi esgor ar drafodaeth ehangach.

Roedd y cynnig annisgwyl nesaf yn un tu hwnt o heriol, a arweiniodd at un o'r perfformiadau dwi fwyaf balch o'i gyflawni. Sefydlwyd Music Theatre Wales gan Michael McCarthy a Michael Rafferty yn 1988 i berfformio operâu newydd, neu rai oedd heb gael sylw haeddianol, ac roedd y dramodydd Siôn Eirian wedi ei gomisiynu ganddyn nhw i greu addasiad newydd o *The Soldier's Tale (L'Histoire Du Soldat)* ar gyfer Radio Tri. Crëwyd y darn i leisiau a cherddorfa fechan gan Stravinsky a'i ffrindiau – yr awdur C F Ramuz a'r arweinydd Ernest Ansermet – ar ddiwedd y rhyfel byd cyntaf er mwyn lliniaru ar eu sefyllfa ariannol, gan greu gwaith oedd yn ddigon hawdd ei deithio o le i le ac i ganolfannau bychan. Roedd y tri wedi eu denu gan y chwedlau am anturiaethau y milwr oedd wedi ffoi o'r rhyfel, a'r diafol oedd yn dwyn ei enaid, a gâi ei bersonoli gan ei ffidil yn yr achos yma. Ysgrifennwyd y darn ar gyfer tri actor fyddai'n chwarae rhannau'r milwr, y diafol a'r traethydd, ac yntau hefyd yn chwarae rhannau eraill llai.

Siôn Eirian oedd wedi awgrymu y byddwn yn berson addas ar gyfer y gwaith ac roedd ei ffydd yndda i'n drawiadol. Gofynnwyd i fi chwarae'r rhannau yma i gyd, a byddai'r perfformiad ar lwyfan Neuadd Dewi Sant yn cael ei ddarlledu'n fyw ar Radio 3 ar yr un pryd. Mae'n wir 'mod i'n ysu am berfformio ar lwyfan, ond ddim ar fy mhen fy hun dan y fath amgylchiadau. Byddai angen cryn hyblygrwydd i wahaniaethu rhwng yr holl gymeriadau, a dilyn y nodau i wybod pryd yn union i ddod mewn, a minnau ddim yn gallu darllen cerddoriaeth. Dwi'n dal ddim yn siŵr pam y gwnes i gytuno, ond ar ben y ffaith 'mod i angen y gwaith, a bod Siôn wedi dangos cymaint o ffydd yndda i, efallai mai'r prif rheswm oedd na allwn wrthod unrhyw her. Cefais sawl ymarfer trylwyr ar y gwaith lleisiol gyda Michael McCarthy, y cyfarwyddydd artistig, ond dim ond un ymarfer llawn gyda'r gerddorfa yn Llundain, wedi ei harwain gan y feiolinydd enwog Madeline Miller, cyn y perfformiad cyhoeddus. Oherwydd fy anllythrennedd, fel petai, parthed cerddoriaeth, roedd rhaid dibynnu'n llwyr ar yr arweinydd Michael Rafferty ar gyfer bob ciw, ac roedd lot ohonyn nhw. Fyddai methu dod i mewn ar yr adeg iawn yn dinistrio'r perfformiad cyfan. Dwi ddim yn siŵr faint o ffydd oedd gan unrhyw un, yn cynnwys fi fy hun, yn fy ngallu i gyflawni'r dasg. Cerddais ar y llwyfan yn gwenu'n hyderus, yn hanner gobeithio y byddai twll mawr yn ymddangos ar y llwyfan fyddai'n fy llyncu'n llwyr am byth, a dwi'n dal ddim yn gwybod sut wnes i ddod i ben â hi, ond fe lwyddais, ac mae gen i'r recordiad i brofi hynny.

Drannoeth y drin ro'n i ar fy ffordd i Lundain eto, ar gyfer darlleniad drama ddiweddaraf Ed Thomas, *Gas Station Angel*. Cwmni theatr y Royal Court dan oruchwyliaeth y cyfarwyddydd Stephen Daldry oedd yn datblygu'r ddrama, sy'n gymysgedd o realaeth hudol a gwleidyddiaeth, gyda chyfeiriadau at y tylwyth teg, y teulu y mae eu tŷ yn syrthio i'r môr a'r ysfa i ddianc o fyd diflastod, ac roedd ei darllen yn bleser chwerw gan wybod ei bod hi'n annhebygol y gallwn fod yn y cynhyrchiad llawn. Gofynnodd Stephen Daldry sut ddaeth Ed o hyd i'r cast gwych, oedd yn cynnwys Philip Madoc, Jason Hughes, Richard Lynch a Siwan Morris, ymysg eraill, ac esboniodd Ed ein bod ni'n ffrindiau, ein bod ni i gyd yn nabod ein gilydd, ac wedi gweithio gyda'n gilydd droeon o'r blaen. Mae'r llaw fer greadigol sy'n bosib wrth fod yn rhan o gymuned glos o actorion, awduron a chyfarwyddwyr yn fraint ac yn fantais ry'n ni weithiau'n ei chymeryd yn ganiataol yng Nghymru. Ar lwyfan theatr y Duke of York oedd y darlleniad gan fod y Royal Court yng nghanol gwaith adeiladu. Roedd arwyddocâd personol i hyn gan mai dyma'r theatr ble oedd Julian, tad Steffan, noson geni Steffan, ar noson y Gala Agoriadol wrth iddo gyflwyno Glenda Jackson yn y ddrama *Rose*, ac roedd rhaid i mi gymeryd munud neu ddwy i ddod ata i fy hun wrth gamu ar y llwyfan. Yn dilyn y darlleniad daeth atgof arall, pan aethon ni gyd am ddiod i dafarn y Salisbury gyfagos, gyda'i drychau a'i *chandeliers*, ble tynnwyd fy llun gan John Downing, ffotograffydd rhyfeloedd Fietnam, Bosnia, Rwanda a bom Brighton, pan o'n i'n ymddangos yn *Under Milk Wood* yn Theatr y Mayfair yn 1978.

Yn ystod clo'r pandemig yn ddiweddar, roedd yn bleser

cael bod yn rhan o ddarlleniad Zoom o *Gas Station Angel* gyda chwmni'r Faraway Plays a wnaeth waith gwych yn ystod y cyfnod o greu darlleniadau o ddramâu hen a newydd i'n hatgoffa o'r ffaith fod gyda ni stôr werthfawr o ddramâu. Efallai y dylid ailymweld â rhai ohonyn nhw rywbryd yn y dyfodol.

Ro'n i wedi bod yn ffan mawr o'r gantores Marianne Faithfull ers dyddiau ysgol a neidiais ar y cyfle i fod yn rhan o weithdy drama Larry Allen, *The Wall*, yn olrhain hanes ei bywyd, yn cynnwys y cyfnod pan fu hi'n ddigartref ac yn gaeth i heroin. Ar wahân i'w chysylltiad gyda'r Rolling Stones, a'r gân *'As Tears Go By'* oedd yn cloriannu rhamant tristwch arddegol, roedd ei gallu i oroesi, a amlygwyd gan yr albwm *Broken English* yn 1979 ac a ailgychwynnodd ei gyrfa gerddorol, yn destun dathlu. Roedd *The Ballad of Lucy Jordan* yn fynegiant o hiraeth oedran gwahanol a'r geiriau *'At the age of thirty seven she knew she'd found forever/As she rode along through Paris with the warm wind in her hair'* yn dal i atseinio a minnau'n tynnu am fy hanner cant. Gobeithiais y byddai'r gweithdy yn arwain at gyfle i fod yn rhan o gynhyrchiad llawn ar lwyfan, ond er i fi bendroni'n hir iawn des i'r casgliad na fyddai'n bosib i mi chwarae'r rhan, gan fod teithiau cwmni Hi-Jinx yn para misoedd ac yn golygu gormod o amser oddi cartref.

Ym mis Mai daeth pennod o *Iechyd Da* i gwmni Bracan, yn ogystal â phennod ola cyfres gyfredol *Yr Heliwr*. Hefyd, daeth dau gynhyrchiad difyr iawn yn y Sherman: *Learning the Language*, a sgrifennwyd ac a gyfarwyddwyd gan Geoff Moore ar gyfer yr HTV plays, prosiect oedd yn mynd o nerth i nerth, a phrosiect tebyg oedd yn cyfuno radio a theatr, *Talking To Wordsworth* gan Gillian Clarke oedd yn trafod grym barddoniaeth ac atgofion.

Darlledwyd y ddrama honno o flaen cynulleidfa fyw yng

Ngŵyl y Gelli Gandryll, oedd yn fy nharo i fel Eisteddfod i bobl wedi eu gwisgo fel cymeriadau o straeon Somerset Maugham. Ac yna yn ystod y cyfnod hwn, daeth cyfle i barhau gyda'r gwaith ysgrifennu.

Roedd Phil Clark, cyfarwyddydd artistig y Sherman, wedi bod yn paratoi prosiect am y Mabinogi ar gyfer ysgol haf y theatr ieuenctid, menywod y Mabinogi i fod yn fanwl gywir. Treuliais dipyn o amser tra 'mod i'n gweithio yn y theatr yn esbonio iddo sut oedd y ffaith fod menywod cryf a lliwgar y Mabinogi yn cael eu bychanu a'u demoneiddio a'u beio ar gam yn fy nghythruddo i. Soniais sut oedd y delweddau o Rhiannon yn cario ymwelwyr ar ei chefn, Arianrhod yn colli ei mab, Branwen yn cael bonclust bob dydd a Blodeuwedd yn cael ei chreu i blesio dyn yn amlygu casineb at fenywod, er bod y canfyddiad poblogaidd fel petai'n ddall i hynny. Ac yna, un diwrnod gofynnodd Phil a fyddai gen i ddiddordeb i ysgrifennu am y pwnc. Roedd e newydd golli un o'r pedwar awdur oedd am gyfrannu drama hanner awr yr un ar gyfer y prosiect. Roedd yn gydddigwyddiad lwcus ac yn her arall allwn i mo'i gwrthod, ac ymunais ag Angharad Devonald, Kaite O'Reilly, Gillian Clarke a Charles Way, y dramatwrg fyddai'n cydlynu'r pedair drama, i weithio ar y sioe fyddai'n cael ei chyflwyno ym mis Medi o dan y teitl *Dangerous Women of The Mabinogion.*

All That You Have... oedd teitl fy nrama i, wedi ei seilio ar gân Tracy Chapman '*All That You Have is Your Soul*', ac ynddi roedd Rhiannon, Branwen, Blodeuwedd ac Arianrhod yn dod at ei gilydd ar lan Afon Alaw i gofio Branwen, a oedd, er mawr syndod iddyn nhw, yn dal yn fyw. Ro'n i am geisio unioni'r cam trwy ddathlu eu hawl dros eu cyrff a'u tynged, wrth i'r tair arall geisio perswadio Branwen mai nid ei bai hi oedd dinistr y ddwy ynys. Roedd y profiad yn hwb sylweddol i fy hunanhyder fel sgwenwraig, a dysgais gymaint oddi wrth yr awduron eraill, ac yn arbennig wrth Charlie Way. Blynyddoedd yn ddiweddarach creais addasiad Cymraeg ar gyfer Radio Cymru o'r enw *Ar Lan Aberalaw*.

Alison Hindell, y cynhyrchydd radio o Lundain, oedd bellach wedi hen ymgartrefu yng Nghaerdydd, oedd cynhyrchydd y prosiect. Roedd Alison yn deall yn llwyr ei bod hi mewn gwlad arall gyda'i diwylliant unigryw ac fe gefnogodd actorion ac awduron, nid yn unig trwy gynnig cyfleoedd ar y radio iddynt, ond trwy weithio gyda'r Sherman a chwmnïau theatr eraill, fel y gwnaeth gyda Quartet/Pedwarawd Theatr y Byd. Cyhuddwyd hi o '*going native*' gan y bosys yn Llundain. Alison erbyn hyn yw comisiynydd drama Radio 4 ac mae'n dal i fyw gyda'r '*natives*' yng Nghaerdydd. O, na bai mwy yn debyg iddi.

Gatre fuon ni dros yr haf; aeth Steffan ar wyliau i Minorca gyda Julian ddechrau Awst, ond doedd Mam ddim yn teimlo'n ddigon da i deithio. Mentrodd allan serch 'ny i weld *Dangerous Women of The Mabinogi* ddechrau Medi i weld y criw ifanc, oedd yn cynnwys dwy actores sy'n gweithio'n broffesiynol erbyn hyn, Caitlin Richards a Teifi Emerald, yn perfformio fy nrama gydag egni ac afiaith.

Roedd creu cwmni theatr ar gyfer gwaith menywod yn freuddwyd ers rhai blynyddoedd. Roedd cymaint o gwmnïau tebyg yn Lloegr, wedi cael eu creu er mwyn hybu sgrifennu cyfoes gan fenywod am fenywod, ac ro'n i'n teimlo'n gryf bod bwlch yma yng Nghymru, a hynny yn yr iaith Gymraeg. I'r perwyl hynny ro'n i a Penni Bestic, y dylunydd, wedi cofrestru'r enw 'Rhosys Cochion' rai blynyddoedd ynghynt, rhag ofn y byddai'r freuddwyd yn cael ei gwireddu rhyw ddydd. Ac ym mis Medi'r flwyddyn hon daeth y freuddwyd yn wir, wrth i gwmni Rhosys Cochion, sef Catrin Edwards a finnau, lansio ein cynhyrchiad cyntaf gyda pherfformiad llawn o *Ede Hud*.

Ro'n i a Catrin yn nabod ein gilydd ers dyddiau ysgol yng Nghaerfyrddin, ac roedd y ddwy ohonom yn aelodau craidd o gwmnïau theatr Bara Caws a Hwyl a Fflag. Erbyn hyn roedd Catrin yn gyfansoddydd a chyfarwyddydd teledu profiadol, ac yn dilyn y darlleniad yn Eisteddfod Llandeilo, aethon ni ati i wneud cais i Gyngor y Celfyddydau am grant prosiect. Derbynion ni grant o fil o bunnoedd ym mis Ebrill, ac es ati i ddatblygu'r sgript, a'i hymestyn eto ar gyfer perfformiad awr, ac ymysg straeon eraill daeth hanes yr 'Antis', chwiorydd Mam-gu, yn rhan o'r sioe, yn cenhadu, canu, chwerthin, pregethu a dianc i fyw i Pennsylvania. Trefnwyd ymarferion yn Chapter, a thaith fer gyda help cynllun Noson Allan Cyngor y Celfyddydau.

Doedd mil o bunnau ddim yn mynd ymhell ac elfennol oedd fy ngwisg, sgert a blows sidan, liw hufen a chot nos batrymog, a'r set oedd lleuad o weiren arian a phadell fach fetel lawn dŵr wedi ei hamgylchynu â cherrig, pob elfen er mwyn creu awyrgylch hudolus stori dylwyth teg 'y pishys peraroglus o gof yn danso yn y gwynt'. Cafon ni gyflog am yr actio a'r cyfarwyddo, ond doedd dim tâl o gwbl am sgrifennu'r sioe. Ar ôl chwe diwrnod o ymarfer yn Chapter, aethon ni ar daith, gan agor yn Neuadd San Pedr yng Nghaerfyrddin, ardal fy magwraeth a Chlwb y Bont ym Mhontypridd cyn dod nôl i Chapter. Aethon ni hefyd i Neuadd y Gweithwyr ym Mrynaman, ac yno roedd perthnasau rhai o'r cymeriadau ro'n i'n eu portreadu ar y llwyfan yn y gynulleidfa. Mae perfformio sioe sydd wedi ei chysylltu'n uniongyrchol â phrofiadau'r gynulleidfa yn brofiad amheuthun, ac roedd gwybod bod fy nghefndryd, disgynyddion y deunaw o blant a fagwyd ym Mryncethin

Bach oedd yn cofio gardd fy mam-gu, yn dystion i'r noson yn ei gwneud hi'n un arbennig iawn.

Roedd y cynhyrchydd, Lowri Gwilym, yn disgwyl realaeth gymdeithasol a thrafodaeth naturiolaidd ar y tlodi a'r gormes, ac fe'i synnwyd gan natur realaeth hudol y sioe. Fy mwriad oedd dathlu'r modd y llwyddodd y menywod i ddod o hyd i bŵer, rhyddid ac adloniant o fewn cymdeithas wrywaidd y pyllau glo, a dylanwad y pethau hynny ar y ferch fach yn eistedd yng ngardd ei mam-gu. Roedd fy nhad-cu yn löwr a fy nhad yn athro, a dyma sut ces i fy niffinio yn y byd cyhoeddus, ond roedd eu dylanwad gymaint yn llai na dylanwad fy mam a'm mam-gu, oedd 'ddim ond' yn wragedd tŷ. Roedd yn fenter, ac ro'n ni'n nerfus dros ben, ond fe gafon ni gefnogaeth ac ymateb da iawn. Fesul tipyn mae llwyddo, mae'n debyg, a dim ond megis cychwyn oedd bywyd y sioe fach yma.

Roedd cyfnod ymarfer a theithio *Ede Hud* o anghenraid wedi ei drefnu fisoedd ymlaen llaw, ar gyfer mis Tachwedd, ac erbyn hynny ro'n i'n brysur gydag ail gyfres *Tair Chwaer*. Felly roedd yr wythnos o ymarfer ac wythnos o berfformio *Ede Hud*, yn digwydd yng nghanol yr holl brysurdeb arall. Parhaodd ail gyfres *Tair Chwaer* tan ganol Rhagfyr, a byd cyffrous a swreal Mary o ddryswch a hiwmor yn sicrhau sefydlogrwydd ariannol am gyfnod. Roedd Steffan yn fy ngyrru i'r gwaith ym Mrynna, pentref rhwng Pen-coed a Llanharan, ble roedd y rhan fwyaf o'r ffilmio yn digwydd bob dydd, am ei fod yntau wedi pasio ei brawf gyrru, a achosodd lawer mwy o lawenydd iddo nag unrhyw lwyddiant academaidd cynt nac wedyn. Ro'n innau'n rhannu yn y dathlu wrth ddiolch i'r ymarfer digon brawychus a gawson ni, gyda Saran yn chwarae Playdoh yn ei chadair yn sedd gefn y car, fod o fudd.

Ar ben hyn i gyd ro'n i hefyd yn treulio'r penwythnosau

yn stiwdio'r BBC yn Heol Alexandra yn Abertawe, yn chwarae rhan Miriam yn *Ponty*, cyfres ddrama radio ddyddiol i Radio Cymru a grëwyd gan Hazel Wyn Williams a Gwen Parrott dan ofal Lyn T Jones. Roedd y gyfres yn waith tymor hir, ac yn cynnig cyflog sefydlog, a datblygodd fy nghysylltiad ymhellach wrth i mi gael gwaith sgrifennu ar y gyfres hefyd.

Ro'n i wedi gorfod gwrthod cynnig Ed Thomas i chwarae Mam yn *House of America* ar lwyfan eto, oherwydd ei fod yn cyd-ddigwydd ag ail gyfres *Tair Chwaer* ym mis Medi, a chysurais fy hun trwy ddweud y byddai'n amhosib ail-greu awyrgylch tanllyd y cynhyrchiad cyntaf arloesol hwnnw ddeg mlynedd ynghynt. Ond doedd dim cysur i'w gael wrth wylio'r addasiad ar gyfer y sgrin mewn sinema oer yng nghanol Caerdydd ym mis Hydref. Roedden ni wedi bod yn ceisio dod o hyd i ffyrdd i drosglwyddo'r ddrama i'r teledu ers y dechrau, a dyma hi nawr yn cyrraedd y sgrin fawr. Roedd rhaid cael 'enwau', mae'n debyg, a doedd dim un ohonon ni'r cast gwreiddiol yn y ffilm. Roedd un o'r cast, Steven Mackintosh, yn Sais hyd yn oed. Profiad anodd oedd gwylio'r ffilm gyda Siân Phillips yn chwarae Mam, ac ro'n i'n flin i weld nad oedd Catherine Tregenna, Richard Lynch na Russ Gomer ar y sgrin chwaith. Bu'r ddrama a'r cyfnod o'i pherfformio ar daith, o gwmpas cymoedd y De ac i Battersea yn Llundain, mor bwysig i ni a daeth rhyw hiraeth mawr drosta i. Roedd yn teimlo fel bradychiad. Ac yn wir peth rhyfedd oedd gweld un tŷ mawr ar ben ei hun ar fryn, yn hytrach na thŷ bach teras yn gartref i'r teulu, oedd yn fy nhyb i yn cynrychioli pob teulu heb obaith oedd yn glynu at freuddwydion ffug yn y Gymru gyn-ddatganoledig oedd ohoni.

Pwy a ŵyr sut byddai Boyo, Syd a Gwennie wedi pleidleisio ym mis Medi 1997, pan agorwyd y drws i ryw lun ar ddemocratiaeth wrth i Gymru bleidleisio dros ddatganoli, trwy drwch blewyn, am i ddigon o bobl gofio 'pwy o'n nhw a ble o'n nhw,' chwedl Mam *House of America*. Does dim dwywaith ymhle fyddai hi wedi rhoi ei chroes. Ro'n i wedi bod mewn sawl cyfarfod yn ystod y refferendwm, a gwnes ddarllediad gwleidyddol ar ran Plaid Cymru dan ofal Peter Elias Jones, cyn-Bennaeth Adran Blant HTV. Roedd y Blaid wedi penderfynu peidio ag ailadrodd camgymeriad refferendwm 1979 gan adael i'r Blaid Lafur berchnogi'r ymgyrch y tro hwn dan arweiniad y gwleidydd talentog Ron Davies. Arhosais ar fy nhraed, neu'n hytrach ar ddi-hun yn fy ngwely, tan bedwar ar y 19eg o Fedi, a theimlo rhyw arswyd yn fy meddiannu tan fod Caerfyrddin yn creu hanes unwaith eto. Rhedais i ddeffro Mam a Steffan gyda'r newyddion da ac mae geiriau Ron Davies, '*Good Morning and it is a very good morning in Wales,*' yn dal i atseinio.

Roedd fy nani, Amanda Swaffield, wedi gadael am y Brifysgol ym mis Medi ac felly roedd rhaid dod o hyd i warchodwraig newydd, oedd yn siarad Cymraeg wrth gwrs. Ar ôl hysbysebu yn yr *Echo*, ac ar ôl cyfweld nifer, ac arbrofi rhyw ychydig, yn y pen draw daeth Bethan Healy, o Langeitho'n wreiddiol ond nawr wedi ymgartrefu yng Nghaerdydd, aton ni. Ar y penwythnosau weithiau byddai Dorn, mam Amanda, oedd yn union yr un oed â fi ac wedi dwli ar Saran, yn helpu. Un o Gaerdydd oedd Dorn a doedd hi ddim yn siarad Cymraeg, ond danfonodd ei merched i Glantaf ac am gyfnod bu'n gynghorydd cymuned i Blaid Cymru. Roedd Mam a Steffan gyda fi hefyd. Ro'n i mor lwcus i gael cymaint o gefnogaeth. Roedd Ian yn galw'n aml trwy gydol y flwyddyn, ond roedd wedi mynd i fyw ym Mryste ac anaml y byddai'n gofalu am Saran. Ro'n i'n hapus i fod yn hunangynhaliol ac yn annibynnol. Roedd bywyd yn drefnus a minnau'n mwynhau mynd i nofio gyda

Saran tra bod Steffan yn ei wers Taekwondo yn y Barri ar foreau Sul, a mynd i'r parc ac i siopa, a sylweddolais fod byw gydag Ian wedi golygu 'mod i wedi fy natgysylltu oddi wrth ran ohona i fy hun yn union yr un ffordd y cefais fy natgysylltu wrth Gymru tra 'mod i'n byw yn Lloegr.

1998

Steffan yn Kenya

Roedd hon yn flwyddyn bytiog iawn o ran gwaith i gychwyn, er bod 'da fi sicrwydd trydedd gyfres *Tair Chwaer* ddiwedd y flwyddyn, ond trodd tawelwch cymharol yr wyth mis cyntaf yn rhyferthwy o brosiectau, a minnau'n ei chael hi'n anodd i gadw trac ar bopeth, wrth i fy nghynllun i ehangu fy nghyfleoedd am waith brofi'n llwyddiant. A'r arian yn brin, ceisiais ddatblygu sawl prosiect arall fyddai'n golygu bod modd i fi nid yn unig i osgoi gadael gatre ond i allu aros yn y tŷ, i fod gyda'r teulu. Cyfieithais *Ede Hud* i'r Saesneg ar gyfer y gyfrol o fonologau gan fenywod, *One Woman One Voice*, a datblygais syniad am ddrama am Amelia Earhart. Daeth newidiadau mawr teuluol erbyn diwedd y flwyddyn hefyd wrth i Mam wanhau yn sylweddol, Saran gychwyn yn yr ysgol feithrin a Steffan adael gatre, a buais i bron â'i golli fe'n gyfan gwbl cyn hynny.

Roedd y gwaith ar y ddrama sebon *Ponty* yn achubiaeth a dyma oedd asgwrn cefn fy mlwyddyn gyfan ac fe roddodd gysondeb ariannol i fi hefyd. Roedd y penwythnosau yn recordio rhan Miriam yn stiwdio Abertawe wastad yn achlysur cymdeithasol byrlymus, gyda ffrindiau hen a newydd yn y cast, a Ray Gravell yn arwain yr hwyl fel Malcolm, perchennog y busnes tacsis oedd yn ganolog i strwythur y penodau. Er i'r actio orffen dros yr haf, aeth yr ysgrifennu yn ei flaen, gwaith oedd wrth fy modd ac roedd Hazel, Gwen a Lyn yn gefnogol tu hwnt, yn enwedig wrth i fi geisio bwrw'r dedlein. Ro'n i'n mwynhau'r her o ffitio darnau'r jigso o ddigwyddiadau a chymeriadau at ei gilydd, a'r dechneg o gyflwyno'r cyfan trwy sain yn unig. Roedd fy mhrofiad actio ar y radio yn gymorth, ac ro'n i'n gallu pennu fy oriau fy hun wrth sgrifennu, er bod hynny'n golygu gweithio tan oriau mân y bore yn aml, yn enwedig wrth i brosiectau eraill ddod i law.

Ym mis Chwefror daeth cyfle i weithio i Made in Wales eto, ar *My Piece of Happiness*, drama gyntaf Lewis Davies sydd bellach yn gyfarwydd fel sefydlydd gwasg Parthian, am ddau berson ifanc gydag anableddau dysgu. Roedd yn fis o waith yn Chapter gyda thair wythnos o ymarfer ac wythnos o chwarae, ac yn gyfle i ymddangos ar lwyfan heb orfod gadael Caerdydd. Cyfarwyddydd artistig newydd Made in Wales, Jeff Teare, oedd yn cyfarwyddo a chafon ni adolygiadau da ar y cyfan gyda'r *Stage* yn ei disgrifo fel '*An understated, keenly observed work of compassion and delicacy.*' O fewn pythefnos i orffen *My Piece of Happiness* ro'n i'n gweithio ar ddrama fer o'r enw *Leaving* i'r BBC â Bethan Jones, cyn-gyfarwyddydd artistig Dalier Sylw, yn ceisio trosglwyddo rhai o ddulliau y theatr i fyd teledu wrth i ni ei recordio heb fwriad i'w ddarlledu, oedd yn cynnig cyfle i arbrofi. O fewn mis ro'n i'n gweithio ar raglen ddrama ddogfen am hanes y gyfraith yng Nghymru i gwmni Arwel Ellis Owen, Cambrensis, a ches ddiwrnod o ffilmio ar *Y Glas*, cyfres am blismyn gan gwmni Boda. Yna tawelodd pethau eto tan i mi gael gwaith ar ffilm o'r enw *A Light In The Valley* ym mis Gorffennaf.

Ian oedd awdur *A Light In The Valley*, rhan o drioleg arobryn oedd yn cynnwys *A Light On The Hill* ac *A Light In The City*, a Michael Bogdanov, y cyfarwyddydd theatr profiadol, yn cyfarwyddo'r tair. Roedd Dai Smith,

Pennaeth Rhaglenni Saesneg BBC Cymru erbyn hyn, yn hybu gwaith yn yr iaith Saesneg oedd yn adlewyrchu ac yn tyfu o ddiwylliant Cymru, a arweiniodd nes ymlaen at y gyfres ddrama sebon deledu *Belonging* a'i rhagflaenydd ar y radio, *Station Road*. Roedd y cynyrchiadau hyn yn cynnig cyfleoedd i actorion oedd ddim yn siarad Cymraeg, oedd prin yn cael gweithio o fewn eu diwylliant eu hunain oherwydd y prinder o waith yn Saesneg ar gyfer actorion Cymreig. Ond cyfnod byrhoedlog oedd hwn. Mae'r BBC yng Nghymru yn cefnogi fersiynau Saesneg o gyfresi mae S4C yn eu datblygu, ond mae gwaith cynhenid trwy gyfrwng y Saesneg yn dal yn ddifrifol o brin. Mae fel petai yna ddiffyg ffydd mewn gallu actorion o Gymru i gynnal cyfresi. Roedd hynny'n amlwg wrth i'r cynhyrchiad llwyddiannus diweddar, *The Pact*, gastio dau actor o Loegr ac un o'r Alban yn y prif rannau. Does gan BBC Cymru ddim Adran Ddrama bellach, na chomisiynydd drama yng Nghaerdydd. Mae'r cwbl yn cael ei gomisiynu gan yr hyn a elwir yn Wales Facing Drama Commissioner, ac mae *Pobol y Cwm* yn cael ei rheoli o Lundain gan BBC Studios.

Roedd hi'n amser prysur gatre, Saran fel weiren wyllt wrth anelu at ei thair a'r poti'n elfen bwysig yn ein bywydau, ac roedd Steffan hefyd yn barod am y cyfnod nesaf yn ei fywyd, yn paratoi i eistedd ei arholiadau lefel A, yn ymweld â phrifysgolion, a'i fryd ar wneud gradd Hanes fel finnau. A minnau'n gweithio, aeth Mam gyda fe i brifysgol Birmingham, cartref ei thad, Frederick Nicholson, ble y bu hi'n byw am gyfnod, yn nyrsio ac yn gweithio fel ysgrifenyddes. Aethon ni gyd i ddiwrnod agored prifysgol Bryste, a minnau'n cofio fy nghyfweliad yn 1967, wrth weld adeilad mawreddog Wills, a meddwl mor wahanol fyddai 'mywyd wedi bod petawn i wedi penderfynu astudio yno yn hytrach nag aros yng Nghymru a mynd i brifysgol

Caerdydd a chael bod yn rhan o fwrlwm y protestiadau. Cyn hir fe fyddai'n amser i Steffan ffarwelio â Glantaf, a mynd i'r *prom*, y mewnforiad o America sydd erbyn hyn wedi treiddio i'n hysgolion cynradd hyd yn oed, ac roedd e hefyd yn paratoi ar gyfer taith i Kenya gyda'r ysgol trwy gwmni World Challenge.

A'r pigiadau wedi eu cwblhau, a'r tabledi malaria, a'r holl geriach oedd angen ar gyfer ei daith wedi pacio hedfanodd Steffan i gael profiad bythgofiadwy yn Affrica. Aeth Saran a minnau am wyliau ym Mhenrhyn-coch gyda fy mrawd Paul a'i deulu, a threulio amser gyda Lowri a Llew, plant fy nith Anna, a gollwyd yn rhy gynnar o lawer mewn damwain yn 2019. Roedd Llew yr un oed â Saran, a Lowri ddim ond yn flwyddyn yn hŷn, a chafon ni lot o hwyl yn ymweld â Fferm Ffantasi yn Llanrhystud gyda fy nwy nith arall, Cathrin ac Elizabeth, yn bwydo'r ŵyn bach ac yna'n mynd i lan y môr godidog Aberystwyth i chwarae yn y tywod a bwyta lolipops. Ac yna wythnos ar ôl i ni ddod gatre ges i alwad ffôn frawychus.

Roedd Steffan mewn ambiwlans ar ei ffordd i Mombasa. Doedd dim angen i fi boeni o gwbl, roedd popeth yn iawn, meddai'r llais, ond daeth lluniau o heolydd garw ac adeiladau to gwellt ac offer cyntefig i'm meddwl yn syth. Roedd e wedi mynd yn sâl yn ystod cyfnod y gorffwys ac ymlacio ar ddiwedd y daith World Challenge, ac fe ddaeth hi'n amlwg mai poen pendics oedd 'da fe, a hwnnw wedi bostio erbyn iddo gyrraedd yr ysbyty. Symudais i ddim wrth y ffôn am y ddwy awr nesaf. Cael a chael fuodd hi, ond roedd y llawdriniaeth yn llwyddiannus, a dwi erioed wedi bod mor falch o glywed ei lais, pan siaradon ni ar y ffôn ar ôl iddo ddod o'r theatr. Roedd y gofal gafodd e yn ysbyty'r Aga Khan yn wych, ac roedd rhaid iddo aros gyda'i athro mewn gwesty moethus ar lannau'r cefnfor Indiaidd am ddeuddeg diwrnod, er bod dim modd iddo fynd i'r dŵr wrth reswm. Aeth Julian i'w nôl e o faes awyr Heathrow a chafodd Mam yr anrheg orau erioed pan gyrhaeddodd Steffan adre ar ddiwrnod ei phen-blwydd. Roedd yn edrych yn dost ac yn denau a daeth ag anifeiliaid Affricanaidd wedi eu cerfio gan fechgyn oedd yn ceisio gwneud bywoliaeth wrth eu gwerthu ar y traeth bob dydd. Cyn y salwch, cafodd brofiad bythgofiadwy, meddai e, yn dringo Mynydd Kenya, yn helpu i adeiladu ysgol ac yn neidio i byllau dŵr o uchder, er mai'r unig anifeiliaid mawr gwyllt welodd e oedd y rhai pren ddaeth adre gyda fe yn ei ges. Roedd e'n holliach o fewn dim, a chyn hir aeth i ddathlu yng Ngŵyl Reading.

Tra bod Steffan yn gwella yn haul Kenya ro'n i yng nghanol ymarferion yng nghrombil y Sherman, ar gyfer yr ysgol haf i ieuenctid, a minnau a dau actor proffesiynol arall yn gweithio gyda'r bobl ifanc. Roedd hi'n anodd iawn canolbwyntio weithiau, ond roedd yn help i ffocysu ar rywbeth arall tan i Steffan gyrraedd adre. Nid dyma'r tro cyntaf na'r tro olaf y byddai Dr Footlights yn fy nghynnal ar adegau anodd. *The Silver Sword* oedd y cynhyrchiad, addasiad o nofel gan Ian Serraillier am blant o wlad Pwyl ar ffo yn ystod yr ail rhyfel byd. Ro'n i a fy mrawd, yn saith ac yn ddeg oed, a ninnau heb deledu, wedi gwylio'r addasiad teledu yn 1957 yng nghegin fach Sid a Nelly John ochr draw i'n tŷ ni yn nhafarn y Lion yn Llandyfaelog amser te ar ddydd Sul, ac fe wnaeth argraff ddofn arna i. Roedd stori Ruth, tair ar ddeg, Edek, un ar ddeg, a Bronia, tair oed, yn ceisio goroesi ar eu pennau eu hunain am bedair blynedd, ar ôl i'w rhieni gael eu carcharu gan y Natsïaid, wedi'i serio ar fy nghof. Roedd y stori arwrol, gyffrous yn codi ofn ac yn ysbrydoliaeth ar yr un pryd, ac ro'n i wrth fy modd yn cael bod yn rhan o'r cynhyrchiad llwyfan.

Tan i mi ddechrau yn y Sherman roedd gwaith yn gymharol brin, ar wahân i ambell i ddrama radio, sesiynau trosleisio a rhaglenni trafod, ond ro'n i'n dal i dalu i Bethan i warchod yn wythnosol yn y gobaith o gael gwaith. Roedd cael gofal dibynnol, hyblyg yn waelodol i fy ngallu i gynnal gyrfa ac ro'n i'n dibynnu ar y Ganolfan Waith tra 'mod i'n parhau i ymestyn yr orddrafft. Ar wahân i'r manteision seicolegol, roedd parhau i weithio yn bwysig i fi er mwyn cynnal fy nghrefft ac i atgoffa pawb 'mod i'n dal yn fyw ac yn iach ac ar gael ar gyfer gwaith arall. Ond roedd y wobr ariannol yn fychan iawn. Tua phum deg punt yr wythnos ro'n i'n ei ennill ar ôl talu treth incwm, yswiriant cenedlaethol, cyflog Bethan, oedd yn fy ngalluogi i weithio, a fy asiant a phenderfynais mai'r peth gorau i wneud oedd gadael fy asiant, Bill Mclean. Roedd holl waith y blynyddoedd diweddar wedi tyfu o fy nghysylltiadau uniongyrchol i yng Nghymru ac ro'n i'n ddigon abl i drafod arian ac amodau, fel y gwnes ar ôl gadael fy asiant blaenorol, Felix De Wolfe. Yr unig reswm i fod ar lyfrau asiant yn Llundain ar y pryd fyddai er mwyn gweithio y tu allan i Gymru, a doedd hynny ddim yn opsiwn oherwydd fy amgylchiadau.

Roedd ffilmio trydedd gyfres *Tair Chwaer* wedi ailgychwyn erbyn i ni agor gyda *The Silver Sword* yn y Sherman, a phrofwyd gwirionedd y dywediad bod y corff yn mewnoli ein holl boenau emosiynol a meddyliol, pan, yng nghanol fy mhrysurdeb, y codais Saran ddwy oed, lond ei chroen, yn rhy sydyn o'i chadair uchel. Yn ddirybudd 'aeth' fy nghefn, ac es i i weld y ceiropractydd er mwyn rhoi pethau'n ôl yn eu lle, ac wrth i'r broses agor y llifddorau buais i'n llefain yn ddi-baid am sawl awr ar ei ffwrwm. Diolch, Peter Lavallette, am fod mor glên. Gwnes i'r pedwar diwrnod o berfformiadau oedd yn weddill gyda help ffon a cheisio dod oddi ar stiletos Mary mor aml â phosib. Ian yrrodd fi at y ceiropractydd. Roedd e wedi symud 'nôl i Gaerdydd ers tipyn, ac yn raddol erbyn yr hydref, fe wnaethon ni ailafael yn ein perthynas mewn ffordd hyd braich, ac yntau'n dal i fyw yn ei fflat.

Julian aeth â Steffan draw i'w lety yn Badock Hall wrth iddo gychwyn astudio Hanes ym Mhrifysgol Bryste. Ro'n i wedi bod yn paratoi ers tipyn ond roedd cyfres nesaf *Yr Heliwr* wedi cychwyn, a minnau'n gorfod bod yn Margaret Edwards ar y dydd Sul hwnnw, yn hen ysbyty Sili ger Penarth, ac ro'n i'n teimlo'n tu hwnt o unig a thrist wrth eistedd yn y bws arlwyo yn fy siwt blastig wen. Roedd y tŷ'n teimlo'n wag iawn heb Steffan, ond trwy gyd-ddigwyddiad rhyfedd, o fewn llai na phythefnos, daeth cyfle i weithio ym Mryste ar y ddrama radio *Au Revoir Johnny Onions* gan Tracy Spottiswoode, ac es i am ginio gyda Steffan a chael clywed yr holl hanes cyffrous. Gallai pethau wedi bod yn wahanol iawn petai'r ambiwlans heb gyrraedd Mombasa mewn pryd.

Roedd byd Saran wedi newid hefyd wrth iddi gychwyn yn yr ysgol feithrin, oedd yn cael ei rhedeg yng nghapel Salem gan Heather Jones, cyn gyd-ddisgybl i fi yn ysgol ramadeg y merched Caerfyrddin. Roedd y dechreuad ardderchog gafodd Saran yno yn sail gadarn i'w datblygiad ym mhob ffordd. Ro'n i'n colli cefnogaeth Steffan, ond roedd Mam yn dal yn help yn y tŷ ac roedd Bethan yn dal i ofalu amdani weddill yr amser, a Dorn a Jenny a theulu'r Swaffields hefyd yn helpu, ac oherwydd fod ganddyn nhw fusnes llewyrchus, yn gwrthod unrhyw dâl. Pwy ddwedodd bod angen pentref i fagu plentyn? Ro'n i wir angen cymaint o gefnogaeth â phosib wrth i fy sefyllfa waith wella ac i dawelwch cymharol tri chwarter cyntaf y flwyddyn droi'n brysurdeb mawr.

Heblaw am *Yr Heliwr*, roedd ffilmio *Tair Chwaer* yn

parhau tan fis Rhagfyr. Ces i hefyd bennod o'r gyfres *Iechyd Da* gan gwmni Bracan, ac ro'n i'n dal i sgrifennu *Ponty* a mynd i Abertawe i recordio ar y penwythnosau. Cynyddodd y gwaith fwy fyth ym mis Rhagfyr pan ymunais â thîm o sgwenwyr y gyfres ddrama gyfnod, *Y Palmant Aur*, i gwmni Opus, ac yn dilyn fy nghyfweliad ym mis Tachwedd, ro'n i hefyd yn rhan o gast *Station Road*, drama sebon Radio Wales. Prin oedd amser 'da fi i droi rownd, ond roedd hyn i gyd yn golygu bod gobaith cael gwared ar yr orddrafft, a bod dim angen poeni am arian am sbel, wrth feddwl am gostau prifysgol. Ond wedyn dechreuodd Mam wanio ymhellach.

Roedd hi wedi dod yn amlwg ei bod hi'n gwanhau ers yr hydref. Er gwaetha'r ffaith ei bod hi'n smygu'n gyson ers blynyddoedd, roedd ei hiechyd wastad wedi bod yn hynod o dda a phenderfynodd anwybyddu'r anhwyldeb cymaint â phosib. Cafodd hi sawl cwrs gwrthfiotig yn ystod y cyfnod hwn ond aeth cryn amser heibio cyn i ni ddarganfod natur y blinder affwysol oedd wedi dod drosti.

1999

Colli Mam

ROEDD MAM YN gyndyn o gael unrhyw brofion, ond rhaid bod esboniad am y peswch, y gwendid a'r chwysu yn y nos. Ar ôl y profion gwelwyd bod ganddi gysgod ar yr ysgyfaint a daethpwyd i'r casgliad mai niwmonia oedd e. Yna, cafodd brawf am y dicáu, ond roedd e'n negyddol. Pan ddaeth y newyddion ei bod yn dioddef o ganser yr ysgyfaint doedd hi ddim eisiau unrhyw driniaeth, na threulio oriau yn yr ysbyty. Petai hi yn ei thridegau byddai'n wahanol, meddai, ond doedd hi ddim am wynebu'r triniaethau a'r rheiny'n annhebygol o wella ei bywyd, ond yn hytrach yn debygol o wneud ei bywyd yn fwy diflas. Roedd Mam yn ymarfer meddylgarwch ymhell cyn iddo ddod yn boblogaidd. Roedd hi'n credu'n gryf yng ngallu'r meddwl i oresgyn problemau, ac roedd ganddi allu rhyfeddol i fod yn gadarnhaol ac i fyw yn y foment. Byddai'n aml yn fy annog i fod yn fwy llonydd, ac i eistedd weithiau a gwneud dim, rhywbeth dwi'n ei chael hi'n anodd iawn i'w wneud. Dwi erioed wedi llwyddo i ddod unman yn agos at gyrraedd y canol llonydd hwnnw oedd fel petai'n dod yn naturiol iddi, ac aeth bywyd yn ei flaen wrth i ni benderfynu ymdopi y gorau allen ni.

Y gyfres *Y Palmant Aur* oedd yn fy nhynnu o realiti bywyd bob dydd, wrth i fi ymuno â Gareth F Williams, Anwen Huws a Delyth George i sgrifennu pedwaredd gyfres y cynhyrchiad a grëwyd gan T James Jones a Manon

190

Rhys. Seiliwyd yr hanes ar aelodau teulu Ffynnon Oer yng Ngheredigion, rhai gartref ar y fferm ac eraill wedi ymfudo i Lundain. Roedd hon yn stori gyfarwydd i fi gan fod fy hen ewythr, brawd fy nhad-cu, William Morgan o Langadog, yn berchen llaethdy yn Camden Town, ac wedi cynnal cysylltiad cryf â'i bentref genedigol; dywedid mai Eisteddfod Llangadog oedd yr unig Eisteddfod fach â'i phencadlys yn Llundain. Aeth ei blant ati i redeg gwestai yn Llundain a chadw eu Cymraeg, ond yn y dyddiau hynny cyn agor Ysgol Gymraeg Llundain ni throsglwyddwyd yr iaith i'w wyrion.

Mae cymaint wedi ei golli wrth i genedlaethau o Gymry ymfudo i ddinasoedd mawr Lloegr a thu hwnt, gan allforio talent ac egni. Mae angen tynfa go ddeniadol i'w perswadio i ddod gatre, fel ddigwyddodd pan sefydlwyd BBC Cymru yn 1964. Denwyd llu ohonynt, gan gynnwys Ryan Davies a Rhydderch Jones, i enwi dim ond dau, ac fe wnaeth hynny gyfoethogi ein diwylliant. Mae gwlad fach angen pawb ar y dec yn tynnu eu pwysau, ac mae'n braf gweld y seren ffilm ryngwladol Michael Sheen yn ceisio gwneud cyfraniad ar hyn o bryd mewn nifer o ffyrdd ymarferol.

Ar ôl cychwyn yn ugeiniau'r ganrif ddiwethaf, roedd trigolion *Y Palmant Aur* wedi cyrraedd y pumdegau, a'n gwaith ni fel tîm dan ofalaeth y cynhyrchydd, Eryl Phillips, oedd creu straeon ar gyfer y cyfnod yma yr oedd gen i gof ohono yn ferch fach. Roedd yn gyfle amheuthun a chyffrous a chroesawais y cyfle i gael fy ymestyn. Roedd yn wahanol iawn i sgrifennu ar gyfer y theatr, a'r rhyddid a geid ym mhob agwedd o'r gwaith hwnnw, ar wahân i nifer yr actorion efallai, am resymau cyllidebol. Roedd profiad sgrifennu *Ponty* yn dipyn o help am fy mod wedi arfer â chyfyngiadau hyd pob pennod, er bod yr angen i'w rhannu'n bedair adran gyfartal ar gyfer toriadau'r hysbysebion yn cymhlethu rhythm a strwythur y naratif. Yn wahanol i sebon, roedd mwy o ryddid i benderfynu pa gymeriadau fyddai'n ymddangos mewn pennod, ac i greu cymeriadau newydd. Roedd tipyn o bwysau oherwydd bod y gyfres wedi ei hen sefydlu, ac roedd rhaid i'r arddull fod yn gydnaws, ac felly, er i fi wylio'r cyfresi blaenorol wrth iddyn nhw gael eu darlledu, gwyliais nhw eto, trwy lens wahanol, fel petai, a gwnes nodiadau manwl. Gwnes i hefyd wylio llu o gyfresi tebyg er mwyn deall strwythur. Ar gyfer un bennod treuliais oriau'n gwylio coroni brenhines Lloegr yn 1953 er mwyn penderfynu pryd yn union fyddai '*Zadok The Priest*' a '*God Save The Queen*' yn atseinio trwy gegin y fferm am fod Esther Jenkins, brenhines Ffynnon Oer, yn cael ei mygu tra bod y ddefod honno'n cael ei darlledu.

Roedd llawer ar draws y byd yn mynychu gweithdai gŵr o'r enw Robert McKee ar y pryd ac fe brynais ei lyfr, *Story: Substance, Structure, Style, and the Principles of Screenwriting*, a seiliwyd ar y syniadau yn y gweithdai wrth iddo ddadansoddi adeiladwaith 'stori' a'r berthynas rhwng y cymeriadau a'r 'plot'. Mae'n ddarllen difyr tu hwnt, ac roedd yn ysgogi syniadau, ond yn y bôn, fel pob gwaith arall gwerth chweil, mae ysgrifennu'n waith caled, sy'n golygu oriau o sgrifennu, ac yn bennaf ailsgrifennu, ac mae angen cymorth llygaid craff eraill ar hyd y ffordd.

Doedd 'da fi ddim cyfrifiadur. Prynais i un ar gyfer Steffan a'i waith yn y brifysgol, ond roedd y dechnoleg newydd yma yn fyd dieithr anghydnaws i fi, a cheisiais ei gadw hyd braich cyn hired â phosib. Ro'n i'n dal i sgrifennu â llaw, a'r hyfryd Dathyl Evans o gwmni Opus yn teipio'r gwaith.

Gan fod amser yn fyr ro'n i weithiau'n sgrifennu *Y Palmant Aur* yng nghantîn y BBC yn Llandaf pan oedd gen i awr neu ddwy yn rhydd ar ganol recordio *Station Road*.

Roedd y gyfres radio sebon, a'r teulu Reilly ro'n i'n rhan ohono gyda William Thomas, Siwan Morris a Margaret John, wedi eu sefydlu erbyn hyn. Syniad arall gan Dai Smith i hybu'r diwylliant Cymreig yn yr iaith Saesneg oedd y gyfres ac fe roddodd waith i lu o actorion, sgrifenwyr a chyfarwyddwyr, yn ogystal â hyfforddiant i rai newydd. Yn hytrach na recordio am ddau ddiwrnod ar y penwythnosau, fel yn achos *Ponty*, roedd *Station Road* yn recordio am wythnos gyfan bob mis, gan adlewyrchu'r gwahaniaeth yng nghyllidebau'r ddwy iaith, mae'n debyg, ac argaeledd actorion efallai. Daethai *Ponty* i ben ers tipyn, ac ar wahân i ambell i droslais, *Station Road* oedd yr unig waith actio ddaeth i'r fei am fisoedd. Un deg saith diwrnod o waith fel actor wnes i mewn blwyddyn gyfan.

Er bod y datblygiadau parthed yr ysgrifennu yn fy nghyffroi, ro'n i'n teimlo'n ddigalon am fy nyfodol fel actores, ac ro'n i'n teimlo'r straen gatre, a phan glywais, er mawr syndod i fi, 'mod i wedi cael enwebiad ar gyfer gwobr BAFTA roedd yn dipyn o hwb.

Mae rhai yn dweud nad yw gwobrwyon yn bwysig. Mae'n wir bod y gwaith ei hun yn wobr, mae cael eich dewis ar gyfer rhan yn ddatganiad o ffydd a hyder, ac mae creu a datblygu cymeriad yn bleser. Serch hynny, mae'n braf iawn cael cydnabyddiaeth gan rai tu allan i gynhyrchiad, yn gyhoeddus gan gyd-weithwyr, ar noson o ddathlu pob math o dalent yn y maes.

Gwisgais ffrog a brynais yn siop River Island flynyddoedd ynghynt, a sgarff Odette o *Grand Slam* am lwc, a daeth Ian gyda fi. Yn y CIA, Arena Ryngwladol Caerdydd yng nghanol y ddinas, y cynhaliwyd y seremoni, a phawb yn eistedd o gwmpas byrddau yn bwyta ac yn yfed cyn i'r enillwyr gael eu cyhoeddi. Ro'n i wedi addo i fi fy hun na fydden i'n yfed o gwbl ar y noson tan ar ôl y canlyniad, rhag ofn i fi ennill a gorfod siarad o'r llwyfan, ond yn anffodus categori'r actores orau oedd yr olaf i gael ei gyhoeddi. Wrth i gwmni Gaucho ennill mwy a mwy o wobrwyon (saith i gyd) agorwyd y siampên, a rhwng y siampên a'r adrenalin pan glywais fy enw ro'n i ar ryw gwmwl iwfforig, a phrin y galla i gofio cyrraedd y llwyfan na beth ddwedais wrth dderbyn y wobr. Do'n i'n sicr ddim wedi disgwyl ennill, ac mae'r noson yn teimlo fel breuddwyd wrth edrych 'nôl, a'r ymateb twymgalon yn ychwanegu at y pleser. O'n i'n hedfan am ddau ddiwrnod. Fyddwn i byth wedi ennill y wobr oni bai am yr holl bobl eraill oedd ynghlwm â'r cynhyrchiad wrth gwrs, na chwaith heb help y rhai oedd yn gofalu am Saran. Busnes cydweithredol yw bywyd ac felly hefyd y busnes adloniant, o'r ysgrifennu i'r castio, y cyfarwyddo a'r golygu. Diolch i Siwan Jones am ysgrifennu rhan mor wych ac i Endaf Emlyn a Pauline Williams am fy ngweld trwy lygaid gwahanol, a chymeryd y risg o 'nghastio i fel Mary, yr alcoholig bregus.

Yn y cyfnod hwn roedd BAFTA Cymru yn dal i fod yn Gymreig. Erbyn hyn, yn dilyn ymlifiad o gwmnïau mawr a chyllidebau anferth o Loegr a thu hwnt, mae naws diwylliannol y seremoni wedi newid yn gyfan gwbl. Mae ffilmio yng Nghymru yn ddigon o gymhwyster i gael enwebiad; does dim rhaid bod yn Gymro nac yn Gymraes, na dilyn gyrfa yng Nghymru, a does dim rhaid i'r rhaglen adlewyrchu Cymru chwaith. Gall fod yn gwbl amherthnasol i ni fel gwlad, a hyd yn oed yn ddathliad o ddiwylliant gwlad arall. Does dim gobaith datblygu diwydiant ffilm a theledu cynhenid Gymreig o dan y fath feddylfryd.

Daeth mis Mai â hwb arall; y tro hwn i fy nghred yn nyfodol Cymru, pan gynhaliwyd etholiadau cyntaf y Cynulliad. Roedd hwn yn ddigwyddiad ro'n i wedi bod yn ei ddeisyfu ers 1966, pan ddathlais fuddugoliaeth Gwynfor

Evans ar sgwâr Caerfyrddin, ac roedd y ffaith ei fod yn digwydd yn teimlo ychydig yn afreal. Ro'n i yng nghanol sgrifennu pennod o *Y Palmant Aur*, a gyrrais draw i swyddfa Opus â'r sgript ddiweddaraf i gael ei theipio, er ei bod hi rownd y gornel, er mwyn clywed y newyddion ar radio'r car wrth iddo gyrraedd. Roedd clywed bod Plaid Cymru wedi ennill dwy sedd ar bymtheg, yn cynnwys Llanelli, Islwyn, Y Rhondda a Dwyrain Caerfyrddin, i gyd yn gadarnleoedd Llafur, yn creu anghrediniaeth, yn gymysg â gorfoledd, a gobaith ar gyfer dyfodol gwell i Gymru. Roedd gweld agoriad y Cynulliad ar Fai y 26ain, er gwaetha'r ffaith mai Brenhines Lloegr, Mrs Windsor, chwedl Leanne Wood, oedd yn arwain y seremoni, yn emosiynol tu hwnt. Ac mae'r cymysgedd o anghrediniaeth a dathlu yn dal yn effeithio arna i. Erbyn y seremoni ddiweddaraf, roedd teimlad gwahanol i'r achlysur, oedd yn ymddangos fwyfwy fel petai'r frenhines yn cael ei chroesawu fel gwestai o wlad arall, wrth i'r Llywydd Elin Jones ei thywys o gwmpas yr adeilad yn urddasol.

Pan apwyntiwyd Karl Francis yn bennaeth adran ddrama BBC Cymru yn 1995 roedd â'i fryd ar newid y diwylliant. Cynhaliodd gyfarfod mawr agored yn y BBC pan siaradodd Rhys Ifans a Catherine Zeta-Jones, ac ro'n i yna yn llawn brwdfrydedd gyda Saran, oedd newydd gael ei geni, yn ei choets. Er i Karl adael y swydd yn 1997, gosododd seiliau ar gyfer y Writer's Lab i gefnogi sgwenwyr, a rhoddodd hyn gychwyn i rai sy'n enwau cyfarwydd erbyn hyn, fel Gary Owen a Catherine Tregenna, a'r newid arall arwyddocaol ddigwyddodd oedd apwyntio cyfarwyddydd castio. Roedd Gary Howe o'r Rhondda wedi bod yn actor ei hun, ac am y tro cyntaf roedd gan lawer iawn o actorion Cymreig gyfle i gael eu gweld ar gyfer gwaith yng Nghymru, p'un ai oedd ganddyn nhw asiant neu beidio, gan lefelu'r maes chwarae. Ar ddechrau Mehefin gofynnodd Gary Howe i fi fynd am gyfweliad ar gyfer cymeriad o'r enw Meg Lewis mewn cyfres blant i'r BBC o'r enw *The Magician's House*.

Addasiad o lyfrau William Corlett wedi eu lleoli yng Nghymru oedd y gyfres ac roedd Meg yn gymeriad ecsentrig oedd yn byw'n wyllt yn y mynyddoedd, a'i bryd ar warchod moch daear. Gwisgais hen got hir a rhoi sgarff flodeuog am fy mhen ar gyfer y cyfweliad, gan gofio nad oedd gan bob cyfarwyddydd o anghenraid gymaint o ddychymyg ag Endaf Emlyn a Pauline Williams. Ces i 'ngalw 'nôl am ail gyfweliad, ac yna, er mawr syndod i fi, fe ges i gynnig y rhan. Feddyliais i ddim am funud y byddwn i'n llwyddiannus, ac ro'n i wrth fy modd. Yr unig faen tramgwydd oedd bod y pump wythnos gyfan o ffilmio, o ddiwedd Mehefin tan ddiwedd Gorffennaf, yn digwydd yn Vancouver. Mae'n ymddangos nad oedd gyda ni gwm digon hardd yng Nghymru fyddai'n addas ar gyfer ffilmio stori oedd wedi ei lleoli mewn cwm hardd yng Nghymru, fyddai wedi caniatáu i fi ddod adre bob nos.

Er gwaetha ei thostrwydd roedd Mam yn parhau i ymddwyn fel petai dim byd llawer o'i le. Roedd hi'n dal gatre ac yn gwrthod triniaeth oherwydd ei hoedran, ar wahân i help homeopathig. Byddai hi'n cael lliwio ei gwallt yn y tŷ, ac yn helpu i ofalu am Saran o bryd i'w gilydd, yn mynd â'r ci am dro byr yn aml ac yn mynd i'r siop leol i brynu sigaréts. Pan ddaeth Steffan gatre ar gyfer gwyliau'r Pasg, fe olchodd ei ddillad i gyd a'u rholio nhw er mwyn sbario eu smwddio, yn ôl ei harfer. Es ati i wneud trefniadau i fynd i Vancouver, a darparu gofal i Saran fyddai'n dod gyda fi; roedd Steffan gatre am yr haf ac yn hapus i gadw cwmni i Mam, ac roedd pawb yn cydsynio.

Ond yna dirywiodd iechyd Mam yn sydyn a chanslwyd

y cyfan. Roedd agwedd y BBC yn ddigon annymunol pan dynnais i'n ôl o'r cynhyrchiad, fel petaen nhw'n methu deall pam fod fy mam yn bwysicach na gwaith. Chwaraeodd Siân Phillips y rhan ar fyr rybudd, a throdd y ffaith fod pob dim wedi ei ganslo am y pump wythnos hynny yn fendith chwerw ac fe'm rhyddhawyd i dreulio cymaint o amser â phosib gyda Mam.

Tua mis ar ôl gwaelu, bu Mam farw yn hosbis Holme Tower ym Mhenarth. Am y deng niwrnod olaf, tra bod Ian a Steffan yn y tŷ gyda Saran, arhosais i gyda Mam, a mynd gatre i godi Saran yn y bore a mynd â hi i'r ysgol feithrin, a'i rhoi hi yn y gwely gyda'r nos. Roedd y tywydd yn fendigedig, a'r ffenest anferth yn y stafell yn yr hosbis yn edrych dros y môr a'r geiriau olaf ddwedodd Mam cyn syrthio i goma oedd, *'Oh, what a beautiful view.'* Creon ni seremoni i Saran yn stafell wely Mam, a gwnaeth Jim Parc Nest gynnal yr angladd yn yr amlosgfa. Darllenodd Dafydd Hywel ddarn o farddoniaeth fy mam, *'116, High Street'*, yn sôn am ei phlentyndod yn Rhydaman a gorffennwyd y gwasanaeth gyda chân gan Marlene Dietrich. Doedd 'da fi ddim syniad sut ro'n i'n mynd i allu byw nawr. Fyddai bywyd byth yr un peth.

Ro'n i'n dal i lynu at y syniad bod Mam yn ddigon iach a chryf i oroesi. Yn y bôn dwi'n meddwl 'mod i'n credu bod Mam yn gallu goroesi unrhyw beth; ei bod hi'n mynd i fyw am byth. Ond er fy mod i'n credu na fyddai Mam byth yn marw, roedd ein meddygon teulu yn synnu ei bod hi wedi dal mor hir. Roedd ei chred yng ngallu'r meddwl i greu nefoedd neu uffern yn brawf bod meddwl yn gadarnhaol yn gallu goresgyn pob math o anawsterau. Un o'r pethau rhyfeddaf ddigwyddodd yn ystod y cyfnod olaf oedd ei bod hi wedi stopio smygu'n sydyn ac yn gyfan gwbl. Cynghorwyd fi gan y doctor i'w hannog hi i smygu, er mwyn creu normalrwydd, a dyna lle buais i'n tanio a chynnig sigarennau iddi, gan obeithio na fyddwn i'n cael fy nghaethiwo eto, ond doedd ganddi ddim diddordeb o gwbl.

Pythefnos ar ôl yr angladd roedd rhaid gadael Caerdydd i weithio ar ffilm o'r enw, *Siwrnai Ddwyffordd*, cyd-gynhyrchiad rhwng Cymru a Gwlad y Basg yn ardal Castellnewydd Emlyn, ac roedd dianc i'r gorllewin am ychydig ddyddiau yn rhyddhad dros dro. Stori am ferch a bachgen ifanc ar gynllun trawsddiwylliannol oedd hi, a Ryland Teifi yn chwarae'r bachgen ifanc, yn fab i finnau a William Thomas. Gyrrodd Steffan, Saran a minnau i Gastellnewydd Emlyn a daeth Bethan, a ofalodd am Saran ar ddiwrnod angladd Mam, i warchod, gan aros yn ei chartref teuluol yn Llangeitho dros y cyfnod.

Roedd trefn y cwmni cynhyrchu Basgaidd yn wahanol iawn i'r hyn ro'n i wedi arfer ag e, a Melchior a Roman a gweddill y criw lliwgar yn cynnig sawl ffordd o leddfu poen meddwl yn ystod y ffilmio. Roedd gwin coch yn rhan o'r toriad paned yn y bore, a pheintiau o Guinness yn y dafarn yn Ffostrasol dros yr awr ginio, oedd yn para dwy awr, heb sôn am y cyfleoedd i smygu rhywbeth amheus gyda the prynhawn. Roedd dianc i anghofrwydd yn demtasiwn ond ataliais, wrth reswm. Roedd ymddygiad anarferol tra amhroffesiynol y cwmni yn ymestyn hyd at eu trefniadau busnes hefyd, yn anffodus, a chafodd Wil a minnau ddim ceiniog am ein gwaith, er gwaetha pob ymdrech, yn cynnwys trafodaeth rhwng Equity a gweinidog diwylliant Gwlad y Basg. Trueni na fydden ni wedi derbyn cyngor Ryland a gwrthod rhoi troed ar y set cyn cael tâl am waith y dydd. Ar ddiwedd y pedwar diwrnod daeth Steffan i'n nôl ni, fe wnes i ailafael yn Sian Reilly a *Station Road* ac aethon ni i brynu car i Steffan.

Ar ddiwedd mis Awst, cyrhaeddais fy hanner cant a daeth criw o ffrindiau agos ynghyd i'r tŷ, rhai oedd wedi bod yn gymaint o gefn i fi, a phawb yn dod â bwyd, fel byddai pobl yng Nglanaman yn dod â the a siwgr adeg angladd. Eisteddon ni yn yr ardd yn siarad ac yn yfed, a chanu os cofia i, ac roedd yn gysur mawr, er nad o'n i wir yn teimlo 'mod i'n bresennol o gwbl. Ro'n i fel tasen i wedi cael fy ngharo i realiti arall, i ddimensiwn do'n i ddim hyd yn oed yn sylweddoli ei fod yn bodoli. Uchafbwynt y diwrnod oedd yr anrheg gafodd Saran gan Geraint Eckley, siglen ddaeth e o hyd iddi yng ngardd ei dŷ newydd yn Grangetown.

Aeth bywyd yn ei flaen, aeth Saran yn ôl i'r ysgol feithrin ac aeth Steffan yn ei ôl i Fryste, ac ailgychwynnodd prysurdeb gwaith. Ar ben fy ymweliadau misol â *Station Road* dechreuais weithio ar y ffilm Nadolig, *Cymer Dy Siâr*, a chamu'n ôl i bentref rhithiol *Tair Chwaer* yng Nghwm Gwendraeth, oedd ond yn bodoli ym mhen Siwan Jones, ond serch 'ny, oedd yn gwbl gyfarwydd i fi. Lapiais fy hun yn gyfforddus yng ngwisg Mary, fy hen ffrind, gan ddawnsio trwy'r nos yn y ffrog biws taffeta wrth i'r merched gynnal noson mewn sied wair. Ar y noson olaf cyrhaeddais gatre gyda Siôn Corn mawr plastig, a doli tsieina mewn dillad cowboi. Ailgychwynnodd *Yr Heliwr* hefyd ac ro'n i yr un mor gyfforddus yn nillad Margaret Edwards, 'Magi Morgue', ei het J-Cloth, ei menig rwber a'i phiner plastig, wrth iddi archwilio corff actor arall a'i ddadansoddi gyda'r SOCOS a Phil Madoc. Es i i'r BBC i glywed awduron llwyddiannus fel Alan Plater a Jimmy McGovern yn trafod eu gwaith fel rhan o gynllun y Writer's Lab i hybu sgwenwyr, a gosodais fflat Mam yn Stryd Westgate i fy nhenant anrhydeddus cyntaf, Hywel Ceri Jones o'r Comisiwn Ewropeaidd. Tua'r adeg yma daeth fy mherthynas i ag Ian i ben. Ar ôl y dyddiau iwfforig cychwynnol, y rhosod a'r siampên, trodd yn enghraifft berffaith o ddameg Allen Carr am yr eli oedd yn lledaenu'r briw yn hytrach na'i wella, a fy nheimlad pennaf oedd gollyngdod a rhyddhad.

Ym mis Tachwedd cefais y fraint o agor neuadd Llandyfaelog ar ei newydd wedd, ar ôl iddi gael ei hailwampio, diolch i arian y loteri. Roedd y neuadd yn frith o atgofion. Ennill bag am ganu yn yr Eisteddfod; chwarae Elen Benfelen yng nghyngerdd yr ysgol a fy mrawd, Paul, yn canu 'Bugeilio'r Gwenith Gwyn'; cael fy ngwasgu'n rhy dynn mewn dawnsfeydd ar nos Sadwrn; y rhaglenni radio *Pawb Yn Ei Dro* a *Sêr y Siroedd* gydag Alun Williams yn recordio yno, a chwmni drama teithiol Bryn ac Edna Bonnell, a phawb yn eistedd ar gadeiriau metel gyda chynfas brown dros y sedd. Ro'n i'n cofio'r lleithder a'r oerfel a'r aroglau tebyg i sialc. Ro'n i wedi bod yn ffilmio ar y diwrnod ac yn hwyr yn cyrraedd a doedd rhan ohono i ddim eisiau wynebu atgofion o'r gorffennol, ond ar y noson, roedd hi mor braf cwrdd â hen ffrindiau fy mhlentyndod. Yno roedd Dr Jenkins, ein meddyg, a Raymond Richards, cyfeilydd i Gôr Meibion Dyffryn Tywi ac actor yn y dramâu y byddai Mam yn eu cynhyrchu, ac roedd Betty Lewis Fisher, hen ffrind i'r teulu, yn arwain y côr. Roedd cael y cyfle i gwrdd â chymaint o bobl y pentref oedd mor annwyl i fi yn golygu ei bod hi'n noson i'w chofio. Ysgrifennais y ddrama un person *Holl Liwe'r Enfys* am fy nghyfnod yn tyfu lan yn y pentref, ac ymhen rhai blynyddoedd ces i'r profiad cyffrous o'i pherfformio yn Llandyfaelog, yn ystafell fwyta'r Lion, lle byddai Syd a Nelly John, oedd yn gadael i fi a 'mrawd Paul wylio'u teledu, yn godro'r da pan oedd yr adeilad yn feudy.

Daeth y Nadolig a'i brysurdeb, a chyngerdd yr ysgol feithrin a'r cyngerdd bale gyda'i secwins a'i sidan, y ddau yn golygu un o fy nghas bethau sef gwnïo, ond roedd e werth y drafferth i weld y plant wrthi yn llawn asbri a diniweidrwydd. Aeth Saran a fi i weld *The Nutcracker* yn Neuadd Dewi Sant gyda Dorn a Greta, ffrind arall oedd yn ddawnswraig yn y pumdegau gyda chwmni na wyddwn i am ei fodolaeth cyn cwrdd â hi, sef Ballet Cenedlaethol Cymru. Roedd capel Salem yn dathlu gyda pharti, Siôn Corn a drama'r geni a daeth Steffan gatre ac ymunodd â'r bobl ifanc yng Ngŵyl y Canhwyllau.

Mae pawb yn galaru yn eu ffordd eu hunain. Fe griais i raeadrau ac afonydd o ddagrau ar ôl colli Mam, ond roedd e hefyd fel petai rhyw ysbryd nerthol wedi fy meddiannu. Doedd dim modd cuddio rhag y boen na'i ddifodi'n llwyr. Roedd rhaid i fywyd fynd yn ei flaen, a chryfhawyd yr ysfa i ysgrifennu er mwyn rhesymoli'r teimladau oedd yn corddi y tu fewn i fi. Yn y pen draw fe gyfrannodd y profiad hwn i ddrama *Holl Liwie'r Enfys*, am dyfu lan yn Llandyfaelog, a hefyd *Trafaelu ar y Trên Glas* am heneiddio, y menopos a marwolaeth, y ddwy ddrama yn cyfannu'r drioleg a gychwynnwyd gan *Ede Hud*. Ond nawr, ar drothwy'r Mileniwm newydd, *Dreaming Amelia*, y ddrama ro'n i wedi bod yn ei datblygu gyda chwmni Theatr Hi-Jinx, aeth â fy amser. Prif gymeriad *Dreaming Amelia* yw Beti, merch ifanc sy'n mynegi ei hun trwy ei chorff, ac yn teimlo rheidrwydd i ddawnsio er mwyn dod i delerau ag emosiynau. Mae Amelia Earhart yn ei hysbrydoli i gyflawni ei photensial, a phan mae awyren Amelia'n diflannu wrth iddi hedfan o gwmpas y byd mae Beti'n darganfod elfen greadigol newydd ynddi hi ei hun. Er 'mod i wedi fy magu ryw chwe milltir o'r fan ble glaniodd Amelia Earhart ym Mhorth Tywyn yn y *Friendship* ar Fehefin 17eg yn 1928 doedd 'da fi ddim syniad am yr achlysur hanesyddol yma. Eistedd yn yr awyren wnaeth Amelia, yn hytrach na'i hedfan, ond oedd hynny'n ddigon i greu sylw mawr, wrth i'r wasg ryfeddu bod menyw wedi croesi'r Iwerydd mewn awyren. Cafodd hithau a'r criw dderbyniad anhygoel adre yn yr Unol Daleithiau, ac fe ddaeth Amelia yn seléb dros nos, ond yn bwysicach fe'i hysbrydolwyd i hedfan ei hawyren ei hun y tro nesaf. Pedair blynedd yn ddiweddarach, ym mis Mai 1932 glaniodd ei hawyren mewn cae yng Ngogledd Iwerddon a phan ofynnwyd a oedd hi wedi hedfan ymhell, atebodd 'Do, o America.' Mae'r ddrama'n cyfuno arwyddocâd modelau rôl a phwysigrwydd adnabod ein hanes. A minnau nawr wedi colli fy model rôl, fel Beti roedd rhaid i fi ddod o hyd i ffordd o ysbrydoli fy hun.

Ar ôl cyrraedd yr hanner cant, neu hyd yn oed cyn hynny, er gwaetha'r ffaith fod twf ffeministiaeth wedi gwneud gwahaniaeth aruthrol, mae yna'n dal ddisgwyliad i actorion benywaidd ddiflannu'n araf, fel y disgwylir i fenywod wneud o fewn cymdeithas. Mae celfyddyd yn efelychu bywyd a'r stereoteip yn newid gydag oedran. Yn hytrach na'r ferch rywiol neu'r fam a'r wraig gariadus, fel atodiad i'r prif gymeriad, nawr gellid bod yn fam-gu a chael eich cyfyngu i gylch cul domestig, yn eistedd wrth y tân yn eich slipers, yn gwau. Mae yna hefyd bosibiliadau eraill, wrth gwrs, a galw mawr am gymeriadau gwallgo neu rai sy'n dioddef o salwch difrifol. Ond doedd diflannu ddim yn opsiwn i fi. Ar wahân i'r ffaith fod rhaid i fi gynnal fy hun a fy mhlant, roedd yr ysfa i berfformio yn dal i fod yn rhan hanfodol o fy hunaniaeth.

Ar drothwy'r Mileniwm newydd, aeth Steffan i wylio telorion ysbryd Cŵl Cymru, y Manic Street Preachers, yn y Stadiwm ac es i a Saran i wylio'r tân gwyllt yn goleuo'r nos ym Mharc Cathays gyda ffrindiau. Wrth wylio'r ffrwydriadau lliwgar, swnllyd a gostiodd gryn dipyn mae'n siŵr i Gyngor Caerdydd, meddyliais am yr oll oedd wedi digwydd yn ystod y Mileniwm blaenorol, a chofiais dreulio prynhawn yn y sinema yn 1968 pan ddyliwn i fod mewn darlith, yn gwylio *2001 A Space Odyssey*, a cherddoriaeth Strauss yn llenwi fy mhen. Roedd yn anodd amgyffred y ffaith fy mod i nawr yn byw yn y flwyddyn 2000, a dwi'n cofio teimlo mor lwcus o fod yn fyw nawr, yn y dyfodol pell hwnnw oedd tu hwnt i ddirnadaeth y fyfyrwraig ddeunaw oed. Cydiais yn ysbryd Mam ac edrychais ymlaen yn obeithiol ac yn gadarn at y dyfodol.

Hefyd gan yr awdur:

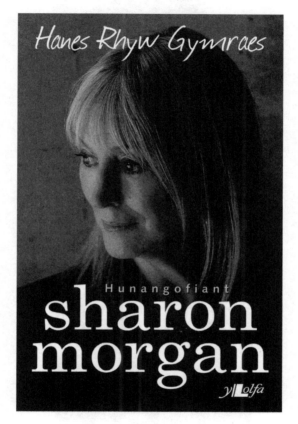

£9.95

Hefyd o'r Lolfa:

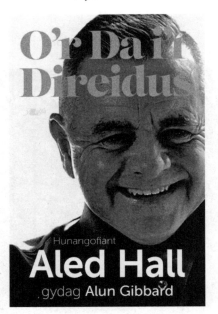

£9.99

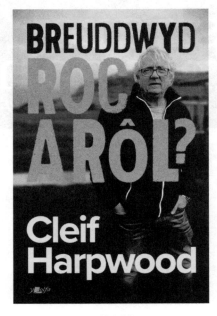

£14.99

£9.99

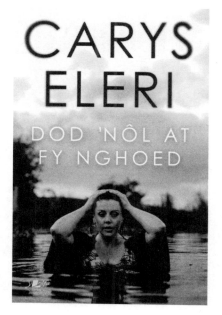

£9.99

Holwch am bris argraffu!
www.ylolfa.com